BIBLIOTHE
Centrale Bi
Molenst
4811 GS

HET EIND VAN DE MIDDELEEUWEN

…ebouwen

…del Mar
…del Pi

…'del Rec'
…nheidskerk
…Guía (Marcús)
…na (dominicanen)
…(franciscanen)
…geschoeide karmelie-

…(vanaf 1423, dominica-

14. San Juan (johannieters)
15. Santa Eulalia del Campo of van Mérida (augustijnen)
16. Sant Pau del Camp (benedictijnen)
17. San Pedro de las Puellas (benedictijnen)
18. Virgen de la Merced (trinitariërs)
19. Nazareth (cisterciënzers)
20. Santa María de Jerusalén (clarissen)
21. San Matías y Santa Margarita (orde van de H. Hiëronymus)
22. San Antonio, San Damián, San Daniel (clarissen)
23. Santa Ana (orde van het Heilig Graf)
24. Santa María de Jonqueres (orde van Sint-Jakob)
25. San Antonio Abad (reguliere kanunniken)
26. San Agustín (augustijnen)

Ziekenhuizen en liefdadigheids-instellingen

27. Hospital General de la Santa Cruz
28. Hospital de 'malalts masells' (San Lázaro)
29. Hospital de San Pedro y Santa María (Desvilar)
30. Hospital de Berenguer de Canet
31. Pia Almoina
32. Hospital de Sacerdotes (San Severo)
33. Arrepentidas (Santa Magdalena)

Wereldlijke gebouwen

34. Stadsgebouw
35. Goederenbeurs, consulaat en 'Taula'
36. 'Porxo del Forment' en 'Ala dels Draps'
37. Bestuursgebouw
38. Gedeputeerdenpaleis
39. Oude Kasteel ('Cort del Veguer')
40. Kasteel van Regomir
41. Nieuwe Kasteel
42. Atarazanas (de scheepswerven)
43. Pescatería (de visafslag)
44. Groot Koninklijk Paleis
45. Klein Koninklijk Paleis
46. Bisschoppelijk Paleis

Torens van de stadsmuren

47. San Juan
48. Santa Marta
49. Nieuwe toren
50. 'De las paces'
51. Canaletas

Stadspoorten

52. Santa Ana of 'Bergants'
53. Boquería
54. 'Ferrissa'
55. Trentaclaus of 'Ollers'
56. Atarazanas
57. Tallers
58. Ángel of 'Orbs'
59. Jonqueres
60. Portal Nou
61. San Daniel
62. San Antonio of 'Cardona'
63. San Pablo
64. Santa Madrona

Escala aproximada
0   50   100   200   300 metros

De stad zonder tijd

Abonneer u nu op de Karakter Nieuwsbrief.
Ga naar www.karakteruitgevers.nl en:
* ontvang maandelijks informatie over de nieuwste titels;
* blijf op de hoogte van speciale aanbiedingen en kortingsacties;
* én maak kans op fantastische prijzen!
www.karakteruitgevers.nl biedt informatie over al onze boeken,
Nova Zembla-luisterboeken en softwareproducten.

BIBLIOTHEE<·BREDA
Centrale Bibliotheek
Molenstraat 6
4811 GS Breda

Enrique Moriel

De stad zonder tijd

Karakter Uitgevers B.V.

Oorspronkelijke titel: La ciudad sin tiempo
© Enrique Moriel, Ediciones Destino, 2007
Vertaling: Heleen Peeters
© 2008 Karakter Uitgevers B.V., Uithoorn
Zetwerk: ZetSpiegel Best
Omslag: Select Interface
Omslagbeeld: Ramon Manent/Corbis

ISBN 978 90 6112 267 8
NUR 302/305

Niets uit deze uitgave mag worden openbaar gemaakt en/of verveelvoudigd
door middel van druk, fotokopie, microfilm of op welke andere wijze dan ook
zonder voorafgaande schriftelijke toestemming van de uitgever.

0

De ander

Ik kom uit tijden zonder grenzen, uit begraven steden. Ik kom van begraafplaatsen die tot me spreken, van liederen die niemand meer kent. Ik kom uit een tijd zonder zorgen. Daarom ben ik nooit dezelfde, evenmin als mijn stad ooit dezelfde is, en daarom kan ik mijn verhalen geen naam geven.

Toen ik geboren werd, was de grote vlakte rondom Barcelona die zich uitstrekte buiten de gotische stadsmuur, het land van het kwaad. Daar waren goedkope bordelen die verboden waren binnen de eerbare, ommuurde stad, daar waren circusartiesten, rondtrekkende potsenmakers, mensen die altijd honger leden, bedelaars en voortvluchtigen.

In dat land ben ik geboren.

Merkwaardigerwijs veranderde de vlakte van het kwaad door ruimtegebrek in korte tijd in de vlakte van de kloosters. Mijn moeder – die al luisterend veel van haar klanten had opgestoken – vertelde me dat de eerste stadsmuur van Barcelona, de romaanse muur, de stad direct in een verstikkende greep had en wel zozeer dat de stad zich buiten de verdedigingswerken uitbreidde en er in de middeleeuwen een tweede muur moest worden gebouwd, die men mettertijd de gotische muur ging noemen. Die stadsmuur daalde af langs wat we tegenwoordig de Ramblas noemen, maar waar toen helder water stroomde; die muur was voorzien van enkele fraaie poorten, de poort van Puertaferrisa en de poort van Canaletas, waar zich een bruggetje bevond, zodat de burgers zonder gevaar de stroom van de Ramblas konden oversteken. De klanten van mijn moeder wisten dat allemaal omdat de meesten van hen geestelijken waren.

Maar aan de andere kant van die tweede muur groeide de stad verder uit. En zo ontstond het 'land van niemand', waar ik geboren ben en waar het bordeel van mijn moeder stond. Natuurlijk werden er vlakbij als tegenwicht ook hospitalen gesticht, zoals dat van Santa Cruz, kloosters waarvoor binnen de muren geen ruimte was en kampementen, dat wil zeggen gebouwen die later plaatsmaakten voor de zo gewijde instellingen als het Liceutheater. Dat kon mijn moeder me niet vertellen, want het stond nog te gebeuren, en ook de mannen die haar bed frequenteerden konden het niet bevroeden.

In haar bed ben ik geboren zonder dat er iemand bij was.

Mijn moeder was een slavin. En laat niemand daarover verbaasd zijn.

Laat ook niemand verbaasd zijn dat iemand ons beiden probeerde te doden.

Die iemand was De Ander. Maar zijn naam zal ik niet noemen want ik kom hem nog regelmatig tegen.

1

De witte dood

Het was de eerste keer dat Marcos Solana te maken kreeg met een moord waarin de volgende drie gegevens een rol speelden: een overledene uiteraard, een katholieke priester en een foto van bijna een eeuw geleden die in een van de gangen hing van het Academisch Ziekenhuis in Barcelona. Marcos Solana was advocaat van rijke families – gespecialiseerd dus in Barcelonezen die alleen in de familiekring over geld praten.

Misschien moet ik bij de overledene beginnen, dacht Marcos Solana, een beschaafde man die uit respect voor zijn cliënten altijd in het grijs gekleed ging.

De overledene was Guillermo Clavé – beter bekend als Guillermito – en hij lag op een marmeren tafelblad in het ziekenhuis; zijn lichaam was net weer dichtgenaaid na de autopsie. Het bijzondere van dit geval was dat het een multimiljonair betrof – zoals veel mensen die niet werken – en dat hij in een van de meest luxe woontorens aan de Paseo de la Bonanova in Barcelona woonde en dat niemand in het ziekenhuis ooit zo'n wit lijk had gezien.

En dan was er de priester; niet zo vreemd, want als een rijk persoon overlijdt is er altijd wel een katholieke geestelijke in de buurt.

Marcos Solana richtte zijn blik op hem. Pater Olavide was seculier kanunnik, geheim kamerling van Zijne Heiligheid, doctor in de theologie en hoogleraar in die discipline aan het Collegium in Rome. Er werd verteld dat hij vrij toegang had tot de meest ontoegankelijke werkvertrekken in het Vaticaan, dat hij de historie van alle crypten kende en dat de paus regelmatig vertrouwelijk overleg met hem voerde.

De oude foto had Marcos Solana op dat moment nog niet gezien.

Hij keek naar de patholoog-anatoom, een lange, magere man, ongetwijfeld al wat ouder – hij had een paar rimpels in zijn hals – maar met zulk zwart haar en zo'n gladde, soepele huid dat hij wel leeftijdloos leek. Eenmaal klaar met zijn werk, trok de man zijn handschoenen uit en deed een stapje terug zodat het lichaam kon worden bedekt. Toen de advocaat der rijken zijn blik op het lichaam richtte, huiverde hij.

Cliënten van rijke advocaten komen altijd, in alle omstandigheden, keurig gekleed voor de dag; bij cliënten van arme advocaten doet het er daarentegen weinig toe hoe ze verschijnen. Op dit moment was Guillermo Clavé in tweeërlei opzicht nieuw voor zijn advocaat: die had zijn cliënt nog nooit naakt gezien – het idee alleen al! – en daarom drong het nu pas tot hem door dat het een dikke, misvormde man was, zonder enige uiterlijke waardigheid. Dat is ook niet zo abnormaal bij volwassen burgermannen die weinig andere lichaamsbeweging hebben dan het strelen van vrouwen, die onder de hoede van de beste restauranthouders hebben geleefd, nooit gewerkt hebben en het dan plotseling zonder kleermaker moeten stellen. Voor een man als Solana was dit alles betrekkelijk nieuw, maar het tweede aspect verraste hem volkomen: nog nooit had hij zo'n wit lijk gezien.

Hij vroeg de patholoog-anatoom of dit normaal was.

'Dit is uiteraard normaal,' antwoordde de dokter op neutrale toon en hij maakte aanstalten om zijn handen te gaan wassen. 'De dood toont ons meestal niet op ons voordeligst, hoewel niet iedere overledene wit is: juist uit de kleurnuances van de huid van een lichaam kunnen wij veel opmaken. Maar ik moet toegeven dat ik nog nooit zo'n bloedeloos lijk heb gezien.'

'Wat bedoelt u precies met bloedeloos?' vroeg Marcos Solana.

'Precies wat het woord zegt: dat er eenvoudigweg geen druppel bloed in het lichaam zit. En dat is wat me nog het meest verbaast, want zo'n geval ben ik nog nooit tegengekomen, zelfs niet bij grote verminkingen. Bij deze man... Hoe heet hij?'

'Guillermo Clavé, maar iedereen noemde hem Guillermito.'

'Bij deze man lijkt het of al zijn bloed er met een pomp is uitgezogen, hoewel dat in medisch-technische zin geen verklaring is. Kijkt u maar eens naar dit gaatje in zijn hals, bij de halsslagader. Daarlangs kan hij al zijn bloed zijn kwijtgeraakt, maar het bevreemdt me dat dat met zo'n snelheid gebeurd is. En het verbaast me nog meer dat er volgens de politie vrijwel geen bloedsporen aanwezig waren in zijn bed toen hij dood gevonden werd. Het was logisch geweest als de hele slaapkamer volledig onder het bloed had gezeten.'

'En waar is dat gaatje door veroorzaakt?'

'Dat is nog vreemder: ik zou zeggen door de beet van een klein dier, vermoedelijk van een rat of een kat. In het zeer luxueuze huis waarin die – Guillermito, zei u? – woonde, kwamen natuurlijk geen ratten voor, en ik heb me laten vertellen dat er ook geen kat in huis was. Bovendien drinken dergelijke dieren geen bloed, dus ik begrijp er absoluut niets van. Ik zal mijn collega's om assistentie moeten vragen en het lichaam zal dus voorlopig hier in het mortuarium moeten blijven.'

'Uitgesloten,' zei Marcos Solana automatisch, zonder nadenken.

'Uitgesloten? Hoezo? En wie bent u dan wel?'

'Dat is u verteld voordat u me toestemming gaf om hier binnen te komen; ik ben Marcos Solana, de advocaat van de familie. Een welgestelde familie in Barcelona, zoals u waarschijnlijk wel weet. Als de dood van Guillermo Clavé gepresenteerd wordt als een onoplosbaar mysterie, raakt de naam van de familie Clavé verwikkeld in allerlei speculaties en zullen de zaken van de familie daaronder lijden. Hoewel de heer Guillermo niet werkte, gaan er enorme geldbedragen om onder zijn zaakgelastigden. Het lijkt me uitstekend dat al het onderzoek dat u wenst, wordt uitgevoerd, maar de teraardebestelling kan niet worden uitgesteld. Het moet er wel uit blijven zien als een overlijden van iemand... om het zo te zeggen... van goeden huize.'

Toen bekeek pater Olavide het lijk, waarvoor hij helemaal om de tafel heen moest lopen. Hij bestudeerde het gaatje waarover de patholoog-anatoom had gesproken. Ondanks zijn vele titels – waaronder die van vooraanstaand hoogleraar geschiedenis – kon hij geen duidelijke conclusie trekken, hoewel een vermoeden zich opdrong. Pater Olavide had vele lezingen gegeven voor de Koninklijke Academie voor Medicijnen, in het middeleeuwse gebouw van het San Pabloziekenhuis, en hij genoot de faam in Barcelona de priester te zijn die meer illustere doden had onderzocht. Maar nu vertoonde zijn gezicht sporen van twijfel.

'Ik begrijp er niets van,' zei hij.

Hij streek met zijn handen over de voorkant van zijn soutane, alsof hij zichzelf liefkoosde, en liep nog eens in omgekeerde richting om de tafel heen. Gewoonlijk dragen priesters in Barcelona geen soutane meer, maar pater Olavide wel. Hij maakte een gebaar in de richting van Marcos Solana.

'Kan ik u misschien even onder vier ogen spreken?' mompelde hij. 'De familiezaken en het onverklaarbare overlijden van deze man zijn verschillende kwesties. Alstublieft. De weduwe stelt in mij evenveel vertrouwen als in u.'

De advocaat gaf toe. Hij kon niet anders. Samen liepen ze naar de deur van de autopsiezaal en juist op dat moment kwam er een man binnen, waarschijnlijk een andere patholoog-anatoom, die een karretje met chirurgische instrumenten voortduwde. Net als de arts die zojuist de autopsie had verricht, leek ook dit een leeftijdloze man. Lang en slank, met een angstaanjagende, borende blik in de ogen, grote handen en een snelle tred; verder viel hij niet speciaal op. Het was eerder het karretje vol griezelige instrumenten dat hun aandacht trok dan zijn angstaanjagende, borende blik. Zo'n blik die al in de opleidingstijd van een arts ontstaat, omdat hij maar zo weinig verdient. Pater Olavide sloeg een arm om de schouder van de advocaat, als bracht hij hem zo onder Gods hoede. Langzaam liepen ze verder door een van de marmeren gangen van het ziekenhuis, die uitkwam op de entreehal van de medische faculteit.

Vandaag de dag staan daar nieuwe muren en is er buiten een groot plein met bomen en natuurlijk een parkeerterrein. Maar de plechtstatige zuilen onder het fronton zijn nog precies dezelfde als destijds, toen het ziekenhuis werd gebouwd op een open industrieterrein waar alleen vogels hun weg konden vinden. In de gang hing een aantal grijze en sepiakleurige foto's in goedkope lijsten. Op een daarvan was het Academisch Ziekenhuis te zien in de tijd toen het ver buiten de stad werd gebouwd; op een andere een van de oude ziekenzalen, met muren vol crucifixen; op een derde een groep artsen uit die periode met witte, tot bovenaan dichtgeknoopte doktersjassen, rijglaarzen en snorren, sommige met een volle baard, andere met een puntbaardje, alsof de tijd had stilgestaan. In schoonschrift stond eronder: 'Afdeling Eerste Hulp van het Academisch Ziekenhuis, 1916'. Eerste Hulp, in een tijd dat je aan bloedvergiftiging overleed als er een kies bij je werd getrokken.

'We kunnen met de familie gaan praten; die zal er als eerste belang bij hebben dat alles wordt opgehelderd. Het zal geen ramp zijn als de begrafenis een dag wordt uitgesteld,' zei pater Olavide.

'Zolang er zich maar geen geruchten verspreiden. We kunnen gerust spreken van overlijden door verbloeding, maar absoluut niet over moord.'

'Laten we dat maar met de weduwe bespreken. Aangezien ik haar biechtvader ben, zal ik toch wel enige invloed op haar hebben, nietwaar? En neemt u de pers en de zakenrelaties maar voor uw rekening. O, wat is dit toch allemaal luguber, vindt u ook niet? Er waren nog steeds schimmen rond in dit oude ziekenhuis, vooral op een moment als dit, elf uur 's avonds. En dan die foto's aan de muur. Zouden die niet beter naar een museum kunnen?'

Terwijl de priester de foto's ter sprake bracht, keek Marcos Solana aandachtig naar een ervan, waarop een groep voormalige dokters stond.

De uitdrukking op zijn gezicht veranderde.

Zijn oogleden trilden.

'Dat gezicht heb ik net gezien…' fluisterde hij benauwd.

Hij wees naar een van de dokters van de Eerste Hulp uit 1916. Meer dan negentig jaar nadien, meer dan negentig verschillende steden, meer dan negentig grafkelders leeggeruimd en weer gevuld, meer dan negentig kinderen zorgvuldig ten grave gedragen. Die man daar op de foto, toen al een volwassen man, had absoluut allang dood moeten zijn.

De advocaat draaide zich om, slaakte een soort kreun en rende naar de autopsiekamer, want hij was er zeker van die man zojuist gezien te hebben.

2

De slavin

Toen ik geboren werd in een huis in de straat die vele jaren later de Calle Espalter zou heten, was dat al een bordeel. Maar er hing nog geen gezicht in steen boven de deur.

Dergelijke oorden hadden meestal een gezicht boven de buitendeur en ik denk nu dat de plek waar ik geboren werd zo armzalig was dat men zelfs dat onderscheidingsteken niet kon betalen, terwijl zo'n gezicht wel een soort wettelijke garantie vormde. Naderhand noemden de mensen die de bordelen in de stad kenden het een *carassa*: soms was het een stenen vrouwengezicht dat de ingang van het bordeel beheerste, maar meestal ging het om de afbeelding van een lachende dronkaard, dat wil zeggen een gelukkig man. Dus een carassa duidde niet alleen op de aanwezigheid van een legaal bordeel, maar vertegenwoordigde tevens een tevreden klant, die beslist overleden was in een geur van heiligheid nadat hij alle meisjes had leren kennen. Niemand is ooit op het idee gekomen dat het gezicht dat later boven onze deurpost hing een wezen voorstelde dat daar geboren was – dat wil zeggen: ik – en dat het bovendien niet de ontucht voorstelde, maar een liefdesdaad.

Veel later liet mijn eigen moeder het daar plaatsen, nadat ze jarenlang gespaard had, man voor man en munt voor munt. De klanten betaalden mijn moeder weinig, omdat zij zich toch niet kon bevrijden. Ze was een slavin en de dochter van een slavin.

Als iemand tot hier gekomen is met lezen (wat ik betwijfel, want er wordt gezegd dat wie leest niet alleen zijn heer slecht dient, maar ook opgewonden raakt en eindigt in sodomie), zal hij zich erover verwonderen dat er veertienhonderd jaar na de dood van de zogenoemde Heer van de christenen nog slaven bestonden onder toezicht van Zijne Majesteit. En ze bestonden, dat is zeker, daar had mijn moeder van kunnen getuigen.

Ondanks het feit dat Barcelona in zekere zin beschouwd werd als een liberale stad met vooruitstrevende ideeën – hoewel er vaak liberalen aan de galg eindigden – werden in de voortdurende oorlogen tegen de ongelovigen, ofwel de Saracenen, veel tegenstanders gevangengenomen die gedoemd waren tot slavernij, hetzelfde lot als de zonen van Christus bij de ongelovigen. Daar de zonen van Christus zich hier meer met arbeid dan met zegeningen bezighielden, gebruikten ze slaven voor hun werk en in bed slavinnen, die hen telkens weer op betreurenswaardige wijze verleidden, waarvoor ze natuurlijk bestraft dienden te worden. Een van de slavinnen die altijd straf verdienden was mijn moeder.

Hoe verbazingwekkend ook, tot ver in de moderne tijd konden slaven in Barcelona niet alleen gekocht en verkocht worden maar ook verpand, en dus was een vluchtpoging het ergste vergrijp dat een slaaf kon plegen, omdat dat immers ten nadele was van de serieuze handelspositie van de stad. En zo werden er beloningen ingesteld voor hen die de voortvluchtigen achtervolgden in het belang van de welvaart in het land. Die beloningen varieerden naargelang het werk en de moeite die de slaaf de achtervolger bezorgde: als de vluchteling gegrepen werd voordat hij de Llobregat was overgestoken, ontving degene die hem te pakken kreeg een bescheiden *mancus* (gelijk aan een moslimdinar plus veertig gram fijn goud), maar als hij om hem te pakken te krijgen zijn leven op het spel moest zetten en de brede rivier moest oversteken, ontving de achtervolger een ons goud.

Waar zich nu in Barcelona de Calle de la Puerta del Ángel bevindt, was een slavenmarkt, waar men slaven kon kopen, verkopen en pachten. Een dame uit de stad, zo vertelde me op een dag de geschiedschrijver Durán i Sampere (zonder te vermoeden dat ik er al eerder gewoond had), had op het laatst wel zeven keurige slaven. De geschiedschrijver kon me niet vertellen hoeveel nog keuriger slavinnen de echtgenoot had.

Daar dit altijd een serieuze stad geweest is waar men graag de balans in evenwicht hield, konden eigenaren van slaven een verzekering afsluiten. Verantwoordelijk voor het innen van de verzekeringspremies was niemand minder dan de Generalitat, het parlement van Barcelona en omgeving, en ik kan zweren dat ik gelezen heb – ik kan namelijk lezen, maar zonder sodomiet te zijn – dat in het jaar des Heren 1431 bij de Generalitat 1478 slaven verzekerd waren, vrijwel alle slaven in Barcelona, en het staat vast dat zij van die verzekeringen veel profijt had voor religieuze en openbare zaken.

Mijn moeder kon, omdat ze mooi was maar een zwak gestel had, niet verwachten een min of meer draaglijke toekomst tegemoet te mogen zien, zoals bijvoorbeeld de sponde van een koopman. Niemand bekommerde zich om haar. En zo werd ze overgedragen aan een bescheiden bordeel waarin elke vorm van bruut geweld toegestaan was. Wetten, zo wist ik al als kind, beschermden publieke vrouwen tegen de dood, maar tegen weinig anders. Mijn moeder ontving soms twintig klanten op een dag, de dronkaards sloegen haar en op z'n minst kreeg ze beledigingen naar haar hoofd geslingerd, maar de eigenaar was een goedhartig man en placht haar na iedere vijf mannen een glas melk te geven, afkomstig van een geit waarvan de melk te vertrouwen was, want ze verbleef in een van de kamers in het huis. Aan die geit dank ik mijn leven, omdat men mij bij gelegenheid rechtstreeks aan haar uiers liet drinken.

Maar bovenal was het mijn moeder die mij redde, toen De Ander met ons beiden wilde afrekenen. Omdat er al twee zonen van haar waren gedood, die ook in het bordeel geboren waren, verdedigde mama mij met de vurigheid van een tijgerin. Haar wanhoop en haar haat – want een waarlijk dierlijke haat had zij – waren zo groot dat De Ander ons in leven moest laten. Of het voor haar achteraf bezien de moeite waard was weet ik niet, zoals de zaken ervoor stonden.

Later, veel later, tijdens een rustige avond waarop ze alleen maar met een kloosteroverste naar bed hoefde, vertelde ze me hoe het er bij mijn geboorte aan toe was gegaan. En toen kwam ik ook te weten hoe vaak zij misbruikt was. Eén geval trof me in het bijzonder. Die avond kwam ik erachter dat ze de foltering met de klem had moeten ondergaan.

3

De stem van het brons

Van alle klokken van de kathedraal in Barcelona is die met de hoogste stem de zogenoemde Honorata; zij luidt voor de jachtige bewoners van de stad de kwartieren.

De Honorata weegt zevenhonderdvijftig kilo en werd in augustus 1865 gegoten, toen Barcelona welvarend was, de eerste spoorlijn van Spanje had, de beste textielfabrieken, de dikste, rijkste handelaren en de meest ranke dametjes van stand die, om hun goede figuur te behouden, leerden paardrijden bij een nieuwe club der welgestelden, de Círculo Ecuestre.

Maar zoals het in alle oude steden gaat, was de Honorata niet de eerste met die naam. De klok waaraan de naam eerder gegeven werd, was geplaatst in het jaar des Heren 1393 en diende om voor de burgers, die toen aanzienlijk minder welgesteld waren, de uren te luiden. Tevens diende de klok om arbeidsplaatsen te creëren, want zij werd op de geëigende momenten geluid door de klokkenluiders en die werden betaald door de Raad van Honderd.

Zoals dat ook gaat in oude steden, maken oude klokken heroïsche momenten mee, of liever gezegd: ondergaan zij die. Want het was de Honorata, die alles vanaf 1393 overleefd had, die de noodklok luidde tijdens het beleg van Barcelona in de Successieoorlog van 1714, totdat ze op 16 maart van dat jaar door vijandelijke kanonnen verwoest werd, toen men korte metten maakte met Barcelona. De stad, even loyaal aan zijn zaken als aan zijn met emotie beladen symbolen, wilde geld uitgeven om de klok te laten restaureren, maar dat werd verboden, net als veel andere symboliek. Nooit zal men met zekerheid kunnen zeggen welke schuld een klok draagt door tot de strijd te hebben opgeroepen, maar de rechters van Zijne Majesteit Filips V beschuldigden haar van verleiding en op 16 september 1716 werd de klok vernietigd.

Vernietigd?

Advocaat Marcos Solana keek naar het stuk brons ter grootte van een mensenhand in de vitrine, dat de weduwe van Guillermo Clavé hem toonde. De weduwe van Guillermo Clavé was zo slank als een röntgenfoto, hetgeen waarschijnlijk een kwelling voor de overledene was geweest, want die hield van corpulente vrouwen. De vitrine met herinneringen aan het verleden stond propvol voorwerpen, even slank als de eigenares: haarspelden waarmee de baronesse van Albí haar kapsel had opgestoken, broches bezet met parels, linten die de pagina's van heilige boeken hadden gemarkeerd en lepeltjes waarmee ongetwijfeld dames uit de betere kringen die slechts vijf kinderen hadden, een vruchtbaarheidssiroop hadden ingenomen. Dat alles en het stuk metaal.

'Dat is het laatste brokstuk dat over is van een beroemde klok, misschien wel de beroemdste klok van de kathedraal,' vertelde de weduwe. 'Ze werd vernietigd, maar enkele adellijke families in de stad bewaarden de restanten ervan, of wat ze daarvan te pakken konden krijgen. Die klok was de eerste Honorata. Ik ben ervan overtuigd dat dit het laatste is wat ervan over is.'

'Juist, ja,' zei pater Olavide, die er ook naar stond te kijken, maar dan zonder de geringste belangstelling.

Hiervoor waren de advocaat en hijzelf niet naar de woontoren aan de Paseo de la Bonanova gekomen, een van de laatste waarlijk adellijke gebouwen die bewaard zijn gebleven aan een boulevard die ooit onderwerp was van stedelijke bezuinigingen en nu gewijd was aan de met hypotheek bezwaarde rijkdom van appartementencomplexen.

Beide heren hadden gemerkt dat de weduwe allerlei nutteloze onder-werpen aansneed om het belangrijkste te vermijden, dat wat hen ei-genlijk daarheen gevoerd had: het overlijden van haar echtgenoot en het mogelijke uitstel van de begrafenis. Misschien voegde ze er daar-om aan toe: 'Ik weet dat ik in dit huis zal sterven, maar wat er daarna mee zal gebeuren, weet ik niet. Misschien gaan mijn kinderen het ver-kopen om het te laten slopen en er dure appartemententorens te bou-wen als ze beseffen hoeveel miljoenen er voor de grond geboden wor-den. Dat is de bestemming geworden van alle oude herenhuizen die hier hebben gestaan. Weet u in welk jaar dit huis gebouwd werd?'

'In 1898,' antwoordde Marcos Solana, die dat als advocaat van de familie precies wist.

Overgrootvader Clavé kwam terug uit Cuba toen Spanje het kwijt was geraakt; Spanje was alles kwijtgeraakt, maar overgrootvader Clavé niet. Hij was rijk geworden door de suiker- en tabaksteelt. Met een deel van zijn geld had hij dat stuk grond gekocht, hooggelegen boven een overvolle stad die nog maar net begonnen was aan zijn eerste stads-uitbreiding, en daar had hij dit huis gebouwd. De palmbomen die alle Spanjaarden die uit Amerika terugkwamen, plantten als herinnering aan Cuba, stonden er nog.

En als herinnering aan de vrouwen van Cuba, dacht pater Olavide, die biechtvader van drie generaties van de familie was geweest.

Maar dat zei hij niet.

'Mevrouw...' mompelde hij slechts.

'Pardon?'

'We komen u lastigvallen om met u over iets anders te spreken. De rechter heeft gelast dat er autopsie op uw echtgenoot gepleegd moet worden, overeenkomstig de voorschriften in overlijdensgevallen die... ongewoon zijn, en zowel meneer Solana als ik persoonlijk dacht dat het om een betrekkelijk onbelangrijke formaliteit ging, maar zo ligt het niet. De pathologen-anatomen hebben meer informatie nodig en daar-door zal de begrafenis uitgesteld moeten worden.'

De hooggeboren röntgenfoto nam plaats op een van de antieke stoelen, Queen Annestijl – meer passend in een slaapvertrek dan in een
salon, dacht de advocaat – en wrong angstig haar handen.

'Ik weet niet wat ik of de familie kan doen,' verzuchtte ze, 'maar ik
word er nerveus van en, wat nog erger is, het voelt als schande. Weten
ze al wat er aan de hand is?'

'Ik vrees van wel,' zei Marcos Solana, 'mensen die niets beters te
doen hebben, beginnen geruchten te verspreiden. De vreemde dood
van de heer Guillermo viel samen met een financieel onderzoek naar
al zijn ondernemingen. Er zijn zelfs mensen die zeggen dat hij in illegale zaken zat. Toppunt is wel dat er zelfs mensen zijn die het bericht
verspreiden dat hij zelfmoord heeft gepleegd.'

'Er zijn dingen die me tot nu toe bizar voorkwamen,' zei de dame,
'maar die ik nu als reëel of in elk geval mogelijk begin te zien. Ik weet
niet of u naar me wilt luisteren, maar hoe langer het uitstel duurt, hoe
meer problemen er zullen zijn met de erfenis, en intussen ligt alles stil.
En dan blijft er nog het punt van de kredieten... Ondernemingen zijn
tegenwoordig niet meer zoals die van vroeger, die met eigen fondsen
werkten; nu hebben ze de banken nodig. Als er geruchten van deze
aard zijn, zullen de kredieten worden opgeschort.'

'Daar heb ik al werk van gemaakt,' stelde Solana haar gerust, 'en ik
heb er ook voor gezorgd dat de autopsieformaliteiten zo spoedig mogelijk plaatsvinden. Maar ik moet toegeven dat ik nog nooit te maken
heb gehad met zo'n bijzonder geval als dit; even heb ik zelfs in iets bovennatuurlijks geloofd.'

'Werkelijk?' vroeg pater Olavide, die leefde van het bovennatuurlijke, op een schertsend toontje.

'Ga me niet vertellen dat er niet iets bovennatuurlijks leek te hangen
om die patholoog-anatoom die binnenkwam toen wij de kamer uit gingen,' zei de advocaat, zonder te merken dat het niet van goede smaak
getuigde daarover te spreken in het bijzijn van de weduwe. 'Het leek
of hij als arts op een foto stond van negentig jaar geleden. Dezelfde

man, maar anders gekleed. Daarom rende ik weg, daarom probeerde ik hem in de autopsieruimte te bereiken.'

'En?'

In de toon van pater Olavide klonk een zweem van minachting door tegenover de misplaatste woorden van de advocaat. Bovendien kende hij het antwoord al.

'Hij was er niet meer,' zuchtte Marcos Solana. De patholoog-anatoom zei me dat het zo'n assistent was die voor de instrumenten zorgde en dat hij hem niet kende. Naar het schijnt wisselen die dikwijls van dienst. Ik heb overal gekeken, maar hij was er niet meer...'

'Daar is niets bovennatuurlijks aan,' sprak de priester, die van gespreksonderwerp probeerde te veranderen. 'Een man die op een ander lijkt... en wat dan nog? Denk er maar niet meer aan, Solana, want 's nachts zijn we allemaal nerveus. Mevrouw, we zullen de wettelijke formaliteiten voor zover dat mogelijk is laten bespoedigen en daarvoor moet ik u iets vragen. Mijn excuses.'

'Maar natuurlijk... Wat wilt u me vragen? Is er iets wat u nog niet weet?'

'Wij katholieke priesters weten een paar dingen goed, maar normaliter zijn dat geen dingen van deze wereld. Al het overige pretenderen we te weten. Ik weet bijvoorbeeld niet wat er gebeurd is met dat bloedvlekje dat aan het hoofdeind van het bed van de arme heer Guillermo verscheen. Kunt u mij dat vertellen?'

Nu was het de advocaat die het antwoord al wist. Hij mompelde: 'De politie heeft het geanalyseerd om te weten te komen of het bloed van de overledene was. Dat wil zeggen, of het overeenkwam met zijn DNA. Ze stelden het DNA van de heer Guillermo vast, iets wat heel gemakkelijk was, en vervolgens dat van het bloedmonster. Het was niet van dezelfde persoon. Voorts was de bloedgroep van het monster O negatief en die van de heer Guillermo niet.'

De weduwe stond op uit de Queen Annestoel. Ze begaf zich naar een tafeltje bij het venster waarop een authentieke vaas uit de Ming-

dynastie stond. Aan de andere kant van het raam was in de rustige tuin
een palmboom te zien die toebehoorde aan een dynastie van mulat-
ten. En naast de palm een tuinman in wiens dynastie een moeder voorkwam die in 1936 gevochten had in de Durruticolonne. Mevrouw
kende natuurlijk alleen de geschiedenis van de Mingdynastie. Ze
draaide zich om naar de vitrine en wees naar het enige brokstuk dat
over was van de middeleeuwse klok die in 1714 voor het laatst gebei-
erd had, tegelijk met de laatste kreten van de stervenden.

'Dat is vreemd.'

'Waar doelt u op?'

'Twee weken geleden, toen Guillermo nog leefde, kwam een commissie van de Generalitat ons opzoeken, dat is een commissie van het
ministerie van Cultuur, zoals u weet. Hoogleraren met brillen die hun
vrouw niet zien op twee passen afstand, maar wel op twee kilometer
afstand een romaanse zuil waarop het achterwerk van koningin Elisenda gerust heeft. Welnu, ze vroegen me toestemming om dat brokstuk van de Honorata te analyseren. Volgens de overlevering moest die
met bloed zijn bevlekt. En het blijkt te kloppen: op dit fragment zit een
vlekje dat, geanalyseerd met de modernste middelen, bloed blijkt te
zijn. Van die moderne middelen die je soms op televisie ziet en waarvan ik misselijk word omdat eruit blijkt dat we na onze dood nog niet
met rust gelaten worden.'

'Dat is waar,' peinsde de advocaat hardop, 'we laten altijd sporen
achter, en eeuwen later is er nog iemand die ze volgt. Men onderzoekt
bijvoorbeeld het seksuele leven van de mummies en men weet wat de
Romeinse legionairs in het oude Mérida hebben gegeten, wat vast en
zeker één groot bejaardentehuis was voor wie niet meer het zwaard
kon heffen. Welnu, wat gebeurde er toen met die aanbidders van koningin Elisenda?'

'Ze namen het brokstuk van de klok mee en verzekerden me dat ze
het zouden terugbrengen. En dat hebben ze gedaan. Maar intussen
hadden ze alles geanalyseerd wat er op het metaal zat en ze vertelden

me dat er inderdaad een bloedvlek op zat. U weet niet hoe gelukkig dat hen scheen te maken. Ze concludeerden dat het bloed van de verdedigers van Barcelona in 1714 moest zijn. Nou ja, van een van hen. Ze zeiden: "Het is beslist van de man die de vlag vasthield." Ze beweerden zelfs dat ze het restant van de klok van me wilden kopen.'

'Maar u hebt het geld niet nodig.'

'Nee.'

'En wat maakten ze op uit dat bloedvlekje dat al drie eeuwen oud is? Hoe kon het volgens hen bewaard blijven?'

'Ik vermoed,' zei de dame, 'dat het niet bewaard had kunnen blijven op een klok die aan de lucht was blootgesteld. Dat lijkt me onmogelijk. Tenminste, die specialisten legden me uit dat dat onmogelijk was. Maar het feit dat ze de Honorata verwoestten, was tevens haar redding, want de restanten zijn altijd bewaard gebleven. Hoewel ik niet kan begrijpen waarom er mensen zijn die geld uitgeven aan dat soort dingen.'

'Investeren in het verleden,' bromde pater Olavide, 'dat is de troost voor hen die niet in de toekomst kunnen investeren.'

En hij wendde zich af.

'Maakten ze er iets uit op?' vroeg de advocaat. 'Ik neem aan dat dat onmogelijk is. Je kunt geen DNA uit zo'n monster halen.'

'Ik denk van niet,' zei de dame onverschillig, 'en het kan me ook niet schelen. Ze hadden het niet over DNA of iets dergelijks. Het enige wat ze zeiden, was dat het hun was gelukt om vast te stellen van welke bloedgroep het was.'

'En welke was dat?' wilde Marcos Solana weten.

'O negatief.'

'Dezelfde groep als het vlekje dat aangetroffen is bij het lichaam van uw echtgenoot?'

'Inderdaad. Het is vreemd... nu ik eraan denk.'

De priester draaide zich langzaam om en stond niet langer met zijn rug naar hen toegekeerd.

4

De man met de hoofdklem

Eens legde mijn moeder me uit hoe het in het bordeel was toegegaan toen ik was verwekt. Als een der courtisanes, om ze zo maar te noemen, moest bevallen in het huis van haar eigenaar, werd ze alleen bij hevige bloedingen of kraamkoorts naar het Hospitaal van Santa Cruz gebracht; in het algemeen stierven ze daar voorzien van het heilig oliesel. De kinderen die in leven bleven, werden onderhouden door de eigenaar, die zo het recht verkreeg hen eveneens als slaaf te beschouwen, van hun moeders te scheiden en ze te verkopen. Mijn moeder had voordat ik geboren werd al eerder twee kinderen gekregen, die ze nooit meer had gezien.

Hier aangekomen, moet ik iets zeggen wat zij me zelf verteld heeft. Toen ze mijn vader leerde kennen, gebeurden er twee dingen die in zekere zin verbazingwekkend waren. Ten eerste dat het om een werkelijk forse, knappe klant ging, de knapste die ze ooit gezien had in haar slavinnenleven waarin ze zich dagelijks aan menselijk uitschot overleverde. Ten tweede, en dat was voor mij het meest onverklaarbare, dat ze vanaf het eerste moment wist dat ze zwanger zou worden van hem, en wel van een zoon.

Die merkwaardige klant, zo anders dan alle anderen, bezocht haar verscheidene malen, altijd 's nachts, als het op straat helemaal donker was. Hij vertelde mijn moeder dat hij zeeman was en dat hij

24

uit de Oost kwam, wat moeilijk te geloven was omdat hij zo'n blanke huid had. Zeelieden waren immers tijdens hun lange zeereizen blootgesteld aan weer en wind. Maar toch was het moeilijk hem niet te geloven – legde mijn moeder me vervolgens uit – als hij zijn diepliggende ogen met hun indringende blik op haar vestigde; mooiere, mysterieuzere ogen dan ze ooit gezien had.

Hij leek goedhartig. En dat was hij ook tijdens de eerste bezoeken – twee of drie – tot hij bij zijn laatste bezoek een ander mens werd.

Mijn moeder had zich absoluut niet kunnen voorstellen dat hij haar die keer zou dwingen seks te bedrijven onder marteling met de hoofdklem.

'Ik zal meer betalen,' zei hij, 'maar vannacht ga ik je martelen.'

Hij bracht de klem mee, het toestel dat handen en hoofd van het slachtoffer, verborgen onder de kap, vastbond. De twee delen van die klem sloten zo perfect, dat mijn moeder vreesde te zullen stikken.

Jarenlang gemarteld, gewend aan alles, kon ze zich niet verzetten tegen die ziekélijke gril, zoals geen enkele slavin zich kon verzetten tegen de zweepslagen van haar heer, die haar beslist met goede bedoelingen strafte, zodat ze niet in meer slechte gewoonten zou vervallen. Toen ze volkomen naakt was, zette de man haar vast in de hoofdklem en beval: 'Draai je om en op je knieën!'

Zo bezat hij haar meerdere keren achtereen als een onvermoeibare dekhengst. De marteling duurde voort totdat het ochtend werd en de kerkklokken de nieuwe dag aankondigden. Toen, terwijl het nog schemerig was op straat, verdween die mysterieuze sadist. Maar eerst betaalde hij mijn moeder royaal en sprak de vreemdste woorden die zij ooit gehoord had: 'Denk niet dat dit een daad uit wreedheid was. Het was juist het tegenovergestelde: een daad uit liefde.'

'Uit liefde?' vroeg mijn moeder, die dacht dat hij ook nog de spot met haar dreef.

'Ja, want als je de klem niet om had gehad, had ik je keel kunnen doorbijten.'

Mijn moeder begreep het niet. Natuurlijk begreep ze het niet. Maar het voorgevoel dat ze gehad had, kwam uit. Negen maanden later werd ik geboren. Wat ze niet wist was dat ze ons zouden trachten te vermoorden en dat een bekende dat zou doen. Wat betreft de man met de rusteloze ogen die slechts drie nachten opgedoken was, die heeft ze nooit meer gezien. Nooit meer!

Dat was mijn wereld.

Het Barcelona dat veel later de fraaie dwaasheid beging zich in zijn eentje tegen de troepen van Filips V te verzetten, bestond toen ik geboren werd uit ongeveer vijfduizend huizen, wat ongeveer dertigduizend inwoners, misschien vijfendertigduizend, betekende. Ik zeg 'ongeveer', want toen waren er geen registers en om de identiteit, leeftijd of geboorte en dood van mensen vast te stellen moesten de buren een verklaring voor de autoriteiten afleggen in een soort akte van bekendheid. De straten die ik leerde kennen bij de weinige keren dat ze me het bordeel uit lieten gaan, waren nauw en smerig, vooral binnen de stadsmuren. Natuurlijk was het huis waar ik geboren ben buiten de muren gelegen, zoals de meerderheid van de bordelen: ze wilden ons straffen maar lieten ons paradoxaal genoeg beter leven dan in de ommuurde ruimte. Onze straten waren ook smal en stinkend, maar op sommige plaatsen was een moestuin te zien of een plein of een groepje bomen.

Binnen de stadsmuren waren veel straten echter zo smal dat er maar in één richting een kar doorheen kon; als zo'n kar moest draaien, had hij geen ruimte en botste tegen de muren aan. Om ervoor te zorgen dat deze niet van lieverleé helemaal kapotgingen, werden er op de muur aan de straathoeken ijzeren versterkingen aangebracht. De begraafplaatsen lagen van oudsher bij de kerken, binnen de ommuurde stad, maar als later het plein van de kerk uit ruimtegebrek opgenomen werd in de openbare ruimte, veranderde het kerkhof in een plein. De grond werd geëgaliseerd en de burgers liepen over hun doden. Nu beseft niemand in Barcelona meer dat zijn voeten over knekels schuifelen.

Water was er niet in de huizen; dat werd uit putten omhooggehaald. Toch was Barcelona een bevoorrechte stad, want je hoefde er maar in de grond te boren of je stuitte op een zoetwaterreservoir, zelfs vlak bij zee. Om de molens te laten draaien werd er ook water van ver weg, vanuit de rivier de Besòs, aangevoerd door het Conde Mirókanaal. Maar dat water was niet voor gebruik door de burgers, en mijn moeder en haar klanten konden zich dus nauwelijks wassen; zo brachten ze herpes en schurft over op elkaar. Met veertig jaar was men al oud.

Er kwam ook geen daglicht de huizen binnen, wat voor mij gunstig was, want ik merkte meteen dat ik last had van helder licht en er een soort jeuk van kreeg over mijn hele lichaam. Ik bracht de uren door met drinken bij mijn moeder, totdat er alleen nog bloed uit haar borsten kwam. Ze hield zoveel van me dat ze me er, als ze met een klant in bed bezig was, gewoon bij liet blijven, zolang ik maar niet stoorde. Zo bracht ik hele avonden door op mijn hurken in de kamer met mijn ogen wijd open en mijn hersenen als een onbeschreven blad en ik begreep er vrijwel niets van.

In die tijd begon mijn moeder wat de klanten haar als fooi gaven te sparen, want de echte betaling ging naar de huiseigenaar. En toen vertrouwde ze me ook huilend toe dat ze dat allemaal deed om mijn gezicht een plekje in de eeuwigheid te bezorgen. Op dat moment begreep ik haar niet, omdat ik niet wist wat mijn gezicht betekende en al helemaal niet wat de eeuwigheid was.

5

De eeuwigheid en een dag

Pater Olavide keek door het grote raam naar de palmbomen die langzaam wegkwijnden vanwege de aanzienlijke luchtverontreiniging in Barcelona en vroeg aan Solana: 'Gelooft u in de eeuwigheid, mijnheer?'

Marcos Solana keek naar buiten en antwoordde: 'Wij mensen hebben altijd behoefte gehad aan het geloof in de eeuwigheid, mijn vriend. En we hebben ons altijd ingespannen om die te bereiken.'

'Gelooft u in de eeuwigheid?' vroeg Olavide opnieuw.

'Tja... ik kan op zijn minst geloven dat de mens in het besef van dood en vergetelheid probeert niet vergeten te raken. Er zijn onevenwichtige mensen die in staat zijn vreselijke misdaden te begaan om ervoor te zorgen dat hun naam eeuwig blijft voortleven. Die storten zich in een brandende vulkaan of stichten nieuwe religies waarvan ik niet weet of er zielen door gered worden, maar waar beslist banksaldo's door worden gered. Ze zeggen dat je niet helemaal dood bent zolang er iemand is die zich jou herinnert en daarom is de herinnering een zeer hooggewaardeerd fenomeen. Er zijn zelfs mensen die bereid zijn veel geld te betalen om hun as te laten begraven tussen de doelpalen van een voetbalveld, in de veronderstelling dat voetbal altijd zal blijven bestaan en dat hun favoriete club de competitie altijd zal winnen. Er zijn er zelfs die al bij hun geboorte aan hun eigen standbeeld denken. Als je tijdens je leven kon betalen voor je eigen monument, zou je worden verdrongen voor het loket, maar het vervelende is dat het enige standbeeld waarvoor je tijdens je leven kunt betalen dat op je graftombe is.'

Pater Olavide glimlachte spottend. 'Advocaten wijden zich dus alleen aan aardse ambities.'

'Ik weet niet wat u bedoelt.'

'Ik heb het over de eeuwigheid en dat is niet alleen een menselijke waarde, maar in wezen een religieuze waarde.'

Marcos haalde zijn schouders op. Hij besefte dat de weduwe aandachtig naar hen luisterde, maar het getuigt niet van slechte smaak om in het bijzijn van een weduwe te praten over het eeuwige leven van haar echtgenoot.

'Het kan zijn dat de eeuwigheid is wat u heimelijk denkt: religieuze misleiding om ervoor te zorgen dat wij de lijn volgen die voor ons wordt uitgezet,' zei hij. 'Daar zijn vaak harde en interessante discussies over gevoerd. Maar ik ben niet zo eenvoudig van geest dat ik ophoud met denken, ik probéér tenminste te denken. Er zijn twee redenen waardoor ik me gedreven voel na te denken.'

'Welke zijn dat?'

'Ten eerste het begrip eeuwigheid. De eeuwigheid beantwoordt aan geen enkele menselijke realiteit, ergo: de ervaring zal ons nooit het bestaan ervan kunnen voortoveren. Maar toch kennen we het begrip eeuwigheid en dat suggereert dat die nooit waargenomen werkelijkheid moet bestaan. Eens kijken of ik me beter kan uitdrukken. Alles wat de mens vanaf het begin der tijden heeft geleerd, is gebaseerd op verschijnselen die hij eerst heeft gezien of anderszins ervaren, met plezier of met smart. Alle wetenschappen, van scheikunde tot medicijnen, van technische wetenschappen tot architectuur, van krijgskunde tot rechten, zijn gebaseerd op dingen die de mens – al dan niet met behulp van instrumenten – kan zien, of kan berekenen of meten.'

'Zeker.'

'Ik zou het allemaal kunnen samenvatten door te stellen dat wat niet in het universum bestaat, niet bij de mens bekend is,' vervolgde advocaat Marcos Solana. 'Het universum kunnen we natuurlijk nog niet doorgronden, maar we zijn wel op weg.'

'Ook dat is zeker.'

'Niettemin zijn er twee dingen die de mens nog nooit heeft aangetroffen in het universum, en hij heeft daar dus geen rechtstreekse ervaring mee. Eén ervan is de ziel. Niemand heeft ooit een ziel gezien, niemand heeft er ooit een gewogen of gemeten, en toch is het geloof daarin heel wijdverbreid. Het andere is de onsterfelijkheid. We hebben nog nooit iets eeuwigs gezien, maar we hebben de eeuwigheid zelfs in wiskundige formules vastgelegd.'

'Alles is religie,' mompelde pater Olavide, 'noem het zoals u wilt, maar het is allemaal religie: zonder ziel bestaat er geen eeuwigheid. Ik heb niet het recht het een of het ander in twijfel te trekken, maar ik neem aan dat u iets anders bedoelt.'

'Zo is het. Ik bedoel dat de mens begrippen kan scheppen over dingen die hij nooit gezien of ervaren heeft; hij kan bijvoorbeeld het cijfer nul scheppen, een volledige abstractie. En hij kan het begrip oneindigheid scheppen, ook zo'n abstract begrip. Wat heeft dat te maken met religies? Niets! Daarom heb ik vaak gedacht dat als de mens de eeuwigheid ontwerpt, hij dat doet omdat de eeuwigheid op de een of andere manier bestaat.'

Op dat moment stond de weduwe op. Ze was nog steeds als een röntgenfoto, maar nu ze bewoog, kreeg ze in elk geval wel drie dimensies. Ze keek de twee mannen aan en sloot haar ogen.

'Daar dacht mijn man precies zo over,' zei ze, 'en hij sprak vaak met me over de eeuwigheid. Hij wilde daar op een of andere manier mee verbonden zijn, in de marge van zijn godsdienstige gevoelens, die hij misschien in essentie niet had. Maar toch is er bij de gedetailleerde bepalingen van zijn begrafenis iets wat u zal verbazen, mijn vrienden, en wat in zijn testament voorkomt. Wanneer dat geopend wordt, zult u het kunnen lezen, maar daarop vooruitlopend zal ik het u nu al vertellen. Hij wil begraven worden met een vreemde zwarte steen die hij lang geleden kocht van een marskramer, die hem vertelde dat hij de steen had meegenomen van een oud kerkhof dat...'

Ze onderbrak haar betoog.

Want op dat moment klonk, ver weg uit een lager gelegen deel van het huis, een schrille kreet op die niet uit een menselijke keel leek te komen.

6

Het bloed van de markt

Een zeer vrome geestelijke die mijn moeder af en toe bezocht en haar altijd de zegen gaf na de ontucht, vatte genegenheid voor mij op en liet me meedoen met de gebeden om regen, want de moestuinen konden niet worden bespoten. Er bestonden echter wel grootse plannen op dat gebied, legde hij me uit terwijl hij zich aankleedde. Bijvoorbeeld een stadsplan van 1401 om water aan te voeren vanaf de Llobregat, een christelijke rivier met altijd volop water, terwijl de Besòs, aan de andere kant van Barcelona, grillig was en niet te vertrouwen. Maar alleen de barmhartigheid van de Heer kon ons redden, want beide rivieren waren behoorlijk ver weg en beide werden verontreinigd, bijvoorbeeld, zo zei de geestelijke, met menselijke urine. En bovendien, voegde hij eraan toe, daar ter plekke kan het geen gewijde urine zijn.

Waar wij zelf woonden, was alles in stank gehuld. De mensen plasten overal en zich ontlasten deed men in een hok naast het huis waar ook wat dieren gehouden werden. Niet zelden deden vijf, zes mensen dat tegelijk, naast elkaar. De uitwerpselen werden gemengd met stro en soms was dat een bron van welvaart, want de arbeiders op de velden in de buurt kochten het als mest. De prijs ging op en neer, afhankelijk van de beschikbare hoeveelheid en de kwaliteit.

In elk geval was het huis waarin ik woonde, zo leerde ik pas veel later en tot mijn grote verbazing, een huis van eruditie. Niet alleen kwamen er geestelijken om ontucht te bedrijven, die soms een hele tijd met de vrouwen bleven praten en hun goede raad gaven over het eeuwige leven, soms kwamen er ook vertegenwoordigers van de gilden in een van de kamers bijeen om over hun werk te praten, en vrouwen als mijn moeder raakten zo van veel dingen op de hoogte. Ik ging er altijd van uit dat die vertegenwoordigers van de gilden daar bijeenkwamen omdat het zúlke zeurpieten waren dat hun echtgenotes hen buiten de deur hadden gezet.

Zo leerde ik bijvoorbeeld dat de inwoners van Barcelona meer vrijheden genoten dan de keuterboertjes in de omgeving, omdat zij niet hoefden te gehoorzamen aan feodale wetten. Maar hun voeding was veel slechter en om een beroep te mogen uitoefenen moesten ze zich onderwerpen aan de regels van de gilden. Deze lieden hadden altijd twistgesprekken en werden het bovendien nooit ergens over eens. Wat heb ik vaak hun gesprekken aangehoord bij het licht van een olielamp, terwijl mijn moeder de munten telde die ze had gespaard om mijn gezicht boven de deur te kunnen plaatsen! Wat heb ik dikwijls urenlang geslapen op het voddige bed terwijl zij steeds maar doorpraatten...!

Het was me een gesjacher. Elk van de gilden eiste het alleenrecht op om bepaalde producten te vervaardigen; zo wilden de timmerlieden hun aandeel hebben bij de vervaardiging van spiegels, met als uitgangspunt dat elke noemenswaardige spiegel een houten lijst had. Maar de glazeniers zeiden: o ja? Is de lijst soms belangrijker dan het glas? En de pigmentmakers zeiden op hun beurt: en wat zou je aan het glas hebben als er niet door middel van kwik een spiegel van werd gemaakt?

Door zo vaak naar hen te luisteren begreep ik ten slotte best dat die mannen hun beroep zo ijverig verdedigden, want ze hadden veel beproevingen doorstaan om zo ver te komen. Na jarenlang het leerlingschap te hebben moeten verduren werden ze aan een zwaar examen onderworpen en zelfs later, als ze al meester waren, kregen ze dikwijls officiële inspecties en waren ze verplicht ondeugdelijke producten opnieuw te maken, hoe ingewikkeld ze ook waren. Ik denk dat als iemand ooit de geschiedenis van de arbeid in mijn stad gaat schrijven, hij tot de conclusie zal komen dat het zwaarste maar meest oprechte tijdperk dat van de gilden was, maar ik heb later andere tijden gekend en ik weet niet of ze in bepaalde opzichten niet slechter waren. Mijn moeder zei daarentegen lachend dat ook al zou zij haar werk slecht doen, ze niet verplicht zou worden het over te doen, wat ook voor de beul gold.

Zij wist niet met hoeveel bitterheid ik later aan die woorden zou terugdenken.

Mijn moeder hiel, misschien omdat haar al twee kinderen waren afgenomen, waanzinnig veel van mij, op een irrationele, diepgewortelde manier, met een liefde die niet voortkwam uit haar hart maar die door het bloed werd bepaald. En ik zag weldra in dat ik die liefde niet verdiende.

Ik was gedwee en zwijgzaam, dat zeker, maar ik zorgde voor twee zeer ernstige problemen. Ten eerste had ik het gezicht van een oude man. Op mijn vijfde jaar hadden zich al de gelaatstrekken van een twintigjarige bij me gevormd, die meteen al onveranderlijk waren. Zo toonde ik het gelaat van een volwassene, wat naar de mening van de andere hoeren, matrones en geestelijken een overduidelijke aanwijzing was van hekserij. En daarom begon het gerucht de ronde te doen dat mijn moeder een heks was. En daarom was de carassa die uiteindelijk boven de deur kwam te hangen niet het gezicht van een kind, maar van een volwassen man, een man met een sardonische grijns.

De beeldhouwer die het maakte, moet in mij iets hebben gezien en zo maakte hij het, hoewel mijn moeder tegensputterde. De beeldhouwer zei: 'Er zijn nu eenmaal dingen die ik zie en die u nooit zult zien.' Misschien zag de kunstenaar die mijn gezicht afbeeldde iets wat niemand anders kan zien, misschien zag hij het tweede, zeer ernstige probleem.

Ik geloof niet dat hij het ooit aan iemand onthulde. Maar misschien vergis ik me.

Het geval wilde dat ik, een schriel jongetje, tot mijn vijfde jaar bij mijn moeder bleef drinken, tot er bloed uit haar borsten kwam; toen haar melk zich terugtrok, zorgde ik ervoor dat andere vrouwen me zoogden. Maar wat ze niet wist was dat ik 's nachts, terwijl zij door haar klanten gekweld werd, langs de stadsmuur sloop voordat de poorten gesloten werden en uren doorbracht in de stad, totdat het licht werd en ze weer geopend werden. Gedurende die tijd wist ik bijna sluipend de stinkende markten te bereiken waar dieren geslacht werden. De smerigheid was er verstikkend. Erger bleek het echter nog op de marktjes buiten de muren, waar alles goedkoper was, maar er niet de minste controle op hygiëne was en waar zieke dieren, die normaal gesproken niet in de stad werden toegelaten, zonder enig toezicht geslacht werden. In alle hoeken hoopten zich bloed, huiden en slachtafval op, tezamen met de overige resten van het bloedbad. Eenmaal daar beland, kon ik met mijn kleine gestalte gemakkelijk tussen de kraampjes door glijden en iets drinken van het bloed van de geslachte dieren, dat op de grond droop. Ik werd nooit betrapt en zelfs in het geval dat ze me wel gesnapt hadden was me misschien niets overkomen. Er waren er genoeg die vers bloed dronken op advies van de dokters, die dachten daarmee elke aandoening te kunnen genezen, van tuberculose tot steriliteit, van koorts tot impotentie.

Als ik die jaren in mijn herinnering opnieuw beleef, denk ik dat het leven ondraaglijk was en dat het dankzij de werktijden van mijn moeder was dat ik erin slaagde erdoorheen te komen – ze probeerde altijd bij me te zijn – en dankzij haar genegenheid. De werktijden vermeld ik omdat ze niet bestonden: zij was altijd beschikbaar voor de huiseigenaar en dikwijls kon ze mij niet in de gaten houden. Daardoor kon ze niet weten dat ik na zonsondergang altijd probeerde ervandoor te gaan. Ik beschouwde het als een teken van genegenheid om overdag bij haar te blijven en ik denk nu dat het dat ook echt was.

Maar in wezen maakte het feit dat zij zo verknocht was aan mij het leven draaglijk. Weldra zou echter alles veranderen. Op mijn zevende jaar beging ik mijn eerste vergissing, een vergissing die mijn leven op zijn kop zette, want zij begon en eindigde met bloed.

7

Een schreeuw in de stilte

Gezeten op een fauteuil in zijn chique kantoor dacht Marcos Solana terug aan de schrille kreet die hij de avond tevoren in het huis van de overledene had gehoord. In de stilte van Barcelona die de rijken met goud betalen en de rust van de palmbomen, leek de schreeuw door alle muren heen te zijn gekomen. Toen hij en pater Olavide de benedenverdieping bereikten, bleek een van de oudste dienstmeiden op de grond te zijn gevallen en bijna het bewustzijn te hebben verloren. Maar het was geen aanval geweest. Ze had gewoon iets gezien wat niet in het brein van een simpele vrouw paste, wier familie, bij de gratie Gods, al drie generaties bij de familie in dienst was.

De oude dienstmeid had van achter uit de tuin in het donker de dokter zien aankomen die vele jaren geleden haar vader had behandeld voordat die overleed. Haar vader was huismeester geweest op de boerderij en de dienstmeid was destijds een klein meisje dat op zolder sliep, hoewel ze het voorrecht genoot door de tuin te mogen hollen en de enorme waakhonden te mogen knuffelen.

En nu had ze duidelijk dat gezicht herkend van de man die ze haar vader had zien behandelen. Sindsdien waren er echter meer dan veertig jaar verstreken en daarom was het onmogelijk dat de dokter er nog hetzelfde uitzag. Bovendien wist ze dat hij overleden was.

Toen ze eenmaal bijgekomen was, hadden ze haar het gezicht van die vreemde nachtelijke bezoeker laten beschrijven. Op dat moment was Marcos Solana er al zeker van dat het dezelfde dokter was die hij gezien had op de oude foto in het Academisch Ziekenhuis.

Maar de onbegrijpelijke gebeurtenissen waren nog niet voorbij.

De volgende dag hadden ze in de tuin een stuk papier gevonden dat daar de vorige middag beslist niet gelegen had, met een tekening. Het ging om een klein velletje van speciaal, fijnkorrelig papier van het merk Guarro, waarop een schets stond. Degene die de schets had gemaakt, had dat in het donker moeten doen, waaruit je zou kunnen afleiden dat het iemand moest zijn die goed in het duister kon zien.

De advocaat herinnerde zich de schets heel duidelijk. Het ging om het gezicht van een man, maar niet van een man van vlees en bloed, eerder een buste of een standbeeld. Kon het een Romeins gezicht zijn? Of middeleeuws? In elk geval had het iets steenachtigs, ouds en uiteraard doods. En toch was er niets zo levendig als het gezicht van die persoon.

Hij lachte. Hij zag er onverzorgd uit, leek jong van jaren en keek indringend uit zijn roofzuchtige, krachtige oogjes. Het is overduidelijk een tevreden mens, een tevreden mens van eeuwen her, zei de advocaat bij zichzelf. En het merkwaardige was dat hij, een museumliefhebber, een deskundige op het gebied van kunst en een kenner van vrijwel alle standbeelden die er heden ten dage te zien zijn in Spanje, zich absoluut niets kon herinneren wat overeenkomsten vertoonde met dat gezicht.

Ongetwijfeld had de mysterieuze tekenaar zijn gelaatstrekken 's nachts uit het hoofd geschetst, maar naar een voorbeeld dat bestond of ooit bestaan had.

En daar eindigde het allemaal.

Of liever gezegd, er eindigde niets.

8

Een galg op de Ramblas

De geschiedenis die begon in bloed werd in gang gezet bij een klein meisje.

Ik was net zeven jaar geworden. Zelf wist ik niet hoe oud ik was, maar mijn moeder berekende mijn leeftijd door het aantal manen te tellen, zonder dat zij besefte dat ík de kenner van de maan was. Ook wist mijn moeder niet dat ik me voelde aangetrokken tot bloed en duisternis; bij haar at ik alleen het brood en de groenten die we in het huis kregen, maar daaruit putte ik geen kracht en levenslust. Het echte leven trof ik 's nachts aan bij het bloed dat uit de geslachte dieren droop.

Totdat ik iets anders deed: ik viel een menselijk wezen aan. Het meisje was bedelares bij de stadsmuur, ze was vast en zeker het kind van een slavin, net zoals ik, en ze lag bij Atarazanas te slapen toen ik op haar stuitte; ik geloof dat ze me niet eens gezien heeft, want ik hield mijn hand voor haar ogen terwijl ik in haar hals beet. Ik wilde haar niet doodmaken, dat zweer ik, hoe gemakkelijk het ook voor me geweest was haar bloedeloos achter te laten. Maar er gebeurden twee dingen.

Het eerste was dat er iemand uit de buurt aan kwam rennen omdat hij gekreun had gehoord. In die tijd sliep men in Barcelona met één oog open, altijd alert, en hielp men elkaar bij het geringste teken van gevaar, hoewel maar weinig vreemdelingen erin slaagden de doolhof aan steegjes binnen te dringen. De primitieve Romeinse stad – twee hoofdwegen die een kruis vormden – was inmiddels veranderd in een ware legpuzzel waar maar weinig mensen van buiten wijs uit konden worden en die de bewoners veiligheid verschafte. Het was dus niet zo vreemd dat iemand me betrapte.

Het tweede was eenvoudig te wijten aan mijn domheid. Hoewel de plek me voldoende donker leek, had ik de aanval gepleegd onder een van de balkons die verhuurd werden om naar schouwspelen te kijken en waar tijdens warme nachten altijd wel iemand zat. Die balkons waren zo in trek dat veel mensen vergunning vroegen om ze te vergroten, want de stad werd steeds rijker en de behoefte aan vermaak groeide, maar de Raad van Honderd, die Barcelona sober en rustig wilde houden, wees dergelijke verzoeken af. Dus werd ik gezien en twee mannen begonnen me te achtervolgen. Ik wist te vluchten langs de Puertaferrisa, gebruikmakend van het feit dat er net een rouwstoet voorbijkwam, maar die kerels bleven me maar achternazitten.

Mijn stommiteit was dat ik in de richting van Raval rende, aan de andere kant van de stadsmuur, en naar het bordeel waar mijn gezicht op een muur gebeiteld stond en waar mijn moeder werkte. Evenmin gaf ik me er rekenschap van dat mijn handen dropen van het bloed van het meisje en dat ik een spoor van druppels naliet, dat gemakkelijk te volgen was voor mensen die gewend waren aan de duisternis. En zo gebeurde het dat ze me in de armen van mijn moeder aantroffen.

Ik geloof dat ik al eerder verteld heb dat mijn moeder al meerdere keren van hekserij beschuldigd was en heksen waren bijvoorbeeld vrouwen die bloed van kinderen bij hun rituelen gebruikten. Dat was voldoende bewijs om haar, een slavin bovendien, te veroordelen. En het ergste was nog dat ze, alsof het nog niet genoeg was, een publieke vrouw was met een kind dat geen kindergezicht had maar de gelaatstrekken van een volwassen man.

Dat was te veel voor slaven van het geloof zoals degenen die me achtervolgd hadden. De vrouwen in het bordeel, die overal op letten, en hun klanten, die vrijwel nergens op letten, hadden mijn uiterlijk toegeschreven aan een ziekte; allemaal, met uitzondering van mijn moeder, dachten ze dat ik zo ziek was dat ik wel jong zou sterven.

Maar de mannen die me hadden achtervolgd – en degenen die daarna kwamen aanzetten, aangetrokken door het geschreeuw en de beruchtheid van de plek – waren niet gewend mij te zien en al helemaal niet besmeurd met bloed, zodat ze onmiddellijk verklaarden dat het om een heksendaad ging. En de schuldige was ik, en bovenal mijn moeder, die het kleine monster op de wereld had gezet.

Sindsdien zijn er eeuwen verstreken, maar die scène herinner ik me heel helder, alsof ik hem nu beleef: het huis met mijn beeltenis in steen boven de deur, de voorkamer, waar de eigenaren van het huis altijd verbleven om het geheel te bewaken, de binnenplaats met dieren die naar de kleine kamertjes leidde waar de liefde bedreven werd en bovenal de stromatras waarop ik was geboren, met mijn moeder die me huilend in haar armen hield. Hoewel er die dag een nieuw detail was: op het bed lag een vrijwel zwarte steen waarop druppels van mijn eigen bloed vielen. Ik was in mijn gezicht gewond geraakt toen ik me probeerde te verstoppen tussen de braamstruiken.

Als er nog iets ontbrak om mijn moeder te beschuldigen van hekserij, zou die steen uiteindelijk alles bederven. Voor het feit dat die steen daar lag was geen enkele logische verklaring te bedenken, en dat hij daar toch lag, kwam doordat de duivel hem had gebracht.

In een poging de toestand op te helderen maakte mijn moeder het alleen maar duisterder. Ze zei dat een van haar klanten, een alchemist, hem bij haar in bewaring gegeven had. Volgens hem was de steen ouder dan de wereld, was hij uit de hemel gevallen en bevatte hij geheimen die bestudering verdienden. Daarvoor dacht de alchemist hem te gebruiken.

Alchemist…

Verfoeilijk woord.

Over alle alchemisten gingen geruchten dat ze zich met zwarte magie inlieten, ze werden verdacht van misdrijven en sommigen van hen waren aan de galg geëindigd. Ze leefden alleen en in het verborgene, hoewel er gezegd werd dat sommige kloosters alchemisten hadden opgenomen in ruil voor hun belofte de steen der wijzen te vinden.

Mijn moeder had het woord alchemist nooit moeten uitspreken. Ze had me nooit moeten verdedigen door de schuld op zich te nemen van alles wat ik gedaan had. Ze had nooit moeten toestaan dat ze mijn met bloed besmeurde handen zagen.

'Jij bent het die hem heeft gestuurd om dat meisje aan te vallen! Je bent een heks! En als dit je zoon is, is hij een kind van de duivel!'

'Iedereen hier kent hem,' verdedigde ze zich. 'Zijn gezicht is altijd zo geweest.'

'Vertel ons dan wie de vader is!'

'Ik ken hem niet.'

'Vertel ons of de huiseigenaren hem kennen!'

'Die al helemaal niet. In mijn situatie is het natuurlijk dat ik kinderen heb. Er zijn er al twee gestorven.'

'Dan is die ketter van een alchemist misschien de vader. Geef ons zijn naam. Zeg ons waar hij woont!'

Dat wist mijn moeder ook niet. Geen van haar klanten gaf haar zijn adres, zelfs de meest geregelde bezoekers niet, en sommige gaven een valse naam op. Ze barstte in huilen uit en smeekte om medelijden.

Dat was het allerslechtste wat ze had kunnen doen.

Heksen smeekten altijd om medelijden. Nooit gaven ze enig bewijs van hun onschuld. Ze huilden alleen maar. Of ze toonden hun ware gezicht en riepen verwensingen als ze al in handen van de beul waren en er niets meer aan te doen was.

Ik besefte onmiddellijk dat ik verloren was. Want tussen de gezichten van de mannen die het vertrek vulden, zag ik de gelaatstrekken van De Ander.

Onmogelijk dat ik me hem herinnerde. Ik kon geen herinnering aan hem hebben. Hij had geprobeerd me samen met mijn moeder te doden, maar dat was toen ik pas geboren was, zodat het onmogelijk was dat ik daarvan nog enig beeld had.

Maar mijn moeder, die bang was dat hij weer zou komen, had hem me zo dikwijls beschreven dat ik hem toch herkende. Hij was lang, mager en jong, had lichtgevende ogen en de onmiskenbare houding van een aan God gewijde dienaar. Vele geestelijken die in de meest vooraanstaande kerken predikten zagen er zo uit, maar hij ging niet gekleed als een geestelijke. Hij droeg donkere, strenge, elegante kleding, zoals rijke kooplieden of de leden van de Raad van Honderd, maar wat de meeste indruk maakte was zijn leeftijdloze gezicht, dat in zekere zin op het mijne leek.

Ik besefte dat mijn moeder hem ook herkend had.

En ze begon opnieuw te gillen, ten prooi aan doodsangst, omdat ze er niets van begreep. De jaren – of liever de eeuwen – hebben me geleerd dat je je niet kunt verdedigen tegen iets wat je niet begrijpt. Mijn moeder had jaren tevoren meegemaakt hoe die man ons tweeën had proberen te doden, maar ze wist niet waarom. En toen ze hem weerzag, wist ze dat ze voor altijd verloren was.

Ze wierp zich op haar knieën en begon weer te huilen en te smeken om barmhartigheid. In naam van Christus: barmhartigheid. In naam van de heilige Maagd Maria: barmhartigheid. Barmhartigheid in naam van de Heilige Kerk.

Er is niets wat bij fanatieke gelovigen meer ergernis opwekt dan het gebruik van de naam van God door ongelovigen. Ik leerde dat pas veel later, maar op dat moment kon ik het al opmaken uit hun gedrag. De mannen die het vertrek vulden, begonnen haar te schoppen, hoer, heks en ongelovige, slavin en handlangster van de duivel te noemen, omdat ze mannen tot zonde verleidde. Niemand vroeg zich toen af, en ik al helemaal niet, hoeveel geld de autoriteiten uiteindelijk opstreken uit de bordelen van Barcelona. Overdekt met bloed probeerde mijn moeder mij met haar lichaam te beschermen, maar dat maakte het nog erger. Er klonk een kreet: 'De heks beschermt haar handlanger!'

'Dood aan die twee!'

'Dood!'

De Ander kwam door de mensenmassa naderbij en pakte me beet. Dat kostte hem geen inspanning, want alle mensen weken uiteen als voor een autoriteit. Ik weet dat ik die grote, sterke handen nooit zal vergeten, handen, hard als van een houthakker en koud als van een dode.

'Ze moeten verbrand worden,' sprak hij. 'Dat is de wet van God voor heksen.'

De huiseigenaar begon te brullen dat de slavin van hem was en dat ze hem voor haar moesten betalen, maar dat leidde nergens toe. De Ander, die lang en sterk was, duwde hem tegen de grond en vroeg of hij misschien ook verbrand wilde worden. Met zijn allen begonnen ze ons naar de deur te slepen.

Op dat moment begon de geestelijke te spreken. De geestelijke, die een vaste plaats had in het koor van de kathedraal, was een van de klanten van mijn moeder, degene die nadat hij bij haar had geslapen ons anekdoten vertelde over het leven in de stad binnen de muren. Het kon geen volmaakte man zijn want hij misbruikte Gods naam, maar mijn leven lang heb ik geleerd dat we moeten vrezen voor volmaakte mannen: die hebben met niemand mededogen, misschien omdat ze geen medelijden met zichzelf hebben. De zwakken, de zondaars, zij die een zwakke plek hebben, hebben meer begrip voor de zwakheden van anderen. En die man die van het armetierige lichaam van mijn moeder hield, vond dat dat lichaam het niet verdiende aan de galg te eindigen. Hij probeerde te zeggen dat mijn moeder geen heks was. 'Heksen hebben macht, en jullie zien toch dat zij maar een slavin is!'

'Dan is haar zoon de heks.'

'Tegen hem kunnen jullie niets doen. Kinderen kunnen niet ter dood veroordeeld worden.'

Dat was niet waar. Er zijn veel kinderen opgehangen voor diefstal en eeuwen later kwam ik te weten dat op de Plaza Mayor in Madrid kinderen van zeven werden opgehangen omdat ze een geldlimiet hadden overschreden: meer dan één reaal stelen. Als verdachte van hekserij kon me hetzelfde lot als mijn moeder te wachten staan. Vooral toen De Ander riep: 'Hij is de belangrijkste schuldige!'

Ze sleepten ons mee daarvandaan en brachten ons naar een kerker op een van de weinige pleinen in de stad, de zogenoemde Plaza de San Jaime. Eeuwen later zou op diezelfde plek de strafrechtbank geïnstalleerd worden, waar talloze malen de doodstraf werd uitgesproken, maar daar kon ik toen nog geen vermoeden van hebben. Men benutte het feit dat er naast de kathedraal juist een heksenproces plaatsvond. Wij werden bij de twee andere verdachten gevoegd – wat ons de foltering bespaarde – en mijn moeder verklaarde zichzelf schuldig, in de hoop mij te redden.

Zij werd ter dood veroordeeld. Ik werd vrijgesproken vanwege mijn jeugdige leeftijd en deels ook omdat mijn moeder met haar tranen en hartverscheurende bekentenis tot de poorten van de stadsmuur vertedering had weten te wekken. Ik werd daarentegen uit de stad verdreven en alle rechten die burgers in Barcelona hadden, werden me ontnomen, onder andere het recht op vrijheid, zodat iedereen op me mocht jagen als op een dier. In de praktijk betekende dat, bij gebrek aan erger, dat de eigenaar van mijn moeder me als zijn slaaf zou kunnen beschouwen.

Er kwam geen woord over mijn lippen toen zij werd veroordeeld wegens hekserij. Nog geen traan liet ik toen ze haar ter dood veroordeelden. Als ik daaraan terugdenk, denk ik soms dat ik absoluut niets voelde, alsof ik buiten de tijd stond. Als ik aan God denk, voel ik me ook zo: tegenover iemand die niets voelt voor ons, omdat hij ook buiten de tijd staat. Het was ook alsof mijn moeder niet had bestaan maar alleen mijn vader, die ik echter nooit had gekend.

Executies werden meestal uitgevoerd op vrij afgelegen plaatsen en niet op de Ramblas, wat een al te openbare plaats was, te algemeen bekend en rumoerig, waar verschillende poorten in de stadsmuur direct op uitkwamen. Maar bij mijn moeder ging het niet zo; zij werd omgebracht op de Boqueríavlakte, nadat de kerkelijke rechtbank haar in handen van de burgerlijke macht had gegeven om het vonnis te voltrekken.

Iets dergelijks, zo kwam ik later te weten, had zich niet zo lang geleden voorgedaan. In juni 1451 was aan de galg in de moestuinen van de Boqueríavlakte een stoffenhandelaar opgehangen, beschuldigd van meerdere gevallen van diefstal. Zijn naam was Pedro Colom en zijn familieleden, ook kooplieden, kwamen bijeen om iets te vragen wat familieleden vrijwel nooit doen: of de executie onmiddellijk kon worden uitgevoerd. Waarom? Om te beletten dat de handeling zou worden aangekondigd en dus om de veroordeelde de schaamte van de aanwezigheid van publiek te besparen. De Coloms waren machtige lieden en onder hen bevonden zich geestelijken en zeer rijke kooplieden. Een kanunnik Colom had zijn bezittingen nagelaten ten behoeve van de bouw van het Hospitaal van Santa Cruz, hoewel dat toen nog niet die naam had. Daarom werd hun die gunst verleend.

Maar het lukte slechts ten dele. Colom hing al aan de galg, zonder enige openbare aankondiging, toen het bevel kwam van de Raad van Honderd dat hij naar de gevangenis terug moest en de volgende dag publiekelijk geëxecuteerd moest worden. Bij het ritueel van de dood mocht voor niemand een uitzondering worden gemaakt.

Ondanks mijn jeugdige leeftijd wist ik dat.

En over de rituelen van de dood kwam ik uiteindelijk nog veel meer te weten. Bijvoorbeeld over de executie van Blas de Durana, een hoge militair die in 1855 uit jaloezie een getrouwde vrouw vermoord had en die na de terdoodveroordeling als laatste wens had doodgeschoten te worden en niet aan de wurgpaal te eindigen, wat gold als een beschamende dood. Toen hem deze wens geweigerd werd, bezorgden zijn wapenbroeders hem in het geheim vergif en pleegde Durana zelfmoord in zijn cel in de citadel. Maar het vonnis werd voltrokken zoals voorzien was: hij werd alsnog naar de wurgpaal gevoerd.

Voordat ik dat te weten kwam zouden echter nog verscheidene eeuwen verstrijken.

Op dat moment wilde ik alleen voorkomen dat mijn moeder een afschuwelijke dood zou sterven. Want meestentijds werden veroordeelden, vooral als het om een veroordeling wegens hekserij ging, levend verbrand. En zelfs verbrandde men hen in sommige gevallen met jong hout, zodat de vlammen hen heel langzaam verslonden.

Maar van de klanten van het bordeel – van wie ik al verteld heb dat het dikwijls beroemde, beschaafde mensen waren, gezalfd door de hand van God – had ik als commentaar gehoord, terwijl ze dachten dat ik hen niet hoorde, dat de brandstapel met jong hout in feite barmhartig was, want dan was de veroordeelde al dood door de rook voordat hij werkelijk de vlammen voelde. En bij deze uiteenzetting van barmhartige werken hadden ze me bijvoorbeeld ook verteld dat de beulen, als ze een overdadige fooi kregen, deden alsof ze het brandhout goed rangschikten met een lang stuk ijzer en het naar de veroordeelde toe schoven, terwijl ze in werkelijkheid de punt door de takken heen staken zonder dat iemand hen in de gaten had en daarmee het hart van de veroordeelde doorboorden. Zo bespaarden ze hem de helse beproevingen.

Mijn moeder hoefde dat niet mee te maken, misschien omdat mijn stad barmhartiger was dan andere steden en misschien omdat een van de rechters een klant van haar geweest was op de dagen dat hij geen dienaar Gods was. Ze werd ter dood veroordeeld aan de galg, dat wil zeggen met relatief weinig lijden, maar wel op een van de meest openbare plekken in de stad.

Dat was mijn eerste contact met marteling, hoewel ik er niet bij geweest ben en dus ook niet kon zien hoe De Ander de strop om de hals van mijn moeder knoopte. Ik was al niets meer dan een voortvluchtige die de hele stad door achternagezeten werd. En ik moest mijn leven zien te redden.

9

Het ritueel

In het noorden van Spanje bevindt zich een dorp dat Santillana del Mar heet, hetgeen 'heilige vlakte aan zee' betekent. Er komen zo veel toeristen en de omgeving is zo mooi dat de bewoners van de omringende dorpen jaloers zijn en er de spot mee drijven. Onder hen is de uitspraak populair dat de naam van het dorp niet klopt, omdat het niet heilig is, niet op een vlakte ligt en niet eens aan zee is gelegen.

In Santillana is een drukbezocht museum, het Inquisitiemuseum; toeristen komen er in drommen naartoe, misschien omdat de gruwelen uit het verleden het heden een zekere gerieflijkheid verschaffen. In het museum staan verfijnde spietsinstrumenten uitgestald, ijzeren gloeitangen, raderen om botten op te rekken en bedden met haken die door de gebruiker heen priemen. Dergelijke instrumenten vormden eeuwenlang een garantie voor christelijke naastenliefde en zuiverheid van geloof.

Er is in de wereld natuurlijk een overvloed aan musea van dit type, maar dat van Santillana del Mar heeft de meest uitgebreide collectie en het bevindt zich bovendien in een eeuwenoud gebouw, wat bijdraagt aan de devotie van de gelovigen. Uiteraard worden er martelinstrumenten tentoongesteld die letterlijk angstaanjagend zijn, gemaakt om een menselijk lichaam kapot te maken, en andere, mildere instrumenten, gemaakt om slechts de geest te breken. Onder deze instrumenten komt een groot assortiment aan klemmen voor, waarmee handen en hoofd van het slachtoffer werden vastgezet, dat dan de beledigingen, klodders spuug en urine van het verheven volk over zich heen kreeg. Het gebruik van de hoofdklem was zo wijdverbreid in alle tijden door gelovigen én ongelovigen, dat de Inquisitie zich nooit heeft laten voorstaan op haar uitvinding en die liever ondergebracht zag bij het wereldlijk gereedschap.

Iedereen heeft op tekeningen of in films wel eens zo'n klem zien gebruiken en iedereen beschouwt het ook als een instrument uit andere tijden dat niets te maken heeft met het heden. Het kan zijn dat het nog voorkomt in het arsenaal van een of andere sadomasochist, maar daar praat je niet over.

Wat er gebeurde in een zeker vertrek in de omgeving van Barcelona kon inderdaad een sadomasochistisch ritueel lijken, daar alle essentiële elementen daarvoor aanwezig waren. In de eerste plaats duisternis en heimelijkheid: het vertrek was afgesloten en bevond zich in de kelder van een oud chalet in Vallvidrera, gelegen in het pijnbos en op honderd meter afstand van de dichtstbijzijnde buren. Toch was de plaats niet ver van de beschaving, want de wanden van de kelder vingen bij tussenpozen de trillingen op als er een treinkonvooi van de Generalitat voorbijkwam.

Dan waren er nog de volgende wezenlijke elementen: een zweep, een vloerkleed en een jonge vrouw, gevangen in de hoofdklem. De vrouw was volledig naakt en steunde geknield met hoofd en handen op het vloerkleed. Ze kon haar handen en hoofd, gevangen als ze zaten in de klem, niet bewegen en in deze houding bood ze de toeschouwer haar omvangrijke, zeer hoog geheven billen.

Wat de indruk van een seksueel ritueel nog versterkte was dat er een betrekkelijk jonge man achter de vrouw stond, ook naakt en met een flinke erectie. Een willekeurige toeschouwer zou direct begrijpen wat de bedoeling was: de opgegeilde man zou met een zweep een paar keer op de billen van het meisje slaan en haar daarna penetreren. Maar er waren drie omstandigheden die een dergelijke interpretatie in de weg stonden.

Een daarvan was dat er een toeschouwer in het kleine vertrek aanwezig was. Het was ook een man, van onbestemde leeftijd, maar deze was helemaal gekleed, zelfs met een zekere ingetogen elegantie. Dat was het eerste wat niet leek te passen in het beeld, maar wat veel experts evenwel zouden hebben ontkend. Dergelijke ceremonies trekken de aandacht van voyeurs en daarom was het niet zo vreemd dat iemand – wellicht impotent – betaalde om het tafereel te mogen bijwonen. Hoe dan ook, de man stond onbeweeglijk toe te kijken.

Het tweede punt zou misschien ook een discussie tussen de experts op gang hebben gebracht: het ging om de vrouw. Ze was jong en mooi en jonge, mooie vrouwen hebben meestal andere ambities; die onderwerpen zich niet aan foltering. Hoewel dat ook niet helemaal zo hoeft te zijn – zouden de experts zeggen – want onderwerping spreekt soms tot de verbeelding. De experts zouden ook aandacht besteden aan een ander detail: het meisje was een immigrante met kaneelkleurige huid, dus van gemengd bloed, en veel arme immigrantes zien zich gedwongen te accepteren wat hun geboden wordt. Daarmee zou de situatie voor veel goede, begripvolle mensen verklaard kunnen worden.

Toch hing er iets vreemds in de lucht, iets wat niet paste bij dat halfdonker en bij het onderworpen meisje. Dat derde detail was te zien op het aapachtige gezicht van de man die zich voorbereidde om haar te overmeesteren en aan zijn huid vol littekens en tatoeages. Heel zelden beschikt een dergelijk type over een fortuin (er zijn tenslotte elke week loterijen en toto's), maar het was voldoende om naar hem te kijken om tot de conclusie te komen dat hij zijn leven gesleten had in de gevangenis. In normale omstandigheden zou zo'n type een dergelijke ceremonie niet kunnen betalen. Maar natuurlijk was het mogelijk dat de ander, de mysterieuze toeschouwer, ervoor had betaald.

Er was nóg een detail dat de aandacht van een expert kon trekken, namelijk dat de zweep niet gebruikt werd: de naakte man greep beide uiteinden van een touw vast en leek daardoor in verwarring te raken. Op dat moment zei de geklede man, die aan de zijkant stond, tegen hem met een metalige stem: 'Je hoeft niet terug naar de gevangenis. Je weet dat je vertrek uit het land geregeld is, plus een som geld waarvan je minstens een jaar zult kunnen leven. Wacht dus niet langer.'

Het meisje hoorde het, maar bewoog niet. Haar hadden ze ook beloofd dat ze een jaar zou kunnen leven. En dat ondanks alles niemand haar zou doden.

'Vooruit,' drong de metalige stem aan.

Het lid trilde in de lucht en naderde de rug van de vrouw. Uit de keel van de man ontsnapte een kreun. Maar vanaf de zijkant van de kamer klonk alleen maar: 'Nee.'

'Nee? Waarom niet?'

De naakte man dreigde in woede uit te barsten. Hij begreep er niets van. En toen zei de stem die opklonk uit de schemering iets wat ongehoord was in die situatie, en vrij zinloos. 'Omdat seks zondig is.'

'Maar...'

'Doe het. Je weet dat je het doet voor het geld en voor je vrijheid. Later kun je altijd nog een andere vrouw zoeken.'

Om de aapachtige mond verscheen een verbeten trek. De ogen glansden zwak. Voor een willekeurige toeschouwer zou het duidelijk zijn dat de man beslist geen afkeer had voor wat hij zou gaan doen.

De handen trokken het touw langs de hals van het weerloze meisje, kruisten het over haar nek, met een woeste ruk begon de man haar te wurgen. De klem bemoeilijkte zijn handeling, maar de moordenaar was handig en sterk genoeg, zodat het hem toch lukte.

Het slachtoffer was zo verbaasd dat ze niet aan huilen toekwam. Ze stierf zonder er iets van te begrijpen. Het duurde maar een paar seconden.

De moordenaar draaide zich om. Zijn ogen verrieden dat hij er tot op zekere hoogte van genoten had. Hij had nu een enorme erectie.

En toen ontmoetten zijn ogen die van de ander.

Kalm.

IJzig.

Ontoegankelijk.

'De politie zal verbaasd zijn je zo aan te treffen,' mompelde die. 'In het beste geval brengen ze je naar een museum.'

En met één stoot dreef hij de dolk in het hart van het aapachtige type.

Met de precisie van een juwelier.

Slechts een droog geluid.

Slechts enkele druppels bloed.

De goed geklede man liep geen spatje op.

De muren trilden even. Een van de treinen was zojuist voorbijgegaan.

Hij draaide zich op zijn hakken om en keek op zijn horloge. Als hij voortmaakte, kon hij nog op tijd bij het station zijn om de volgende trein te halen.

De volgende dag, toen de lijken werden ontdekt door een schoonmaakster, dacht de politie dat het een eenvoudige zaak zou zijn.

De eigenaar van het chalet was te traceren. Het was een Duitser die het 's zomers huurde met inbegrip van service en schoonmaak. Dat wil zeggen, verduidelijkte de politie onmiddellijk, hij was niet de eigenaar, maar huurder. Het chalet was in eigendom van een agentschap, dat veel van dergelijke gebouwen bezat en daarom niet kon garanderen dat er gecontroleerd werd wie er allemaal een sleutel had. Maar al hun agenten hadden een alibi en natuurlijk de Duitse huurder ook. De vorige dag was hij in het ziekenhuis geweest voor een routineonderzoek.

Misschien was het toch niet zo'n eenvoudige zaak.

Maar wat de slachtoffers betrof was dat het wel. De man was een verkrachter en moordenaar die voor het eerst op proefverlof uit de gevangenis was. Met een strafblad langer dan een Cubaanse redevoering. Het meisje was een arme immigrante zonder papieren die goedkope prostitutie had bedreven in de Carrer d'En Robador en die een drugs-probleem had. Af en toe was ze door een religieuze instelling gehol-pen met haar ontwenning.

Misschien was het toch niet zo'n ingewikkelde zaak.

En dan de sporen. Overal sporen: die van de twee doden en die van iemand die ongetwijfeld nog in leven was. Die leidden namelijk regel-recht naar de buitendeur.

Of misschien een steeds minder ingewikkelde zaak.

Bovendien kwamen de sporen van de levende voor in het archief. Maar ze waren van een textielfabrikant die in de jaren twintig al rijk was, vóór de dictatuur van Primo de Rivera, en die betrokken was ge-weest bij de dood van een vakbondsleider. Een zo eerbare persoon moest al tientallen jaren dood zijn, hoewel zijn overlijden nergens vastgelegd was.

Misschien toch niet zo'n eenvoudige zaak.

10

De verborgen stad

Destijds, toen mijn moeder werd opgehangen, hadden geestelijken een goed leven en hadden ze geen zwaarwichtigheden om over na te denken, behalve of ze later heilig zouden worden of niet, waarvan ik moet erkennen dat het een dagvullende, uitermate belangrijke bezigheid is. Daarom voerden ze felle discussies over de vraag welke kerk de meest eerbiedwaardige van Barcelona was; men was tot de conclusie gekomen dat het die van Santo Justo en Santo Pastor was, onder meer omdat die gebouwd was op een stuk grond waarop het bloed van martelaren had gevloeid en omdat de stoffelijke resten van bisschop San Paciano erin rustten. Van die kerk nam men aan dat hij zelfs ouder was dan de eerste kathedraal en dat er in de fundering stenen waren gebruikt van de eerste romaanse stadsmuur. Daardoor had ik al op mijn leeftijd begrepen dat alles opnieuw gebruikt kan worden en dat geen enkel gebouw op aarde eeuwig is.

Er ontstond een nog heftiger discussie toen de bestemming bepaald moest worden van de vreemde steen die in het bed van mijn moeder aangetroffen was en waarop ik met mijn bloed een merkteken had achtergelaten. Voor sommigen was het duidelijk dat een steen die in het bed der zonde was gevonden en die daar bovendien gebracht was door een alchemist, vernietigd moest worden, maar wie kon zulk hard materiaal aan? En verdiende een zo oude, ruwe steen het niet bewaard te worden? En waar beter dan in een zeer oude kerk, waardoor de steen bovendien vanzelf gezuiverd zou worden?

De priester van de parochie Santo Justo en Santo Pastor, een belezen man, besloot dat dat de beste oplossing was en de steen werd onder een altaar begraven in het vertrouwen dat hij zo nooit meer in het bed van een hoer terecht zou komen. Dus mijn moeder, begraven in het massagraf van Moreres, heb ik nooit meer gezien, en de steen evenmin.

Als ik wilde overleven en niet als slaaf sterven in het huis waar mijn moeder zo dikwijls was gebruikt, moest ik er in allerijl vandoor gaan. Ik moet toegeven dat dat niet zo moeilijk was, want niemand lette speciaal op mij, omdat ik maar een kleine jongen was die toch nergens heen kon. De eerste nacht na de begrafenis van mijn moeder bracht ik door in het huis waarvan men wel kon aannemen dat ik er zou verblijven, het bordeel waar mijn beeltenis boven de deur hing.

Diezelfde nacht leerde ik de beul kennen. Die man, klaarblijkelijk arm, met de zorg voor een hele rits kinderen en die per executie een bepaald bedrag rekende, kwam me bezoeken om me excuses aan te bieden. Hij zei nederig dat ik de enige bloedverwant was van de gehangene en dat hij zich daarom bij mij moest verontschuldigen voor het feit dat hij mijn moeder niet persoonlijk de strop had omgedaan, zoals verplicht was. Hij verzekerde me dat geen van zijn veroordeelden ooit geleden had, omdat hij zo deskundig was in het vak. Hij kon de lengte van het touw precies bepalen, zodat bij het weghalen van de steunpaal het lichaam een ogenblik in vrije val kwam, voldoende om de nekwervels te doen breken en zo onmiddellijk of bijna onmiddellijk de dood te veroorzaken. Bijna onmiddellijk, een goede omschrijving. De hand van de meester was dan ook nodig om ervoor te zorgen dat de knoop in het touw op de juiste plaats zat, net onder het linkeroor, zodat de druk op de cruciale plek kwam. Als het op zijn manier was gebeurd, voegde hij eraan toe, zou mijn moeder minder hebben geleden.

Hij vertelde me dat een adellijk heer wiens naam hij niet kende – ik wist al dat het De Ander was – hem een flink bedrag had gegeven om hem toe te staan het karwei te klaren. De beul nam altijd fooien aan, maar die waren om zijn werk goed te doen, nooit om het niet te doen, zodat hij zich nu schuldig voelde omdat hij die heer wiens naam hij niet kende de executie had laten voltrekken. Hoewel hij ernaast stond en deed alsof hij zich persoonlijk van de taak kweet.

Hij had de fooi geaccepteerd omdat hij voor zoveel kinderen moest zorgen die bovendien nergens werk kregen (men zei dat het geslacht van de beul vervloekt was) en toch bood hij aan het geld met mij te delen, met mij, die niet meer dan een kind was met het vreemde gezicht van een oudere jongen. Dit liet me inzien dat er onder de armste klassen in de steden, zelfs onder degenen die als laaghartig beschouwd worden, veel mensen zijn met gevoel en mededogen voor een ander. Helaas luistert er nooit iemand naar hen.

Ik zei hem dat ik zijn geld niet wilde aannemen, omdat ik het ook niet nodig zou hebben. Ik zou op verborgen plekken slapen en proberen me door niemand te laten gevangennemen en om te eten zou ik mijn toevlucht nemen tot de kloosters die soep verstrekten. Wat ik hem niet vertelde was dat ik af en toe, als ik me heel zwak voelde, tussen de tafels zou moeten sluipen waar vee geslacht werd.

De beul bekende me toen nog iets: mijn moeder had een sieraad gehad.

Natuurlijk wist ik dat al. Ik had mijn moeder dikwijls naakt gezien, altijd met een man boven op haar. Hoe had een dun gouden collier om haar hals me dan kunnen ontgaan?

De ketting was heel dun en had niet veel waarde, want anders had de huiseigenaar zich er wel meester van gemaakt. Misschien had hij dat wel gewild, want een slavin mocht niets in haar bezit hebben. Maar nu besef ik, diep gravend in mijn herinneringen, dat haar klanten hadden gezegd dat dat piepkleine snufje luxe deze prostituee een speciaal aureool gaf en ze haar daarom vaker uitkozen. Dat maakte dat de eigenaar het kettinkje als een rendabele investering beschouwde.

De beul vertelde me dat mijn moeder in het massagraf was gegooid zonder het sieraad. Normaal gesproken gold zoiets als buit voor de uitvoerder van de wet en misschien wilde de familie het wel terugkopen. Die man bekende me dat de heer die het touw aanlegde, het kleine sieraad had gepakt en zelf had gehouden.

De beul bezwoer me dat het niet zijn schuld was en dat hij wel wist in wiens bezit het nu was, als ik het laatste aandenken aan mijn moeder wilde terugkrijgen.

Terugkrijgen?

Een slaaf op de vlucht, zoon van een hoer, iets terugkrijgen wat al in handen was van een nobel heer als De Ander?

Dat was uitgesloten en het was beter het maar te vergeten.

Dat probeerde ik ook. En ik zou er vast wel in geslaagd zijn als ik niet later zoveel had meegemaakt wat me weer aan dat kleine sieraad deed denken, aan dat mysterie en aan het overlijden van mijn moeder.

Het eerste mysterie was van wie mijn moeder het had gekregen. Van wie? Ongetwijfeld van een klant, maar die klant had het geheim meegenomen in het duister van de nacht. En daar ik het kettinkje altijd om haar hals had zien hangen, kwam ik tot de conclusie dat ze het van mijn vader moest hebben gekregen.

De beul raadde me aan te vluchten, hoewel ik nauwelijks mogelijkheden had om me in de stad te verbergen. En ik moest het onmiddellijk doen, voordat de bordeeleigenaar voor me zou beslissen. Die man kon met me doen wat hij wilde, behalve me als menselijke koopwaar aanbieden, want seks tussen mannen en erger nog, met kinderen, werd beschouwd als een verschrikkelijke zonde en werd met de dood bestraft.

Diezelfde nacht vluchtte ik. Voordat ze me zouden verkopen als scheepsjongen op de galeien, wat inhield dat ik zou eindigen als roeier – als ik tenminste niet een voortijdig einde zou vinden als gevangene na een zeeslag – en wat betekende dat ze me zouden vastbinden onder in een galei totdat ik stikte of ze me de ogen zouden uitsteken, ging ik op in het labyrint van de stad, hoewel ik wist dat ze me daar uiteindelijk zouden vinden. Ik moest mijn uiterlijk veranderen in dat van een persoon die tot dat moment niet had bestaan.

Bij het licht van de maan nam ik afscheid van mijn carassa, de aanduiding dat daar een betrouwbaar bordeel was. Ik zei mijn eigen beeltenis gedag. Ik wist dat ik die nooit meer zou zien. Ik wist dat ik ook de hoeren, de vriendinnen van mijn moeder, nooit meer zou zien, want ik kon niet meer terug naar die kant van Raval, halverwege tussen de gotische stadsmuur en de moestuinen van San Beltrán, waar kloosters werden gebouwd, maar ook kleine theaters, hoerenkasten, poppentheaters en hutten waar troubadours woonden die nergens bij hoorden. Ik nam afscheid van iedereen en het waren de oude vriendinnen van mijn moeder die het meeste medelijden bij me opwekten. Ze waren niet allemaal slavin; sommigen waren alleenstaande moeders die uit hun huis waren gegooid om de schande te vermijden en anderen waren eenvoudige plattelandsvrouwen die geen werk hadden kunnen vinden in de stad. Elke avond als de klokken luidden ter ere van de Here – de wereld is niet zoveel veranderd – werd het bittere zaad van de stad over hun buik vergoten. Ze gaven geld aan de huiseigenaren, aan de gemeente die hen tolereerde en zelfs aan de Kerk, maar ze hadden nooit recht tot klagen.

Naarmate de stad zich uitbreidde, zou hij de velden opslorpen die op dat moment eindeloos leken. De enige verhoging in de omgeving, waarachter de monding van de rivier de Llobregat verborgen ging, was de berg met de oude joodse begraafplaats, de Montjuïc, uit de groeven waarvan stenen voor de kerken en de huizen der edelen van Barcelona werden gedolven. Daarvandaan werden ze door muildieren vervoerd, maar jaren eerder hadden dragers, de zogenoemde *bastaixos,* ze op hun rug vervoerd voor de bouw van de kerk van Santa María del Mar.

Dat was mijn wereld en een klein monster als ik moet zich daarin op zijn gemak gevoeld hebben. Per slot van rekening was het het rijk der zonde. Maar ik wist dat er voor altijd iets in me kapotgegaan was, nu ik zelfs niet wist waar mijn moeder precies begraven lag, en dat met haar verdwijning mijn band met het leven verbroken was. Zodat ik een traan langs mijn wangen voelde glijden.

Het was absurd. Ik kon me niet herinneren ooit gehuild te hebben.

Ik moest achteruitlopen want ik wilde blijven kijken naar wat mijn thuis geweest was. Het laatste wat ik zag was de carassa, helder oplichtend in het schijnsel van de maan.

11

Het gezicht

De nieuwe Rambla van Raval leidde langs vele straten, evenals lang geleden de Vía Layetana en veel later de bombardementen van de franquisten die de mensen voor de kathedraal wegvaagden. Maar terwijl in de Vía Layetana deftige gebouwen verrezen en het er wemelde van mannen met hoge hoeden, schijnt op de Rambla van Raval niemand op aanzien uit te zijn geweest. In de nauwe straten weet maar een beetje zon en frisse lucht door te dringen. De bewoners zijn over het algemeen Noord-Afrikanen, Indiërs en Filippino's, mannen en vrouwen die alle ellende van de wereld op hun rug meetorsen. De Catalanen die jaren geleden in deze straten voor hun vrijheid vochten, zijn allang verdwenen en vrijheid stelt er ook niet veel meer voor.

Een van de straten die momenteel nog min of meer intact zijn gebleven is de Calle Espalter, vlak bij de nieuwe Plaça Salvador Seguí, voorheen een labyrint van straatjes vol sombere cafés met wijn in mandflessen, mannen met glazige ogen en vrouwen die hoopten dat iemand een slaapplaats voor hen zou betalen.

Marcos Solana, advocaat der rijken, was daar incidenteel advocaat der armen. Minstens tweemaal per maand ging hij naar het wijkgebouw om gratis juridische vraagstukken op te lossen die aan hem voorgelegd werden door iedereen die een dak boven zijn hoofd had dat in brokstukken op zijn bed viel.

Die ochtend werd hij vergezeld door Marta Vives, een jonge stagiaire van zijn kantoor, die bijzonder leergierig was en daarom met hem meeging bij zijn bezoeken aan de wijk. Uit de boeken had ze al opgemaakt dat het recht weinig van doen heeft met menselijkheid en in deze levendige straten leerde ze dat menselijkheid weinig te maken heeft met het recht.

Marcos Solana was jong en aantrekkelijk en hij vond zichzelf behoorlijk atletisch (hij liep elk jaar de marathon en bereikte dan de finish met gevoelloze benen). Marta Vives was jong, aantrekkelijk en atletisch, maar dan echt, want ze zat in de Catalaanse selectie polsstokspringen. Bovendien was ze historica, maar daar kon ze niet van leven, en daarom gebruikte ze haar tweede carrière, die van advocaat, om de kost te verdienen. Haar vader had altijd tegen haar gezegd dat ze zich beter kon bezighouden met de verkoop van appartementen, maar haar vader was al dood.

'Ik heb je gevraagd na de rechtszitting mee te komen hierheen omdat er in deze buurt weer huizen gesloopt worden,' zei ze tegen Marcos. 'Je weet dat ik bezig ben met een boek over intimidatie in de vastgoedsector en ik zou graag willen dat je me op weg helpt met een paar kwesties. Met name zou ik je willen vragen me voor te stellen aan een buurtbewoner die daardoor schade heeft geleden.'

Ze hoorde het zichzelf zeggen en dacht gegeneerd: met zulke stagiaires als ik is die man snel failliet.

Maar een jonge vrouw als zij kon rekenen op vergeving – volgens de maatstaf van advocaten die zich met veertig jaar nog jong noemen – een jonge vrouw bovendien die een enorme culturele bagage had en een paar stevige benen en die naar men zei seksueel volmaakt onbedorven was.

De Calle Espalter is kort, het is niet duidelijk waar hij eindigt en er staan oude gebouwen die op hun beurt gebouwd zijn op de resten van nog oudere gebouwen. Het zou niet vreemd zijn als vanonder de fundering daarvan een kerkhof tevoorschijn zou komen.

'Ik heb de geschiedenis van deze wijk bestudeerd,' zei Marta Vives, 'en ik weet dat de fundamenten van deze gebouwen rusten op andere gebouwen die niet meer bestaan, en ik vermoed zelfs op een heleboel doden. Onder sommige oude pleinen in Barcelona gaan kerkhoven schuil, bedekt door de nieuwe beschaving. Nog niet zo lang geleden zijn hier dichtbij schedels gevonden, vlak bij de romaanse kerk van San Pablo. Er is simpelweg een laag asfalt over de oeroude parochie-kerkhoven gelegd.'

Ze liepen de Calle Espalter verder in en lieten aan hun rechterhand de Plaça Salvador Seguí liggen, genoemd naar een vakbondsleider die vele jaren tevoren vermoord was door rechtse bandieten, zoals in de wijk een enkeling beweerde, die het maar niet kon vergeten. Met de sloophamer werd alles vernietigd en nieuwe gebouwen maakten korte metten met bedden en doodskisten, keukens en balkons waar eens een federale vlag wapperde, met bidets van prostituees en bedden van nonnen. Het was nog steeds een buurt waar stevig gepijpt werd, maar vroeger was het een kloosterbuurt. Tijdens haar maanden zonder werk, als ze de levendig-heid van de stad niet kon verdragen, troostte Marta zich met nadenken over de dode stad. Ze had er geen idee van of anderen dat ook deden.

'Het gebeurt overal,' ging ze verder. 'Onder de Borne, die lange tijd de voornaamste markt was, zijn zonder dat iemand de moeite nam onder de stenen te kijken, huizen tevoorschijn gekomen uit 1714, die verwoest werden tijdens de Successieoorlog. Onder sommige van de huizen die hier gesloopt worden, komen vast en zeker de ruïnes van andere huizen tevoorschijn.'

'Ik snap niet waarom je daar zo in geïnteresseerd bent,' zei de ad-vocaat met de blik op oneindig.

'Omdat ik gespecialiseerd ben in archeologie,' zuchtte Marta. 'Een van mijn vele carrièremogelijkheden, waarmee ik per dag ongeveer net zoveel zou verdienen als een elektricien in twee uur.'

Het klonk mistroostig, maar Marta Vives voelde geen verdriet toen ze het zei. Ze wist dat alles altijd meerdere kanten heeft.

Het huis dat ze aanwees was half gesloopt of misschien wel half gerenoveerd, want het skelet stond nog deels overeind. Van het interieur echter was nauwelijks iets over behalve puinhopen, stukken mozaïek en resten van balken waarop indertijd in alle onschuld een wieg had gestaan. Het meisje bleef staan en wees naar wat er overgebleven was van een deur. Door het gat haalden een paar Noord-Afrikaanse arbeiders de restanten en puinbrokken weg.

'Het is duidelijk dat de buurtbewoners er uiteindelijk uit gezet zijn,' zei Marta, 'en na de renovatie zullen de bewoners tien keer zoveel moeten betalen. Zo gaat het hier in de wijk altijd en daarom wil ik er ook onderzoek naar doen. Ik ga een baan zoeken bij zo'n archeologieblad dat het maar twee maanden uithoudt.'

'Ik denk niet dat je dat hoeft te doen, want op mijn kantoor is wel een toekomst voor je,' zei Marcos glimlachend. 'Maar ik krijg de indruk dat de levende buurtbewoners hier je minder interesseren dan het dode puin.'

'In dit geval heb je misschien gelijk. Omdat er onder dit huis een ander begraven ligt, worden er misschien wel belangwekkende vondsten weggeroofd. Het bevreemdt me dat de gemeente geen toezicht houdt bij de opgravingen. Zo wordt met grof geweld een deel van onze geschiedenis vernield.'

'De eigenaren van het sloopbedrijf hebben er wel voor gezorgd dat er geen gemeentelijk toezicht komt. Als er iets waardevols zou worden ontdekt, zou het werk stilgelegd worden en dan zou de zaak naar de bliksem gaan. In elk geval hoop ik dat jij het niet gaat aangeven,' voegde Marcos er lachend aan toe.

'Waarom niet?'

'Omdat ik beslist beroep zou moeten aantekenen tegen het stilleggen van het werk. En wie weet zou jij in het ergste geval ermee belast worden die zaak af te handelen.'

Ze schoten in de lach bij de aanblik van vergane gevels, vensters waar nauwelijks een hoofd door kon, brokken puin en stof. Jaren eerder had de Plaça Salvador Seguí uit een wirwar van stegen met cafés bestaan, met meisjes van vijftig wachtend op hun kans, portalen waar geen doodskist doorheen kon en bordelen zo goedkoop dat ze gefinancierd leken door de bijstand. Nu waren op datzelfde plein wat kinderen aan het voetballen, zetten balletje-balletjespelers hun tafels neer en wachtte nog steeds een enkel meisje van vijftig op haar kans.

Maar er waren geen Spaanse vrouwen meer te bekennen, van die oude huismoeders die als ze stierven de tongval uit hun streek en de vriendinnen uit hun jeugd nog niet vergeten waren. Nu waren er alleen maar slecht geklede zwarte vrouwen die kennelijk de vrijheid hadden gevonden in Europa.

'In deze buurten zijn archeologische vondsten de schrik van bouwlieden,' hield Solana aan, 'want in dat geval kan de gemeente het werk stilleggen. Maar in geen geval zijn hier restanten die zo belangrijk zijn als die uit de gotische wijk of van bij de romaanse muur; hoogstens vind je hier oude kerkhoven met mensen die van honger omgekomen zijn. Maar geen enkele gemeenteafdeling besteedt nog aandacht aan schedels.'

Ze bleven stilstaan voor de resten van een vernielde muur waaruit grote stenen verwijderd waren. Stenen zonder enig belang, stukken mozaïek, fragmenten van een balk die eeuwenlang het huis had ondersteund. Opeens wees Solana haar ergens op. 'Kijk eens.'

Twee bouwvakkers trokken net een stuk steen dat anders was gevormd dan de andere naar boven. Het ging om een bijna intacte bovendorpel van een oude deur, waarin een gezicht was uitgehouwen.

Solana nam Marta Vives bij de arm.

'Kijk eens,' herhaalde hij.

Het was een zogenaamde carassa, wat betekende dat in het onder het huidige pand begraven huis een middeleeuws bordeel gevestigd was. Het kwam niet vaak voor dat dergelijke fragmenten werden gevonden en daarom wekte de ontdekking op zich al bewondering. Maar Marcos Solana voelde op dat moment beslist geen bewondering.

Hij was bang.

Zijn ogen vernauwden zich tot spleetjes.

Zijn vingers trilden licht op de arm van het meisje.

'Dat kan niet waar zijn...' prevelde hij.

Maar dat was het wel. Het geheugen van Solana was goed genoeg om zich de tekening te herinneren die in de tuin van de woontoren aan de Paseo de la Bonanova, die van de overleden Guillermo, was gevonden toen een oude dienstmeid bijna was flauwgevallen van verbijstering. Hij herinnerde zich duidelijk de gelaatstrekken op de schets en vergeleek die met de carassa die hij nu voor zich had. Ze waren precies hetzelfde. De tekening, aangetroffen in het rijkste deel van de stad, was een nauwkeurige weergave van dit beeldhouwwerk, aangetroffen in het armste gedeelte.

'Waar hebt u dat gevonden?' vroeg hij aan de bouwvakkers.

'Daarbeneden,' antwoordde een van hen. 'Onder het fundament van dat huis dat we aan het slopen waren, lag een nog veel ouder huis. Maar er was bijna niets meer van over dan de ingang.'

'En dat gezicht lag daar open en bloot?'

'O nee! Ziet u niet hoeveel troep we ervanaf hebben moeten halen?'

Marcos Solana huiverde weer. Dat betekende dat de persoon die die mysterieuze tekening had gemaakt en had achtergelaten in de tuin aan de Paseo de la Bonanova, de carassa niet vóór zich had gehad om na te tekenen. Dat zou dus kunnen betekenen... dat hij hem uit het hoofd had getekend.

Uit je hoofd een gezicht tekenen dat al eeuwen begraven ligt...

'Wat is er met je aan de hand?' vroeg het meisje.

'Niets. Er schoot me iets te binnen.'

'Het lijkt wel of je geschrokken bent.'

'Ja, inderdaad.'

'Het is een belangwekkende vondst, dat is waar, maar niet de moeite waard om van te schrikken. Het betekent gewoon dat we een hoerenkast ontdekt hebben die dateert van vóór de ontdekking van Amerika.'

'En over vijf eeuwen zullen ze misschien de resten van de hoeren-kasten opgraven die nu achter ons staan. Maar dat is niet waaraan ik denk.'

'Nou, waaraan denk je dan wel?'

Een man onderbrak hen. 'Gaat u uit de weg.' Waarschijnlijk was het de opzichter.

'Wat gaat u met die steen doen?' vroeg Solana.

'Die moeten we apart houden om aan een toezichthouder van de gemeente te laten zien. Kijk uit, hij is zwaar.'

Ze gaan hier bij het slopen tenminste voorzichtig om met de resten, dacht Solana. Hij nam zijn stagiaire weer bij de arm en beiden gingen een beetje verderop staan, maar het gezicht van de advocaat vertoonde nog steeds een merkwaardige grimas.

Het meisje daarentegen leek helemaal niet onder de indruk. De artistieke kant van de vondst leek haar meer bezig te houden dan het mysterie waardoor Marcos Solana zo geobsedeerd was.

'Ik denk wel dat deze carassa naar een museum gaat,' zei ze, 'dat is hij wel waard.'

'In verschillende opzichten. Besef je wel dat dit het gezicht van een jong mens voorstelt?'

'Het lijkt me eerder een leeftijdloze persoon. En ik denk ook aan de eeuwen die voorbijgegaan zijn en aan de mysteries die er schuilen achter dat gezicht,' was Marta van mening.

'Het grootste mysterie lijkt mij dat iemand die het niet gezien heeft, het uit zijn hoofd nagetekend heeft.'

Hij kreeg het gevoel dat Marta Vives niet naar zijn laatste woorden geluisterd had. Ze liepen langs de puinhopen in de richting van de Ramblas van Raval, waar eeuwen tevoren het gerechtshof een der wonderen van de oude stad was geweest en waar nu in de nieuwe stad elke dag een wonder tot stand gebracht werd. Mensen die vijf jaar eerder nog nooit van Barcelona gehoord hadden, waren nu een Barcelona aan het opbouwen dat binnen vijf jaar door niemand zou worden herkend.

In de verte hoorden ze klokken luiden. De kerk van El Pino, dacht Solana.

Degene die de carassa had uitgehouwen, moest eeuwen geleden diezelfde klokken gehoord hebben.

Voorbijgaand aan de plotselinge angst van Solana zei Marta: 'Morgen zal ik de papieren van de erfenis van Guillermo Clavé afwerken. Zijn weduwe zal heel rijk worden.'

'Dat was ze al.'

'Vindt ze het niet verschrikkelijk dat de as van haar echtgenoot rust naast die vreemde zwarte steen?'

'Nee, want die steen schijnt erg oud te zijn en de overledene geloofde waarschijnlijk dat hij daardoor op een of andere manier dichter bij de eeuwigheid zou komen. Maar ik ga met haar niet over zoiets praten.'

'Waarom niet?'

'Ik heb gemerkt dat de eeuwigheid me schrik aanjaagt.'

Ze liepen door naar de kleine ruimte – een paar klapstoelen, twee tafels uit de sloop, een paar lampen en een Catalaanse vlag – waar Solana gratis de immigranten hielp die hoopten een plekje in de stad voor zichzelf te vinden. Er zaten er maar vijf te wachten, maar in de loop van de middag druppelden er nog tien binnen. Toen Marcos Solana en Marta Vives klaar waren, waren ze uitgeput en hadden ze niet eens genoeg verdiend voor een buskaartje, maar wel het gevoel dat hun leven zin had.

Toen het in de stad schemerig was, keerde Marta terug naar het kleine appartement waar ze in haar eentje woonde. Het lag in het centrum, dicht bij de ambachtsschool – en dus niet ver van het Academisch Ziekenhuis – met twee kamers waarin de stapels boeken aangroeiden, een bed waarin de eenzaamheid aangroeide en twee ramen waar ze soms op de vensterbank eten neerlegde zodat het aantal duiven van elders aangroeide.

Marta Vives was iemand die zich niet in de dood wilde verliezen, maar in het bruisende leven staan.

Die avond wachtte haar echter een verrassing. Een van de twee ramen, dat van de slaapkamer, stond wijd open, terwijl ze er zeker van was het dicht te hebben achtergelaten.

Misschien door de wind, dacht ze. Maar het had de hele dag niet gewaaid. Het is niet erg, dacht ze. Het zou alleen erg zijn geweest als er duiven naar binnen gekomen waren.

Haar twee kamers waren doorzocht, zij het nauwkeurig, ordelijk en met een zekere wetenschappelijke voorzichtigheid. Binnen de grenzen van het mogelijke was elk voorwerp weer op zijn plaats gezet: een minder groot pietje-precies dan Marta zou niets gemerkt hebben. En dat was precies wat haar bang maakte: het was alsof er iemand binnen was geweest die kon vliegen, alsof het geen gewoon mens was. Wie kon door een raam zijn binnengekomen op de vijfde verdieping, alleen voor duiven bereikbaar? En wie had dat gedaan om vervolgens niets te stelen?

Niets, er was niets weg. Geen papieren, geen van de zeer weinige sieraden, geen geld en ook niet de reservesleutels die in huis lagen.

Slechts één voorwerp ontbrak. Eén maar. Onverklaarbaar.

Er ontbrak alleen een portret van haar moeder.

12

De strijd die door de duivel werd gewonnen

Ik weet niet of het nog bestaat, want ik ben er nooit meer geweest,
maar destijds was het er, ik zweer het. Het was in de Calle Palma
de San Justo, een Romeins riool, vlak bij de steunmuur van de fundamenten van een voorportaal. Het riool moet eeuwenlang vergeten geweest zijn, want ik heb in een antiklerikale krant, *El Diluvio*,
gelezen dat het in 1928 herontdekt is. Maar toen ik dat riool voor
het eerst zag, bestond de carassa, en die bestond nog toen ik vluchtte. Het riool was binnen de stadsmuren gelegen en behoorde tot het
centrum van de dode stad.

Hoewel je er niet rechtop in kon staan, bivakkeerde ik er drie
dagen om te zorgen dat de huiseigenaar me niet zou vinden. Ik wist
zeker dat hij me zou zoeken en dat hij ervoor zou betalen om me
te pakken te krijgen, zoals hij met alle voortvluchtige slaven deed;
maar aan mij kon hij niet erg veel hebben, dus ik nam aan dat hij er
spoedig genoeg van zou krijgen.

Me verbergen in het Romeinse riool was het beste wat ik kon
doen, want de lieden die slaven zochten kamden de hele stad uit.
Later kwam ik te weten dat ze ook hadden gezocht in Raval, in Mu-
ralla de Mar en bij Atarazanas, waar de galeien werden gebouwd. Ze
zochten zelfs boven in de torens, maar het kwam bij niemand op om
de riolen te gaan doorzoeken.

Toen ik op een nacht naar buiten ging, kort voordat de stadspoorten zouden sluiten, begreep ik dat ik een nieuwe schuilplaats moest zoeken. Barcelona reikte toen al tot in de vlakte, voorbij de grens die gevormd werd door de waterstroom van de Ramblas en de stinkende modderpoel aan het eind ervan, vlak bij zee, die de burgers te voet moesten oversteken, wat men meestal blootsvoets deed. Daar de stad in die richting niet verder kon worden uitgebreid, werden er straten loodrecht op de stadsmuur aangelegd, zoals de doodlopende straat waar het ziekenhuis aan lag. Vlak bij die straat stond het huis waarin ik geboren ben en daar zou ik nooit door durven lopen. Verderop kwamen er natuurlijk velden, kleine bosjes, woningen van slechts één verdieping en zelfs een kerkhof waar de armste mensen van de stad begraven werden en waar je hun schedels nu nog op dezelfde plaats kunt vinden. Naast het kerkhof verhief zich een kerk, ver genoeg weg om me vertrouwen in te boezemen. Het was de kerk van Sant Pau del Camp. Slechts smeekbeden en doden bepaalden daar de sfeer.

In Barcelona stonden buiten de stadsmuren twee zeer oude, romaanse kerken: de ene was die van Onze-Lieve-Vrouwe van El Coll, die in de verte verscholen lag in de mist, de andere de veel dichterbij gelegen Sant Pau. Deze dateerde van vóór de elfde eeuw, met visigotische details in het interieur; vanzelfsprekend werd deze kerk verschillende keren door de Moren verwoest, totdat hij in 1117 herbouwd werd.

En daar woonde ik, omdat de parochiepriester me opving. Toen hij me op straat tegenkwam, verwarde hij de uitdrukking van angst op mijn gezicht misschien wel met een uitdrukking van vroomheid en hij bezorgde me een baantje, namelijk om hem te vergezellen op zijn nachtelijke tochten met de laatste sacramenten, welke tochten soms gevaarlijk waren, ondanks de aanwezigheid van de Heer. Hij moet iets in mij gezien hebben waardoor hij geloofde dat ik met mijn blik mensen kon verlammen.

De priester diende God en de bisschop op een afgelegen plaats, dicht bij de verste uitlopers van de Montjuïc, waar grotten waren waarin zwervers en rovers hun toevlucht zochten. In de omgeving van Sant Pau del Camp was de deugdzaamheid in gevaar. Het was ook een geschikte plaats – zeiden de parochianen – voor de zonden des vlezes. Al met al was het niet zo vreemd dat de nachtelijke sacramentstochten gevaarlijk waren en dat de priester van Sant Pau het prettiger vond dat er minstens twee acolieten met hem meegingen. Ik werd een van die twee. Het kwam me goed uit, want zo had ik onderdak en eten en bovendien behoedde de kerk me voor arrestatie, want het was een gewijde plaats.

De kerken uit mijn jeugd waren rijk, maar niet allemaal, Sant Pau al helemaal niet. Er waren daar maar heel weinig welvarende parochianen, wat wilde zeggen dat aan Sant Pau geen testamenten of legaten toekwamen. Want als mensen weldra zouden sterven, lieten ze – zoals ik later heb ervaren – bij testament een groot gedeelte van hun aardse bezit na aan de parochie, omdat ze er anders, zei hun biechtvader, niet zeker van konden zijn bij het laatste oordeel over goede referenties of getuigen te beschikken. 'Behaagt de Heer,' riep de heilige man die voor mij zorgde, 'want op het gruwelijke, beslissende moment zal Hij u slechts één vraag stellen: "Wat heb jij mij geschonken?"'

En men schonk bezittingen aan de Kerk, maar uiteraard veel meer op rijke dan op arme plaatsen, die veelal zoals die van mijn kerk buiten de muren gelegen waren. In de welvarende parochies gingen telkens enorme hoeveelheden landbouwgrond en vele stadspercelen bij testament over naar de Kerk, als een christen afscheid nam van het goede dezer aarde, zoals het zo treffend wordt uitgedrukt. De kerken inden tienden, waarvan een derde gedeelte bij eerste aanzegging, hoewel men kon zien dat niet alles naar de weldoorvoede dienaren van het geloof ging. Veel Catalaanse kerken hadden een particuliere beschermheer en deze patroon hield een flink deel van de giften achter zonder dat het hem al te zeer kon schelen of hij het de liefde Gods of de mond van de geestelijke onthield. Vandaar dat veel kerken slechts konden voortbestaan dankzij doopplechtigheden, huwelijken, begrafenissen en aalmoezen, waaraan ik me geheel en al wijdde. Sommige gemeenten steunden de kerken zelfs met een deel van de opbrengst van de boetes die ze oplegden aan mensen die op feestdagen op werken betrapt werden. Een zware zonde, waarvan ik in latere tijd doorkreeg dat de Catalanen zich er enthousiast aan overgaven om de nieuwe christenen die ter wereld kwamen te voeden.

Tijdens de lange nachtelijke uren waarin we zaten te wachten op de biecht van iemand die ging sterven, drong er iets tot me door wat ik eerder niet had ingezien: ik leefde nog door het offer van mijn moeder, dat wil zeggen, ik leefde dankzij een daad van liefde. Waarschijnlijk zouden ze me hebben geëxecuteerd omdat ik een meisje had aangevallen en haar bloed had gedronken. En door dit besef, hoewel rijkelijk laat, veranderde ik in zekere zin, ik schaamde me en probeerde te leven als iedereen. Dikwijls ging ik 's nachts naar een kerkhof, maar dat vormde een deel van mijn werk, want wanneer in Barcelona een epidemie werd afgekondigd, iets wat tamelijk vaak voorkwam, moest ik tevoren op gewijde grond plekken voor de graven uitzoeken en dat was vaak lastig. Omdat ik nu voortdurend kruisen zag, verloor ik mijn angst ervoor, terwijl ik er vroeger als de dood voor was. En zelfs geloof ik dat het me toen niet onmogelijk geweest zou zijn te leren bidden, vooral tot de Heilige Maagd: de Heilige Maagd vond ik altijd zielig, al wist ik niet waarom. Zij moest de wil van een onverbiddelijke god uitvoeren en bovendien de smart verdragen die anderen haar bezorgden.

En toen overkwamen me twee dingen die schijnbaar geen zin hadden en misschien ook nooit zullen hebben. Het eerste is dat ik het idee van tijd verloor, het verloop der jaren niet merkte: het was alsof ik in eeuwen telde. Het tweede was dat ik me ervan bewust werd dat in mijn stad de ongelijkheid toenam in plaats van verminderde, in die mate dat Barcelona welhaast vanzelf een revolutionaire stad moest worden. Toen ik vrouwen zoals mijn moeder zag, overmeesterd door hun klanten, die op hun beurt stierven van de honger, moet dat al bij me zijn opgekomen, maar toen drong het toch niet zo tot me door. Er zijn in elk geval mensen tot wie het hun hele leven niet doordringt; wie dat in die tijd wel besefte, was ervan overtuigd dat het de wil van God was.

De eerste van die gebeurtenissen, ik bedoel het verloop van de tijd, hield me wel degelijk bezig, en wel om een heel concrete reden: de priester van Sant Pau, zijn parochianen en de andere acolieten die in de kerk werkten, werden ouder, terwijl ik steeds hetzelfde gezicht hield. Ik groeide wel wat, maar zonder dat mijn gelaatstrekken veranderden: de jaren lieten op mij geen sporen na en dat moest uiteindelijk wel gaan opvallen.

Het zou niet al te lang duren tot ik een nieuwe schuilplaats nodig had; ik zou me moeten gaan verbergen op een andere plaats, waar niemand me kende.

Vanaf toen begon de priester van Sant Pau zijn geloof te verliezen.

Soms als we 's nachts in de buurt van het kerkhof bij een vuurtje beschutting zochten, zei hij tegen me dat het leven geen zin had.

'En dat terwijl het leven door de Heer geschonken is,' gaf hij toe, en hij vervolgde dat het hele leven bestaat uit geboren worden, werk zoeken om te eten te hebben, je instinct volgen om je voort te planten (een instinct dat bovendien samenvalt met de valkuil van de liefde), oud worden en sterven, en je plek weer aan een ander afstaan. We worden geboren op de graven van onze voorouders in de hoop op onze beurt weer nakomelingen te hebben, en we bedrijven ontucht bij de kerkhoven, wetend dat we maar één ding bereiken: nog grotere kerkhoven.

'Dit leven heeft geen zin,' mompelde de priester, en hij stak zijn handen uit naar het vuur. 'Elkaars plaats innemen, waartoe?'

'Om het eeuwige leven te bereiken,' zei ik. 'Ons verblijf op aarde is maar van voorbijgaande aard, en we zullen worden beoordeeld naar wat we in die periode gedaan hebben.'

Dat was wat ik in de mis op zondag hoorde, ofwel de woorden van priesters, maar het had geen zin dat ik als één van hen sprak, aangezien ik geen priester was en geen ambitie had het ooit te worden. Bovendien was er in de woorden van priesters iets wat mijn weerzin wekte, zonder dat ik precies de reden daarvoor kon aangeven. Misschien zei ik het omdat ik de priester, mijn beschermer, wilde behagen. Of omdat ik vond dat het mijn plicht was om dat te zeggen omdat wij beiden aan de kerk verbonden waren.

'Dat heb ik tot nu toe ook geloofd,' onderbrak hij me. 'Daarom ben ik priester, met bovendien een ware roeping. Er zijn er velen die geen roeping hebben.'

'Waarom niet?'

'Omdat het priesterschap uiteindelijk ook maar een manier van leven is. Denk maar niet dat er nog veel met een roeping zijn. Ofwel je wordt in welstand geboren, dan hoef je dus niet te werken, óf je moet op een of andere manier in je onderhoud voorzien. Hoe? Of je bent slaaf op de velden, onderworpen aan je meester, óf je bent slaaf van de gilden, als zogenaamd vrij man in de stad. Vrij zijn betekent dan van honger omkomen, niets meer of minder. Het enige wat dan rest is het leger of de Kerk; daarom zijn er zoveel muitende soldaten en ongelovige priesters.'

Ik dacht aan de vele priesters die klant van mijn moeder geweest waren, maar dat wilde ik hem niet vertellen.

'Maar toch ben ik gelovig,' hernam de priester met afwezige blik, 'en juist daarom ben ik gaan nadenken. Zo ben ik tot de conclusie gekomen dat de wereld niet goed in elkaar zit en dus niet het werk van God kan zijn.'

Ik huiverde.

Nog nooit had ik een man die voor de Kerk leefde zoiets horen zeggen.

Diep vanbinnen voelde ik echter een heimelijke blijdschap toen ik hem zo hoorde praten, ik weet niet waarom.

Ik durfde hem niets te vragen, zodat hij vervolgde: 'Kijk bijvoorbeeld naar dieren. Die doden een ander nooit, tenzij uit angst of uit honger, waarmee ze ons voortdurend een voorbeeld geven dat wij zouden moeten navolgen. Want wij doden uit plezier.'

'Of om een gerechtvaardigde reden,' waagde ik te zeggen.

'Wij zoeken een rechtvaardiging om het plezier te verhullen, tenminste, dat is wat meestal gebeurt. Oorlogen vormen een prachtig voorbeeld van rechtvaardiging. Wat ik in dieren bewonder, is dat ze daar nooit toe vervallen.'

'Dieren zijn ook door God geschapen,' mompelde ik, waarbij ik iets verdedigde wat me koud liet, 'en in die zin zou je kunnen zeggen dat zijn werk perfect is.'

'Maar wij mensen vernietigen het,' luidde zijn bezwaar. 'We hebben ons tot baas over de dieren gemaakt om ze te slachtofferen.'

'Dat is ook waar. Wij maken er iets slechts van.'

'Wij maken alles slecht en dan ook nog met de kennelijke instemming van God. Oorlogen, wreedheden, kwaadaardigheden en onrechtvaardigheden zijn mensenwerk. Ziekten, rampen, aardbevingen, plagen en ongelukken waarbij kinderen levend verbranden zijn daden van God. Vertel jij me dan maar of dit alles bij elkaar genomen een goed doordachte wereld is.'

'God kan zich toch niet zo verschrikkelijk vergist hebben,' fluisterde ik.

'Nou, dan hebben de mensen ervoor gezorgd dat hij zich vergiste.'

'Dat begrijp ik niet.'

Dat was waar: ik begreep het niet, hoewel ik me door iets diep vanbinnen, iets wat ik niet kon uitleggen, gedreven voelde het eens te zijn met de priester van Sant Pau. Maar die leek niet bereid verder te praten, althans op dat moment. Hij staarde even in de verte en stak zijn handen uit naar het vuur. Vaag zagen we in de verte een paar rovers het graf openen van iemand die diezelfde ochtend begraven was, om te zien of er sieraden te vinden waren. Normaal had de priester hen achternagezeten en de toorn van God over hen afgeroepen, maar dit keer kwam hij niet in beweging, alsof het hem opeens niet interesseerde. Hij bleef voor zich uit zitten staren.

'Het is niet dat ik hen niet durf te achtervolgen,' zei hij na een paar minuten, 'uiteindelijk valt het kerkhof onder mijn hoede, maar dat ik niet in actie kom, is omdat het de moeite niet waard is te vechten tegen deze absurde wereld. Daar zie je het bewijs dat de dood even bizar is als het leven. Alles wat je doet, zal zinloos blijken te zijn.'

'Ik merk dat u geen zin hebt om te vechten,' mompelde ik, maar ik hoopte hem met die woorden niet te beledigen.

'Ik heb al genoeg gevochten. Misschien is er iets wat je niet weet van mij.'

'Wat dan?'

'Je weet niet dat ik soldaat geweest ben.'

Ik trok een verbaasd gezicht. Dat wist ik inderdaad niet. Ik dacht dat de priester van Sant Pau del Camp zijn hele leven op het kerkhof en in de kerk had doorgebracht.

'Nee. Dat kan ik me niet voorstellen,' zei ik zacht.

'Toen ik nog heel jong was heb ik me laten ronselen om Rosellón te heroveren, dat toen eigendom was van de koning van Mallorca. Barcelona had zijn instemming betuigd met dat gevecht, omdat de stad steeds meer verarmde, zonder te beseffen dat het een bloedbad zou worden onder mannen die ondanks alles dezelfde taal spraken en dat het eerste het beste dier begrepen had dat het zinloos was hen hiervoor de dood in te jagen. Een dier zou natuurlijk slimmer zijn dan wij. Maar dat kon me toen niet schelen. Ze gaven me een schild en een bijl en stuurden me de strijd in.'

'Ik kan me u niet voorstellen met een bijl,' mompelde ik.

'Ik heb hem maar één keer gebruikt.'

'Hoe ging dat?'

'Ik heb maar één dag deelgenomen aan de strijd. Ik had geleerd dat ik een list moest gebruiken en moest kijken of de vijand zo onvoorzichtig was daarin te trappen. Ik moest de bijl boven zijn hoofd heffen, alsof ik hem de schedel ging afhakken, en de tegenstander zou dan met zijn schild zijn bovenlichaam beschermen, zonder te beseffen dat zo zijn kruis onbeschermd was. Dan moest ik in een simpele maar ontzettend snelle beweging mijn bijl omlaag brengen en een houw geven in zijn onderbuik, in één keer van onder naar boven, en hem ongeveer in tweeën klieven. Ineens vielen zijn edele delen, zijn blaas en zijn ingewanden in een grote golf bloed op de grond. Ik voerde het zo perfect uit, dat mijn vijand zich er niet eens van bewust was dat hij doodging, of eigenlijk was hij dat wel, want zijn dood was wreed en traag, omdat hij door die houw met mijn bijl al zijn ingewanden verloor. Ik stond er zo vlakbij, dat zijn bloed me in het gezicht spatte.'

De priester maakte een vaag gebaar alsof hij wilde zeggen: zie je hoe eenvoudig dat gaat? Met de eerste klap misleid je je tegenstander, bij de tweede dood je hem. We hoorden vaag dat de grafrovers op de ruwhouten kist waren gestuit en die aan het openbreken waren, maar we letten er verder niet op. De priester sloot zijn ogen en ging verder: 'Ik weigerde door te vechten, vooral toen ik na de overwinning zag dat het vijandelijke kamp geplunderd was, kinderen vermoord en vrouwen verkracht. En nog meer.'

'Nog meer?'

'Wel twee voorvallen. Het eerste was dat er een mis gehouden werd om God te danken voor de overwinning. Zodat God tot verantwoordelijke werd bestempeld, zei ik bij mezelf. Het tweede was dat ik de man terugzag die ik had gedood. Zijn hond was in het kamp en die hond zat te janken naast de dode terwijl wij soldaten elkaar in de armen vielen om de overwinning te vieren. De enige emotie die ik te midden van duizenden mannen bespeurde was de emotie van een dier.'

Hij stond op en richtte zijn blik weer op de romaanse crypte van de kerk, die niet zijn werk was maar wel zijn verantwoordelijkheid in deze wereld. Het gaf me het gevoel dat die man plotseling in de eeuwigheid geloofde, niet in de Kerk. In de verte waren de vuren te zien die de schildwachten op de toren van de stadsmuur hadden aangestoken. Vanaf het kerkhof, dat zich bijna uitstrekte tot de Montjuïc, kwam een serie dreunen alsof iemand een grafkist openbrak. In een tent heel dichtbij was een vrouw aan het zingen en er klonk luid gelach.

Die stem deed me aan mijn moeder denken.

Mijn moeder zong soms voor de klanten, die haar vervolgens een voor een bestegen.

'Als deze wereld een goede schepping is,' stamelde mijn beschermer, 'als dit een goede schepping is en als wij mensen geboren worden naar beeld en gelijkenis van God... Nou ja, wie gelooft dat? Moet ik mijn leven aan zo'n barbaarse leugen wijden? Geloof je nou echt dat God de strijd van de duivel gewonnen heeft?'

Hij draaide zich om en richtte zich langzaam naar de kerk, die in de schaduwen verborgen lag. Daarom zag hij niet wat de mannen in hun handen droegen die zojuist het graf hadden geplunderd van een vrouw die pas begraven was.

Het was een kruis dat op de borst van het lijk had gelegen. Ik denk niet dat het erg veel waard was, maar het zou de rovers toch wel iets opleveren, per slot van rekening was het kruis van brons. Terwijl de plunderaars naar een van de tenten liepen die op een rij langs de muur van de Ramblas stonden, ging ik met een toorts naar het zojuist geschonden graf en bedekte het lichaam van de vrouw opnieuw met aarde.

Ze was heel knap geweest. En ze leek nog levend.

Maar ik vluchtte weg toen ik de bewaker hoorde aankomen. Ze moesten vooral niet denken dat ik het was die het graf geschonden had.

13

De Catalaanse erfenis

Marcos Solana en pater Olavide gingen het kantoor binnen.

En daar lag het kruis.

Het was een bronzen kruis van gemiddelde omvang, dat de hele borst van een persoon kon bedekken. Omdat het schoon en glanzend was en omdat brons een dankbaar metaal is, leek het wel nieuw, zo'n kruis als in de catalogus van de paar winkels in religieuze kunst die Barcelona nog rijk is. Maar dit was echt een zeer oud kruis, een authentiek stuk uit 1400. Dat was vastgesteld door drie verschillende deskundigen: van een veilinghuis, van de rechtbank en van het bisdom. De deskundigen van het bisdom kwamen in actie nadat er onenigheid was ontstaan over de vraag of religieuze kunst uit La Franja – een landstreek tussen Catalonië en Aragón waar Catalaans gesproken wordt – tot het ene of het andere gewest behoorde. Daarom zijn vele kruisen en Mariabeelden die aan de Kerk toebehoorden, terechtgekomen op het kantoor van een advocaat of in de antichambre van een bisschop.

Dit kruis was op vele plaatsen geweest.

Maar op dit ogenblik was het pater Olavide die het met respect en aandacht onderzocht, misschien omdat hij er iets in zag wat anderen nooit zouden zien. Terwijl hij over het witte boordje streek dat tot aan zijn kin reikte en met zijn andere hand de soutane gladstreek die tot zijn voeten kwam, leek pater Olavide meer dan ooit een lange, ascetische man, herrezen uit een andere tijd, alsof hij zojuist opgestaan was uit de tijd van Torres i Bages, een door Utrillo vereeuwigde bisschop uit de eerste helft van de twintigste eeuw. Hij wist dat hij op straat de aandacht trok, maar daar was hij trots op, want hij was de levende getuigenis van een religie die boven de tijd stond.

Advocaat Solana, die naast hem stond, onderzocht de stukken gewijde kunst die op een van de bureaus lagen. Naast het kruis glinsterde een bisschopsring – het laatste overblijfsel van iemand die tijdens de Burgeroorlog gefusilleerd was – een monstrans, een gebedenboek en een miskelk die ook zorgvuldig gereinigd was. Maar zelfs zo leken die voorwerpen te spreken met een stem die door niemand meer werd begrepen, uit een lang vervlogen tijd, van gene zijde van de dood.

Op dat moment kwam Marta Vives door de achterdeur binnen als een jeugdige wervelwind die plotseling het kantoor binnenvalt. Niemand had haar verwacht. Marta probeerde te glimlachen, maar al twee dagen was haar glimlach als bevroren. Niemand had haar gevraagd waarom, zelfs Solana niet.

'Bedankt voor je hulp, Marta,' mompelde hij. 'Nu kunnen we eindelijk de transactie ondertekenen die een eind maakt aan die vervloekte zaak. Daar zijn we al acht jaar mee bezig. Als we eenmaal het document getekend hebben, zal alles bij de erfenis van de familie Vives gevoegd worden. Ik heb jou gevraagd de akte te komen opmaken, omdat jij kunstexpert bent. Ik weet zeker dat er dan geen fouten in zullen voorkomen.'

Hij ging achter het bureau zitten, voor een enorme boekenkast waarin alle boeken stonden die in de laatste honderd jaar op het gebied van wetgeving waren uitgekomen. 'Deze zaak om de erfenis,' vervolgde hij, 'is vele jaren geleden begonnen, voordat jij hier bent komen werken, Marta, en het is een van de zaken waar ik jarenlang het meeste werk aan heb gehad. In het begin was er discussie over of deze erfenis onder Spaans of Catalaans recht viel, want dat maakte een wereld van verschil. Zoals je weet, komt volgens het Burgerlijk Wetboek van Spanje twee derde aan de erfgenamen ten goede – een derde als erfdeel en een derde als opslag – terwijl volgens Catalaans recht drie kwart van de erfenis ter vrije beschikking is van de erflater. Voordat dit punt was opgelost, kon er niets geregeld worden. Volgens de Spaanse wet moest de erfenis op de ene manier verdeeld worden en volgens de Catalaanse wet op de andere.'

Hij pauzeerde even en keek naar pater Olavide. Die besteedde geen aandacht aan zijn woorden, alsof slechts de vonnissen van de eeuwigheid voor hem van belang waren, en niet die van de mensen. Hij leek zelfs niet gemerkt te hebben dat Marta Vives was binnengekomen.

'Dan was er nog een langdurige kwestie,' ging Marcos Solana verder, 'maar deze keer een kerkelijke, want dat kruis en die andere voorwerpen waren tevoorschijn gekomen in La Franja, een gebied tussen Catalonië en Aragón dat de bisschoppen elkaar betwisten. Uiteindelijk werd pater Olavide benoemd tot bemiddelaar in de kwestie en hij slaagde erin een akkoord te bereiken. Daarom is hij nu hier om de akte te ondertekenen voordat die naar de notaris gaat.'

'Het was niet zo eenvoudig,' zei de priester afwezig.

'De voorwerpen die we hier zien,' eindigde Marcos, 'hebben eeuwenlang toebehoord aan de familie Vives en ze zullen aan hen worden teruggegeven als de documenten afgerond zijn.'

Marta, die naast het bureau stond, kwam dichterbij en pakte het kruis op. Het was natuurlijk niet het meest waardevolle stuk – de monstrans was vele malen meer waard – maar dat kruis leek haar te fascineren. De gevoelige vingers van een vrouwelijke oudheidkundige streelden de randen van de relikwie, de door de tand des tijds versleten reliëfs, de onnatuurlijke glans die vanuit het duister van een graf leek te komen.

'Wat merkwaardig,' zei ze voor zich uit.

'Wat?'

'Vanaf het moment dat ik het kantoor binnenkwam, kon ik mijn ogen niet van dit kruis afhouden. Ik vraag me af waar het allemaal geweest is voordat het hier terechtkwam, in welke paleizen, in welke gevangenissen en in welke graftomben. Misschien zijn dat antiquairstrekjes.'

'Natuurlijk,' zei Marcos, die het nu snel wilde afronden, 'hoewel dat trekjes zijn die geen kwaad kunnen.'

'Er is nog iets,' mompelde Marta.

'En dat is?'

'De familie die recht meent te hebben op dit kruis heet Vives en zo heet ik ook.'

'Toeval,' zei de priester.

'O, natuurlijk.' Marcos Solana deed het schouderophalend af. 'De naam Vives is al heel oud en komt veel voor in deze omgeving. Bovendien heeft de naam een eigen geschiedenis in het culturele leven hier... Maar er zijn rijke en arme takken van de familie Vives, er zijn lieden met de naam Vives die over een erfenis beschikken en er zijn er die over niets kunnen beschikken... Misschien heeft een militair met die naam het er beter van afgebracht dan wie ook.'

'Wie dan?' vroeg pater Olavide, die zich erop beroemde alles te weten.

'Hij was gouverneur-generaal van Cuba,' zei de advocaat, 'en tijdens zijn mandaat onderscheidde hij zich door geen steek uit te voeren. Dat ging hem zo goed af in zijn luie stoel dat als men in het oude Cuba doelde op iemand wie het niet beter kon gaan, men zei: "Je leeft als een Vives."'

Het meisje glimlachte.

'Nou, ik ben niet zoals de gouverneur-generaal. Ik heb alleen maar problemen.'

Ze legde het kruis zo eerbiedig op het bureau alsof het een levend wezen was, zonder dat ze haar blik ervan kon afhouden.

Er spookte een aantal gedachten door haar hoofd, die allemaal samenhingen met het verstrijken van de tijd, de tijd die alles tot stof doet wederkeren en toch sporen achterlaat die het idee van eeuwigheid voeden, het enige idee dat mensen zonder enig bewijs hebben aanvaard.

De eeuwigheid... Marta Vives kon het niet laten te denken dat de eeuwigheid zin geeft aan alles wat niet eeuwig is.

De stem van pater Olavide leidde haar even af. Die stem leek altijd van heel ver te komen, zoals de galm van de steen van de eerste graftombe die in naam van de Kerk geopend werd.

'Ik zou het prettiger vinden als onze vriend Guillermo Clavé rondwentelde in de ruimte en geloofde zo het eeuwige leven te verwerven... Beter dan samen met een steen begraven te liggen.'

'U lijkt er de spot mee te drijven, pater...'

'Ik moet altijd lachen om alles waardoor men het godsbegrip probeert te vervangen.'

Hij ging voor het bureau zitten met zijn gebruikelijke ondoorgrondelijke gezicht, met zijn afwezige blik, verloren in een wereld die niet overeenkwam met die van anderen. Alle godsdienstfanaten hebben dezelfde afwezige blik, dacht Solana.

'Hiermee sluiten we vele jaren werk af,' zei de priester. 'Vandaag is een grote dag vol gedenkwaardige gebeurtenissen. Jij, Marta, die de akte zult opmaken, heet Vives van vaderskant, maar ook van moederskant. Je heet Vives en Vives... Nou ja, het doet er niet toe. Als ik geen priester was, zou ik je schoonheid en je intelligentie prijzen, maar in mijn positie zal ik alleen dat eerste doen... Maak je maar klaar om te gaan tekenen, beste vriendin. We maken eindelijk een zaak af waar geen eind aan leek te komen.'

'Voor mij was het meer een zaak zonder einde dan voor u,' sprak Marcos Solana lachend. 'U hoefde alleen maar op te helderen of deze gewijde stukken aan Catalonië of aan Aragón toebehoorden, terwijl ik de hele voorgeschiedenis ervan moest onderzoeken om te weten te komen aan wie ze hebben toebehoord. De eisende familie heeft me veel documenten verschaft, maar andere papieren heb ik in de parochiearchieven moeten zoeken en in de registers van de burgerlijke stand en zelfs in die van de kerkhoven. Maar nu zal ik niet klagen... Als iemand zich wijdt aan oude Catalaanse erfenissen, is een deel van zijn werk mollenwerk. U weet niet hoe opgelucht ik me voel nu ik een punt achter zo'n zaak kan zetten.'

'Je zult wel onthutsende details aangetroffen hebben,' zei Marta terwijl ze de computer aanzette.

'Dat kun je je niet voorstellen. Zoals je je vast ook niet kunt voorstellen dat er voor jou aan deze zaak advocatenwerk zit, Marta. Toen ik te maken kreeg met zulke oude voorwerpen, heb ik besloten om de hulp van iemand als jij te zoeken, met kennis van de archeologie. In de laatste fase heb je me echt veel geholpen, maar je weet niet alles. Sommige details heb ik je niet verteld omdat die, laten we zeggen... zelfs een beetje angstaanjagend zijn. In de oude bischoppelijke archieven, in de papieren die afkomstig zijn van de romaanse kerk van Sant Pau del Camp, is sprake van een priester die aan die kerk verbonden was en die levend verbrand werd in Madrid, samen met een vrouw die beschuldigd werd van hekserij. En de geschiedenis van dat kruis... Niemand kan zich voorstellen wat een absurde of verschrikkelijke dingen zich bevinden in de kerkelijke archieven of in de archieven van aanzienlijke families, in de documenten uit een ver verleden. Zelf schrik ik ervan omdat ik denk dat ik uiteindelijk een fossiele advocaat zal worden... Bijvoorbeeld toen ik de voorgeschiedenis van dat bronzen kruis vond.'

'Heeft het een geschiedenis?'

'Dat kun je wel zeggen, ja.'

'Misschien dat het daardoor zo mijn aandacht trok,' fluisterde het meisje.

'Dat zal ik niet ontkennen. Er zijn voorwerpen die over magnetische kracht beschikken,' beweerde de advocaat.

'En wat is in grote lijnen de geschiedenis van dat kruis?' vroeg Marta.

'Een eerste detail is dat het uit een graf geroofd is,' antwoordde Marcos met gesloten ogen.

'Uit wiens graf?'

'Uit het graf van een vermoorde vrouw.'

14

De brandstapel

Ik zou hem onrecht doen door niet te erkennen dat de priester het kerkhof van Sant Pau del Camp verzorgde en dat hij probeerde naar alle begrafenisplechtigheden te gaan, ook al kreeg hij daar niets voor betaald, want de doden in die buurt waren immers arm en als er een epidemie heerste, hoopten ze zich op het kerkhof op. Ook hield hij een soort register bij met de namen van de overledenen en de doodsoorzaken. Ik dacht overigens dat dat register nergens voor nodig was, want het was uitgesloten dat iemand er eeuwen later aandacht aan zou besteden.

Hij was een goede priester, nauwgezet in al zijn werk, maar zelfs ik besefte dat hij onder toezicht stond.

Voorbij de kleine kerk strekte zich een vlak terrein uit, doorsneden door de berg Montjuïc en aan twee zijden begrensd: aan de ene kant door de stadsmuur van Atarazanas, waar het voortdurend druk was, en aan de andere kant, zo ver mogelijk van zee, door een nogal naargeestig oord waar veroordeelden werden opgeknoopt en waar een kruis stond dat afgedekt werd elke keer als er iemand werd opgehangen. Daarom begon men die sombere plaats het Bedekte Kruis te noemen.

Van de mensen die daar woonden werd gezegd dat ze arm waren, nog armer dan de mensen in Sant Pau, en natuurlijk nog ongeloviger. Dus trok het de aandacht dat er elke zondag zovelen de lange tocht ondernamen enkel en alleen om naar die priester te gaan luisteren. En het was eveneens opvallend dat de bisschop regelmatig een paar van zijn vertrouwelingen stuurde, enkel en alleen om naar hem te luisteren.

Want wat hij tegen mij gezegd had, zei hij ook in het openbaar, al was het met andere woorden. Als we de wereld in ogenschouw nemen, placht hij te zeggen, aanschouwen we beslist geen volmaakte schepping. Het leven heeft geen zin, behalve dat de soorten blijven voortbestaan, en het verschaft evenmin morele voldoening of waardigheid want ieder levend wezen moet andere wezens doden om in leven te blijven.

De mensen die van heel ver kwamen om naar hem te luisteren, begrepen het wel, maar in feite hadden ze nog nooit iemand zoiets horen zeggen.

De vertrouwelingen van de bisschop begrepen het ook, maar ook zij hadden in feite nog nooit iemand zoiets horen zeggen.

In vrijwel dezelfde bewoordingen die hij tegen mij 's nachts in de eenzaamheid had gebezigd, pleitte de priester de dieren vrij, die volgens hem tot het mooiste van de schepping behoorden en die nooit haat koesterden en ook niet doodden, tenzij uit honger of uit angst. Ik zou hem hebben kunnen antwoorden dat sommige dieren meer uit nieuwsgierigheid dan uit honger doden, zoals bijvoorbeeld katten, maar dat deed ik nooit, omdat de priester in grote lijnen gelijk had. De mens daarentegen, zei hij in zijn preken, doodt voor zijn plezier. Veel culinaire kunst uit die tijd was niets anders dan verfijnde staaltjes wreedheid, want als het dier leed bij het sterven, zou het het lekkerst smaken. Ik kwam in die tijd nooit in een keuken, maar ik wist van konijnen die levend gevild werden, katten die in kokend water werden ondergedompeld voordat ze gevild werden, vissen die levend aan een spies geregen werden en vrolijke volksfeesten waarbij het varken met een haak in zijn keel naar de offerplaats werd gesleept. Om maar niet te spreken van de geraffineerde wreedheid die toen in opkomst was bij voorname heren, de stierengevechten.

Ook in latere tijden zou ik in alle eenzaamheid nog eeuwenlang getuige zijn van wrede praktijken. Bijvoorbeeld slakken die levend werden verbrand op fijn stro, of levensgenieters die een aap vastbonden, met behulp van een fijne zaag zijn schedel lichtten en met een lepeltje de hersenen opaten terwijl het dier nog leefde. Mettertijd heb ik ervaren dat elk kookboek een horrorcatalogus is.

Maar, zei de priester, er is nog veel meer bewijs voor het gebrek aan zin van de schepping. Het leven van folteraars, van mensen dus, is ook onderworpen aan alle soorten slechtheden: ons zware leven, vrijwel altijd vergald door onrecht en honger, leidt ons naar onze eigen dood en die van mensen die we zijn gaan liefhebben. Deze zinloosheid wordt des te ingewikkelder, verduidelijkte de priester, omdat men ons voorhoudt dat na een zo hard, zinloos leven ons de hel wacht, daar immers zelfs een slechte gedachte ons niet vergeven zal worden. 'Dat doet een vader zijn kinderen niet aan,' riep hij in de mis op zondag, in een kerk die elke week krapper werd, 'hoe onrechtvaardig, arrogant en wreed die vader ook is.'

Hieruit leidde hij af dat bij de schepping niet de krachten van het goede, maar die van het kwade hadden overwonnen, en dat de moord op Jezus Christus aan het kruis een daad van wraak en vernedering was, opgelegd door het kwade, want kennelijk veronderstelde de priester – en daarin was hij orthodox – dat Christus het goede vertegenwoordigde. Er was geen duidelijker voorbeeld om vast te stellen dat de duivel had overwonnen dan de kruisiging van zijn tegenstander.

Soms verlieten mensen huilend de kerk van Sant Pau.

Soms.

Maar de vertrouwelingen van de bisschop huilden nooit en noteerden alles.

Alles.

Ik huilde niet, onder meer omdat ik de dood nooit in de ogen had gekeken. Maar twijfels bestormden me. Als de kwade engel de strijd had gewonnen, was de kruisiging van Jezus Christus inderdaad het overduidelijkste bewijs dat we konden hebben. Maar als het niet zo was, als de Goede Vader daartoe voor zijn plezier had bevolen, wat voor Goede Vader was het dan en hoeveel respect verdiende hij? Door dit alles dacht ik dat de priester, mijn beschermer, volkomen gelijk had: de god van de Bijbel kon niet goed zijn. Maar als hij dat lijden had verdragen om zich niet meer te hoeven bekommeren om alles wat wij mensen hem zouden aandoen? Als hij het gedaan had als vergiffenis voor alle zonden? Die gedachte luchtte me op, ook al was het in tegenspraak met de doctrine van de Kerk. De doctrine van de Kerk luidde eenvoudig: naar de hel!

Als ik nog in het bordeel gewoond had, waar ik zag hoe mijn arme moeder dagelijks werd misbruikt, waren deze vragen nooit bij me opgekomen, want in het bordeel sprak men nooit over het hiernamaals. Zelfs de geestelijken praatten voor de copulatie niet over God. Zij al helemaal niet. Maar in de kerk in Sant Pau was het anders, want God was daar alomtegenwoordig, vooral in het hoofd van de gekwelde priester. En de gekwelde priester was een goed man die mij bovendien ontmaskerd had.

Hij had me ontmaskerd.

En dat was nog het allervreemdste, want ik had mezelf nog niet ontdekt.

Op een avond bij het vuur, in de vredigheid van het kerkhof, zei hij het tegen me, terwijl de contouren van de eeuwenoude kerk geleidelijk donkerder werden.

'Het is me opgevallen dat je wel wat groeit,' zei hij, me strak aankijkend, 'maar dat je gezicht nooit verandert. Nooit. Toen ik je leerde kennen, had je al een ouder gezicht dan wat hoorde bij je leeftijd, je zag eruit als een jongeman van ongeveer twintig jaar, al was je lichaam een stuk kleiner dan van iemand van twintig. Dat heb ik al meteen gemerkt, maar de vriendelijkheid gebood me het te negeren, want je kon nergens anders heen. Ik ben je door de jaren heen blijven observeren zonder je er ooit iets over te zeggen. Maar nu ben ik tot een conclusie gekomen: als de wereld door het principe van het kwaad bestuurd wordt, moet het kwaad kinderen hebben. Misschien zijn het er weinig, heel weinig, maar ze moeten toch opvallen. Jij bent een van hen, al besef je dat zelf misschien nog niet; jij bent een van hen.'

Die man was de slimste en beste waarnemer die ik ooit gekend heb.

'Het is me opgevallen dat je nauwelijks eet, alsof je dat niet echt nodig hebt. Ook heb ik gemerkt dat je af en toe verdwijnt en er daarna bloed op je lippen zit. Ik heb navraag gedaan op de markten bij de stadsmuur waar ziek vee geslacht wordt dat de stad niet in mag en men herinnert zich je daar te hebben gezien. Ik uit geen kritiek op je; tenslotte zijn er veel mensen die van bloed van dode dieren houden, maar ik ben bang dat je op een dag een levend mens zult aanvallen.'

Ik sloot mijn ogen.

Een levend mens aanvallen...

Dat had ik al gedaan. Daardoor was ik een soort opgejaagd dier.

Ik huiverde.

'Jij bent een gezant van het kwaad en het kwaad zal zich in jou ontwikkelen, misschien heel langzaam,' zei de priester vriendelijk. 'Maar het zal onvermijdelijk tot ontwikkeling komen. Je hebt mogelijkheden die je op dit moment zelfs niet voorvoelt en daarom zou ik bang voor je moeten zijn. Maar dat ben ik niet. Ik geloof dat de schepping een zaak van lange adem is en hoewel het kwaad overheerst, is nog niet alles verloren.'

Ik zweer dat ik nooit gedacht had dat ik iemand vrees kon inboezemen. Noch dat ik een bijzondere inborst had, behalve dan dat ik weinig at, bijna nooit sliep, het zonlicht meed en af en toe behoefte had aan bloed zoals een dronkaard af en toe drank nodig heeft. Ik hechtte geen belang aan feiten die voor mij helemaal geen betekenis hadden, zoals dat ik stenen kon optillen die niemand van mijn leeftijd kon optillen en dat ik zonder meer doorhad hoe ik een man in één klap kon doden door zijn luchtpijp te breken bij een aanval van voren en zijn ruggengraat als ik hem van achteren aanviel. Zonder dat ooit te hebben geleerd. Het was instinctieve kennis, zoals wilde dieren die hebben, zonder dat ze hoeven te doden om het te weten.

Ik deed iets wat ik nog nooit gedaan had: ik kuste de hand van die man.

Hij was misschien de enige echt goede mens die ik ooit gekend heb.

Maar de vrienden van de bisschop die zijn missen en predikingen bijwoonden, dachten daar kennelijk niet zo over, want ze stuurden de Inquisitie op hem af. In die tijd bezat de Inquisitie een paleis in Barcelona binnen de stadsmuren dat ik later goed zou leren kennen, hoewel ik tot dat moment nooit een gedachte gewijd had aan het bestaan ervan. Ze brachten de priester erheen en ik heb hem nooit weergezien; ik bleef alleen achter in Sant Pau del Camp, in de stilte op het kerkhof.

Niet zo lang.

Ze konden ook mij naar de Inquisitie brengen. Zoals het ervoor stond, moest ik vluchten, me verbergen op een plaats waar niemand me kende.

Later kwam ik te weten dat de priester was overgebracht naar een tribunaal van de dominicanen in Madrid – hij moest er lopend heen, vastgebonden met een touw – en dat de dominicanen hem minzaam hadden gemaand te erkennen dat het goede over de wereld heerste. Daar de priester volhield dat het kwaad regeerde, pasten de inquisiteurs minzaam het kwaad op hem toe, misschien om hem een beetje gelijk te geven. Hij overleefde de marteling, alsof hij al wist dat het de essentie van het leven op aarde was, maar hij zei niet wat de dominicanen zo graag wilden horen. Toen werd hij overgeleverd aan de seculiere afdeling en samen met tien anderen levend verbrand bij een grote openbare ketterverbranding waardoor de deugdzaamheid van het volk ten zeerste gesterkt werd. Ik heb gehoord dat het op een prachtige zondag in de lente was, tegen de avond, en dat een aantal nonnen die de verbranding hadden bijgewoond later heilig zou worden verklaard, omdat ze zo pal hadden gestaan voor het goede. Maar toen was ik al elders in duister Barcelona.

Dat was niet het enige wat ik hoorde. Goed, misschien hoefde het me niet te worden verteld, want ik heb tenslotte het verslag van de executie gelezen. Onder al die ketters, wier namen werden bewaard voor de goede orde van de Heer, was een jonge vrouw en ook zij werd verbrand, na eveneens te voet vanuit Barcelona te zijn overgebracht. Het feit dat het een vrouw was maakte indruk op me, hoewel dat niet per se nodig was. Als ze verbrand worden, lijden mannen en vrouwen in gelijke mate, maar met mannen heeft men over het algemeen minder medelijden.

In het verslag stond de achternaam van de vrouw. Ze heette Vives.

15

De vrouw die in de tijd geloofde

'Hier zijn de akten,' zei Marta Vives terwijl ze haar rok gladstreek over haar stevige atletenknieën, 'het zijn gelegaliseerde kopieën uit de archieven van de Inquisitie. Ik heb ze gekregen toen ik vorige week in Madrid was om dat rapport te maken bij het bureau van de burgerlijke stand.'

Marcos Solana besteedde er geen aandacht aan. De kopieën namen een deel van het bureaublad in beslag, naar zijn mening een te groot deel, terwijl andere onderwerpen die ruimte harder nodig hadden. De interesse van Marta Vives in de middeleeuwen begon lachwekkend te worden.

Natuurlijk was haar kennis hem vaak van nut. Voor voorname gebouwen in Barcelona gold nog steeds erfpacht, die stamde uit een tijd toen men nog in de goddelijke eeuwigheid geloofde en de prijs voor een onbebouwd stuk grond niet afhankelijk was van de bestemming, zodat de koper het kon bewerken of bebouwen zonder dat de verkoper meer voordeel opstreek dan een geringe rente die ten minste eenmaal per dertig jaar betaald moest worden plus een percentage van de waarde bij vererving of verkoop van het terrein. Daar mettertijd op die percelen hele straten waren aangelegd, leverde nu elke overdracht of erfenis een fortuin op. Zonder erfpacht en de enorme complexiteit daarvan was Barcelona niet zo groot geworden, dacht Marcos Solana.

Natuurlijk had het te maken met de tijd in het verre verleden, toen er meer percelen grond dan mensen waren. Dat kon je je nu bijna niet meer voorstellen.

En Marta Vives hielp hem daarbij, want zij kende de hele voorgeschiedenis, in het bijzonder de geschiedenis van oude families. Maar nu hadden ze wel wat anders te doen dan zich bezighouden met oude Inquisitiedossiers. Marta scheen zijn gedachten te raden, want ze rechtvaardigde zichzelf: 'Ik heb deze papieren tussen twee formaliteiten door te pakken gekregen, in een verloren ogenblik. Je opdrachten hebben er geen vertraging door opgelopen.'

Marcos probeerde te glimlachen, maar het kostte hem moeite. Het is aan een advocaat te merken dat hij oud wordt als hij langzaamaan het vermogen tot glimlachen verliest.

'Ik snap alleen het belang van dit alles niet,' zei hij. 'Dit soort papieren wordt alleen nageplozen voor een doctoraalscriptie of om een boek te schrijven.'

'Je vergist je,' zei Marta.

'Hoe bedoel je?'

'Weet je nog dat toen een poosje geleden dat middeleeuwse kruis aan onze cliënten werd toegewezen, je tegen me zei dat het uit het graf van een vermoorde vrouw kwam?'

'Natuurlijk.'

'Die vermoorde vrouw heette Vives, net als ik. Ik ben een Vives van vaderskant en ook van moederskant. Er bestaat een kans dat de vrouw in dat geschonden graf een voorouder van mij was.'

'En je besloot dat uit te zoeken.'

Marcos Solana liet zijn blik over het panorama gaan aan de andere kant van het venster. Omdat zijn kantoor op een zolder in de Vía Layetana lag, kon hij vaag de torens van de kathedraal zien, die van de Santa María del Mar, de koepel van de Generalitat, de daken van de oude wijk, waar vroeger duivenhokken op stonden en wasgoed te drogen hing, maar waar nu her en der illegale bewoning was en een oude man lag die vastbesloten leek zich levend te laten verbranden in de zon. De Vía Layetana had huizen opgeslokt, herinneringen begraven en de overledenen twee keer begraven, maar dat was al heel lang geleden gebeurd, toen zelfs de grootouders van Marcos Solana nog geen idee hadden dat ze elkaar zouden ontmoeten. De advocaat was zich ervan bewust op een begraven stad te leven, maar als het welluidende carillon van de Generalitat zich liet horen klonk hem dat soms in de oren als voor een begrafenis de historie waardig.

'Dus je gelooft dat de vrouw die dat kruis in haar graf bij zich had een voorouder van jou geweest kan zijn.'

'Ik zei niet dat ik dat geloof. Het enige wat ik zeg, is dat de kans bestaat.'

'En nu je daar toch mee bezig bent, is dat misschien dezelfde vrouw die levend verbrand werd in Madrid, samen met de priester van Sant Pau del Camp,' voegde Marcos er ietwat ironisch aan toe.

'Je zult moeten toegeven dat het niet uitgesloten is.'

Marcos Solana haalde zijn schouders op. Het merendeel van de advocaten die flink verdienen houdt zich bezig met de oprichting van maatschappijen – of dat nu schijnconstructies zijn of niet – of met transacties van onroerend goed. Daardoor doen ze veel kennis op van de wereld om hen heen, die niet verder teruggaat dan de jaren tachtig, bij de invoering van de computers. Zelf was hij echter een advocaat van oude families met stambomen, verankerd in de middeleeuwen, en leefde hij te midden van archieven, familiegraven en gebeurtenissen die ooit in de loop der eeuwen hadden plaatsgevonden. De actualiteit was voor hem dus slechts het resultaat van al die verschillende verledens en Marcos Solana was geen advocaat als alle anderen, hoewel het hem soms duizelde.

Jaren geleden, toen hij als jonge advocaat begon te werken voor oude families en daarbij stuitte op het erfpachtsysteem, was er een procureur die daar alles over wist en de hele voorgeschiedenis ervan kende, alsof hij zelf het eigendomsregister had opgezet. Hij heette Bernardino Martorell en hij had een heel somber kantoor in de Calle de la Diputación. Toen Martorell eenmaal overleden was, bleek het heel moeilijk iemand te vinden die wijs kon worden uit de papieren die eeuwen geleden waren afgelegd. Zo iemand was Marta Vives, maar de laatste tijd was zij wel erg geobsedeerd door oude geschiedenissen. En een obsessie is een slechte zaak.

'Je moet niet zoveel tijd besteden aan al die zaken,' zei Marcos Solana tegen haar. En hij wendde zijn blik af van het uitzicht op de stevige benen van Marta Vives, de benen van een atlete, een kampioene. Over die benen wist Marcos Solana helemaal niets. Misschien werden ze door iemand gestreeld, misschien werd er door iemand heimelijk in gebeten of zocht iemand met zijn tong de holte aan het eind ervan. De advocaat wist niet of die vrouw die zich zo begroef in het verleden zelf ook een verleden had.

'Ik zal korter slapen,' antwoordde ze, 'maar maak je geen zorgen, al het werk van kantoor komt op tijd klaar.'

'Ik ben bang dat het ook wel nodig is, Marta. Ik heb een strafzaak aangenomen voor als we niet voldoende civiele zaken onder handen zouden hebben. Ik kon ook niet veel anders doen dan hem accepteren, want de zaak komt van een oude cliënt die wil dat ik zijn particuliere aanklager word. Zo krijg ik uiteindelijk alle informatie doorgestuurd uit het politieverslag over die vrouw die werd gewurgd in een huis in Vallvidrera en die samen met een man gevonden is die op brute wijze was vermoord met een steekwapen. Het is een zaak die zelfs de televisie heeft gehaald en waarvan elke advocaat die graag in de publieke belangstelling staat, smult. Maar ik heb een hekel aan publieke belangstelling. Ik ga geen verklaringen afleggen en ik wil zo min mogelijk in het openbaar verschijnen. Dat zeg ik voor het geval een of andere journalist me belt. Bedenk maar een smoes zodat hij niet aandringt. Ik wil niet afgeleid worden van mijn echte werk.'

'Natuurlijk,' zei Marta, 'dat komt helemaal voor elkaar. Wie is die cliënt?'

'Een bankier die verscheidene luxe panden bezit in de omgeving van de plaats delict. Hij heeft er belang bij dat het allemaal opgehelderd wordt, zodat zijn eigendommen niet in waarde dalen en ik voor hem met de politie kan overleggen als het nodig is en geruchten de kop in kan drukken. Je weet wel: roem is voor bouwgrond belangrijker dan voor mensen. Maar er is hier iets merkwaardigs aan de hand.'

Marta Vives keek hem aan.

'Wat dan?' vroeg ze.

'Toen de bankier me in zijn kantoor ontving, stonden op zijn bureau verschillende portretten in luxe lijsten. Officiële portretten natuurlijk. Een ervan was van de koning; een ander merkwaardig genoeg van Franco. Bankiers winden zich nooit op over de geschiedenis. Maar natuurlijk stonden er ook familieportretten. Onder meer van een paar kinderen met blozende wangen die nu op zijn minst accountant moeten zijn. En van een zeer goed uitziende juffrouw die nu waarschijnlijk vele malen moeder is en zelfs de trappen van het Liceutheater niet meer op kan klimmen. En van een groep heren, vast een raad van bestuur. Ik merkte dat er tussen hen een man stond met een heel jong, uitdrukkingsloos, haast tijdloos gezicht. Of ik ben gek of dat gezicht heb ik al eens eerder gezien. En op een plaats die ik hier niet mee kan rijmen.'

'Maar waarom heb je het hem niet gevraagd?' fluisterde Marta Vives.

'Omdat ik er niet zeker van was dat hij het was,' antwoordde Marcos met een afwezige blik. 'Omdat ik niet zeker wist of het hetzelfde gezicht was.'

16

Het meisje dat wilde sterven

De magere priester die ze levend hadden verbrand, werd opgevolgd door een dikke priester die er niet over peinsde ooit levend verbrand te worden. Het was een vriend van de bisschop en hij had blijkbaar de informatie verzameld die vervolgens naar de Inquisitie was gestuurd. Hij geloofde in de goedheid van de Heer, de goedheid van het geloof en de goedheid van de maag. Hij at tot hij zo ongeveer buiten adem was en dat in een tijd van gruwelijke honger waardoor de kerkhoven vol raakten, en hij goot met welbehagen wijn in zijn keel uit de verste contreien, met muilezels aangevoerd. Bijvoorbeeld wijn uit Alella, afkomstig van wijngaarden dicht bij zee, voorbij de rivier de Besòs, en uit Priorato, een gebied dat zo ver weg lag dat ze om daar wijn te halen bijna tot het land der ongelovigen moesten gaan. Maar hij prefereerde die wijnen, want hij beweerde dat ze bij uitstek geschikt waren voor de Heilige Tafel.

Natuurlijk had hij een bijslaap. Het was een heel jong meisje, bijna nog een kind, dat al het zware werk voor hem deed en dat je 's nachts kon horen kreunen, al was dat niet echt van plezier.

De nieuwe priester deed twee dingen: ten eerste alle bedelaars die op de kerkhoven sliepen wegsturen en ten tweede mij naar mijn leeftijd vragen.

'Volgens het register ben je hier al vijftien jaar,' zei hij, 'maar dan zou je veel volwassener moeten zijn. Vertel me eens hoe oud je bent.'

'Ik weet het niet; dat is me nooit verteld, en ik denk ook niet dat mijn geboorte ergens is vastgelegd.'

Het was een alarmsein, het alarmsein waarop ik al een hele tijd gewacht had en dat het enige gevaar vormde dat ik niet kon ontlopen. Uiteindelijk gaven mensen zich er rekenschap van dat mijn uiterlijk nooit veranderde. Hoe dan ook, ik besloot te vluchten.

In die tijd veranderde er in Raval veel in korte tijd. Aan de linkerkant werden de Ramblas, die naar zee aflopen, afgesloten door de stadsmuur, en aan het eind daarvan, richting Escudellers, werden enkele paleizen gebouwd. Het laagste deel rechts van de Ramblas was echter breed en open en nog steeds het gebied van al het slechte. Daar bestond de wereld uit alcohol, dansfeesten, volksmuziek, publieke vrouwen en goddeloosheid, maar tevens was het de plek waar legerkwartieren, kloosters en zelfs het enige grote ziekenhuis stonden, dus was de omgeving aan het veranderen. De haaks op de Ramblas staande straten werden levendiger en compacter en daar ontwikkelde zich een andere stad waar iedereen elkaar kende, dat wil zeggen, daar zou iedereen mij kennen.

Ik moest verder weg en ging naar de andere zeer oude romaanse kerk van Barcelona, Onze-Lieve-Vrouwe van Coll. Misschien trok het oude me aan of was het omdat ik geen werk zou kunnen vinden behalve bij een kerk. Misschien hadden ze daar in dat afgelegen oord wel een acoliet nodig.

Een afgelegen oord...

Allemachtig, dat was het.

Je moest door de poort van Canaletas de stad uit en dan steeds maar doorlopen naar het noorden, langs schaarsbevolkte velden tot aan een dorp in opbouw dat Gracia werd genoemd. Maar daar, op die plek met onafhankelijke, zelfs krijgszuchtige mensen, was je pas halverwege. Dan moest je over een paar hellingen en vervolgens afdalen naar een ravijn dat toen nog geen naam had maar dat ik later hoorde aanduiden als Vallcarca. Daar begon de echte beklimming, over geitenpaadjes door het bos, en zo bereikte je twee heilige plaatsen: aan de linkerkant lagen enkele grotten waar een paar zeer godvruchtige kluizenaars leefden die door de mensen de penitenten werden genoemd, en nog een heel eind verderop stond een kleine kluizenaarswoning die Carmelo werd genoemd, niet aan de toorn van de Heer gewijd maar aan de eenzaamheid van een Mariabeeld. Vanaf daar was de kerk van Coll niet zo ver meer, hij stond onder aan de helling.

Daar woonde bijna niemand; er waren alleen enkele boerenhoeven te onderscheiden en wat kudden geiten. Er waren slechts eenzaamheid, stilte, lelijke struiken en de rust van de sterren. Het was een compleet andere wereld dan die van Sant Pau del Camp, waar je tot diep in de nacht muziek kon horen en waar de prostituees soms zelfs op de muur hun werk deden.

De beheerder van de kerk – ik weet niet of het wel een priester was – ontving me en vroeg me hoe oud ik was. Ik zei: twintig jaar. Daarna nam hij me een eenvoudig examen af: Latijn, christelijke leer en religieuze zang. Ik doorstond de proef uitstekend, want ik had al zo dikwijls de plechtige mis opgedragen en begrafenissen bijgewoond. Maar ik liet niet los dat ik uit Sant Pau del Camp kwam, want het was al bekend wat er met de priester gebeurd was en ik kon zo de naam krijgen een ketter te zijn.

De kerk was zo piepklein dat de priester en ik nauwelijks in het altaargedeelte pasten. De gelovigen waren vier mensen van het platteland, vooral vrouwen die in de vreze des Heren leefden en nooit een zondag oversloegen.

Al spoedig ervaarde ik dat het leven daar twee kanten had, een goede en een slechte. Het goede was natuurlijk dat niemand me kende, en het slechte dat er geen slachthuizen waren of dieren die men liet doodbloeden. Er werden natuurlijk wel varkens en geiten geslacht, maar dat deed men binnenshuis. Het zou ontzettend gevaarlijk zijn om hier hetzelfde te doen wat ik 's nachts binnen de muren van Barcelona gewend was. Dat maakte me bang, want ik at vrijwel niets. Wat me werkelijk kracht verschafte, was bloed.

Dit moest ik op een of andere manier oplossen.

In de kerk was heel weinig werk, in tegenstelling tot de situatie in Sant Pau del Camp, waar altijd de laatste sacramenten moesten worden toegediend en altijd mensen stierven. Bovendien vulde die kerk zich in de tijd dat de priester predikte die later levend verbrand werd met mensen die overal vandaan kwamen, mensen die nog nooit het woord van God gehoord hadden, zo anders dan alle andere woorden. Hier in El Coll, een vrijwel onbewoonde streek, waren maar heel weinig sterfgevallen. Er was bijna geen werk, behalve een beetje naar het landschap zitten kijken vanaf een heuveltop. Het ommuurde Barcelona kon je zien liggen als een klein vlekje te midden van de stille velden en de straten die in de omgeving ervan uitwaaierden waren niet eens te onderscheiden. Natuurlijk kreeg ik voor zo weinig bezigheden niets betaald, alleen kost en inwoning.

Dit rustige leventje bood me de mogelijkheid in de oude archieven te snuffelen die in de kerk bewaard werden, iets wat alleen de priester en ik mochten. In die streek kon niemand lezen, en schrijven al helemaal niet, hun Catalaans was lomp en bestond uit niet meer dan vier woorden. Niemand kende Castiliaans, dat in de straten in Barcelona wel vrij vaak gesproken werd. Het verbaasde me eigenlijk dat ik niet alleen Catalaans en Castiliaans kon lezen en schrijven maar ook Latijn, wat erop wees hoe goed sommige klanten van mijn moeder me uit medelijden hadden onderwezen. Latijn had geen geheimen voor me dankzij de priester van Sant Pau, die als ketter beschouwd werd, maar waarschijnlijk had ik ook wel een bovengemiddelde intelligentie. Anders had ik niet zoveel kunnen leren. Of misschien kwam het doordat ik al zo oud was en al meer jaren tot mijn beschikking gehad had dan anderen in een heel leven.

Ik weet het niet. In die tijd was ik absoluut nog niet in staat mezelf te doorgronden.

Misschien kwam het door de priester van Sant Pau, die me een keer 's nachts gezegd had dat het kwaad ook kinderen moest hebben. Maar daar wilde ik niet meer aan denken. En daarna had niemand me ooit meer doorgrond.

Totdat ik naar het paleis van de Inquisitie moest, waar De Ander op me wachtte.

En totdat ik een meisje leerde kennen dat wilde sterven.

17

Iemand die de duivel kende

Als de politie te maken krijgt met onverklaarbare zaken, zoeken ze op de tast, en dat wil zeggen dat ze in het donker met iedereen in botsing komen.

Twee van de mensen met wie de politie in botsing kwam, waren pater Olavide en advocaat Marcos Solana, hoewel zij bij lange na niet de enigen waren. Waarin de geestelijke en de advocaat zich onderscheidden was dat ze met veel meer respect behandeld werden; een commissaris kuste zelfs de hand van pater Olavide. De commissaris bleek van Opus Dei te zijn.

De gesprekken gingen voornamelijk over de dood van Guillermo Clavé. 'Nooit eerder zoiets gezien,' zei de commissaris. Nu was Guillermo Clavé al begraven, maar de zaak bleef open, zij het met de nodige discretie. Het was een geval van moord en moordenaars moeten de rust van gegoede families niet verstoren.

De weduwe was maar één keer ondervraagd.

Pater Olavide tweemaal, als biechtvader van de overledene. Had de overledene vreemde vrienden? Deed hij als amateur experimenten met zijn eigen bloed? 'Want sommige mensen hebben merkwaardige gewoonten, pater, meer dan u zou denken.' Had Guillermo weleens opgebiecht dat hij in iets bovennatuurlijks geloofde buiten de godsdienst? Want het was duidelijk dat ze te maken hadden met iets bovennatuurlijks, daar was de vrome commissaris van overtuigd. Ten eerste omdat niemand de dood van Guillermo volgens de regels der logica kon verklaren. In de eenentwintigste eeuw gelooft niemand in vampiers, behalve een enkele historicus die uiteindelijk onder druk van het publiek wordt vervolgd. Evenmin hechtte ook maar iemand er geloof aan dat het bloedvlekje dat de moordenaar had achtergelaten, afkomstig was van hetzelfde bloed als wat achtergebleven was op het brokstuk van een klok uit 1714. De weduwe van Guillermo had allerlei verklaringen daarvoor afgelegd – terwijl ze opdracht gaf een half miljoen aandelen van de waterbeheermaatschappij Aguas de Barcelona te kopen, want door de dood van Guillermo was ze nog rijker geworden – waarvan de vrome politieman misselijk werd, waarna hij niets meer wist te bedenken dan bij andere leden van Opus Dei te rade gaan.

Zoiets hadden ze nog nooit meegemaakt.

Intussen onderzocht Marta Vives in de weinige uren die ze vrij had van kantoor in de ontoegankelijkste archieven van de stad, niet zozeer naar de tijd die verstreken was als wel naar een schaduw uit die tijd. Ze zag natuurlijk af van het fotoarchief bij de oude Borne, want in de jaren die zij onderzocht, was nog niemand op het idee gekomen iets te fotograferen. Of misschien toch? Had Marcos het niet tegen haar gehad over een gezicht dat in de loop van de tijd telkens opdook? Maar het was nutteloos om naar duizenden foto's met miljoenen gezichten te gaan kijken en ten slotte iets te vinden wat je al wist maar niet begreep.

Ze overwon dus haar vrees en begon op twee plekken met haar onderzoek.

De enige twee archieven die haar van nut konden zijn waren het bisschoppelijk archief en het gemeentelijke historisch archief. Ze snuffelde in honderden dossiers met die onmiskenbare geur van vergetelheid en dood. Ze bracht alle uren die ze beschikbaar had door in studiezalen, totdat ze eruit gezet werd. Ze zocht op internet, waar echter meestal geen informatie van lang geleden te vinden was. Ze wroette in alles waar de naam Vives in voorkwam, de hare, maar ze vond dat de Inquisitie mensen onder de meest uiteenlopende namen veroordeeld had, soms alleen maar bijnamen, zodat de sporen doodliepen. Het enige wat ze vond, was het bewijs dat de vrouw die met een bronzen kruis begraven was in Sant Pau del Camp, vermoord was en Vives heette, maar zonder enige nadere informatie over haar geboorte of over haar leven. Het was alsof die vrouw in de wolken geleefd had totdat ze op aarde neerdaalde. En toen werd ze vermoord.

Uit de oudste archieven die tevoorschijn kwamen uit Sant Pau del Camp leidde ze ten slotte af dat die vrouw van het geschonden graf een dochter had kunnen hebben, hoewel er niets was vastgelegd over haar geboorte. Marta Vives begreep dat ze op een doodlopende weg zat, voor een muur waarop slechts één woord leek te staan: EINDE.

Marta moest het uit haar hoofd zetten terwijl ze op kantoor in de actuele rechtszaken en papieren dook, de een nog urgenter dan de andere. Des te beter dat ze van achter haar bureau op het mooiste deel van de zolder aan de Vía Layetana het oude Barcelona kon overzien, dat van de geheime kerkhoven, waarnaar ze onderzoek deed. Het maakte veel goed dat ze in één oogopslag de oude toren op de Plaza del Rey en het nieuwe Casa de Cambó kon zien – nou ja, nieuw – waarin het financiële leven van de stad geconcentreerd was en waar in de jaren van de Burgeroorlog de arbeidersgeschiedenis was uitgekristalliseerd. Marta, die de geschiedenis van Barcelona goed kende, had plezier in de anekdoten van Francesc Cambó, die telkens weer in botsing kwam met een Spanje dat hij niet wenste. Een van zijn anekdoten ging over de bouw van zijn eigen huis, een wonder van luxe tussen de halfbebouwde terreinen aan de nieuwe Vía Layetana. Er was nog zoveel braakliggend bouwterrein en het was daar zo smerig, dat langs de muren van het huis ratten omhoogklommen tot aan de zolder van Cambó. Hij vroeg de architect om hem een oplossing aan de hand te doen en de architect opperde ter hoogte van de zolder een richel aan te brengen: 'Dan vallen de ratten vanaf die hoogte dood neer.' Het leek Cambó een goed idee, maar hij wilde de richel ter hoogte van de derde verdieping aanbrengen. 'Dan vallen de ratten niet dood neer,' wierp de architect tegen. 'Waarom wil je dat doen?' 'Omdat het me niet sportief lijkt om zoveel voorsprong te hebben in het spel,' antwoordde Cambó.

Een ander verhaal ging over de inwijding van de nieuwe vestiging van de Círculo Ecuestre, midden op de Paseo de Gracia, met accommodatie waardoor het de grootste privéclub in Europa zou worden. Cambó werd er natuurlijk voor uitgenodigd en toen de voorstelling was afgelopen, was zijn commentaar: 'We hebben er wel een herengelegenheid van gemaakt, nu de heren nog.'

Dit alles was Marta tot steun – een jonge vrouw die tussen oude dingen wegkwijnde – want zo leek alles om haar heen minder vervelend, menselijker. Ook menselijk leek haar de conclusie van de politie met betrekking tot het dubbele misdrijf in Vallvidrera: 'Dat moet beslist een rituele moord zijn. Alles is zo bizar dat er niets anders op zit dan aan de duivel te denken.'

De duivel hadden ze natuurlijk niet in hun kaartsysteem.

Een uitgeputte Marta zocht steeds maar informatie, zinloze sporen, zoekgeraakte papieren, waarheden die misschien nooit bestaan hadden. Totdat ze op internet, het rijk der toevalligheden, iemand ontmoette die hetzelfde zocht als zij, zij het vanuit een ander gezichtspunt. Het gezichtspunt van Marta Vives werd gevormd door het mysterie en de dood, terwijl dat van haar gesprekspartner de luxe was. Grote geschiedkundigen kennen de relatie die er gewoonlijk is tussen luxe, mysterie en dood.

Haar gesprekspartner was juwelier. Hij vroeg Marta met spoed bij hem langs te komen, want op een andere manier durfde hij het niet te vertellen.

Hij zwoer een relatie met de duivel te hebben gehad.

Marcos Solana, voormalig bestuurslid van het College van Advocaten, voorzitter van de Ethische Commissie en raadsman van mensen die naar de mis gingen, deed intussen iets wat een advocaat van dergelijke klasse nooit moet doen. Hij overschreed de beroepsethiek.

En niet eenmaal, maar wel twee keer.

De eerste overtreding beging hij toen hij een paar minuten alleen was in het kantoor van de bankier die hem had gevraagd particulier aanklager te zijn in de zaak van de dubbele moord in Vallvidrera. Maar particulier aanklager tegen wie? Er was helemaal geen arrestant, er waren alleen maar wat indicaties die naar het hiernamaals leken te verwijzen. Ondanks dat had de bankier er belang bij de zaak niet te laten rusten.

Er vonden een paar gesprekken plaats en tijdens een daarvan liep de bankier even het kantoor uit. De aandacht van Marcos Solana was al weer getrokken door de oude foto van een raad van bestuur waarop een gezicht te zien was dat hem bekend voorkwam. Terwijl hij even alleen was, maakte hij met zijn mobiele telefoon een foto van die oude prent. Toen de bankier terugkwam, deed Marcos Solana alsof hij aan het telefoneren was.

Door die foto, bijgewerkt door een technicus, was hij in staat het gezicht dat zijn aandacht getrokken had, beter te onderscheiden.

Dat was zijn eerste ethisch laakbare handeling. De tweede was dat hij de foto van de vroegere dokters van het ziekenhuis stal, die van de Eerste Hulp uit 1916. Die foto hing gewoon in een gang en dat was dus niet zo moeilijk.

Voorzien van dat grafische materiaal begon Marcos Solana met zijn onderzoek. Natuurlijk hielp Marta Vives hem daarbij, want het meisje werd als door een magneet aangetrokken als bestudering van het verleden aan de orde was.

Met de informatie die hij had ging Marcos Solana naar de commissaris van politie die lid was van Opus Dei.

Het is bekend dat commissarissen hoe dan ook bereid zijn naar elk verhaal te luisteren. Maar als de commissaris lid is van Opus Dei, lijkt hij van harte bereid te luisteren naar elk verhaal dat verband houdt met de mysteriën van het geloof. Een van die mysteriën is de wederopstanding des vlezes. Dus de commissaris ging er eens goed voor zitten om naar hem te luisteren.

De commissaris heette Echevarria.

Hij was zo zeker van de wederopstanding dat hij crematies verafschuwde, ondanks de veranderde doctrine van de Kerk.

Marcos Solana toonde hem de foto's.

'Afdeling Eerste Hulp van het Academisch Ziekenhuis, 1916.'

De witte jassen, dichtgeknoopt tot aan de kin, de snorren en puntbaardjes, de rijglaarzen, hier en daar een lorgnet. Het grijze spoor van de tijd.

'Raad van bestuur van de Banco de Barcelona, 1905.'

'Kijk eens naar deze twee gezichten, meneer de commissaris.'

'Verduiveld, ze lijken wel hetzelfde.'

'Ze zijn hetzelfde.'

'Goed, ze verschillen niet zoveel in leeftijd,' wierp de commissaris tegen. 'Dezelfde man zou in 1905 bankier kunnen zijn, vooral bij een bank waar het niet zo voor de wind ging, en arts in 1916. Dan zou hij bijna gedwongen zijn geweest van beroep te veranderen.'

'Maar dan zou hij toch niet hetzelfde gezicht blijven houden?'

'Laten we eerst eens kijken of het gezicht echt hetzelfde is, want het kan gaan om een sterke gelijkenis, net als in het echte leven. Begrijpt u wat ik bedoel? Ik zou niet graag deelnemen aan een identificatieronde van verdachten. Er zijn zulke verbazingwekkende toevalligheden dat ik soms niet weet wat ik ervan moet denken.'

'Kan ik me voorstellen.'

'Maar gelukkig zijn we hier op de beste plaats om zoiets te controleren. We hebben hier experts op het gebied van antropometrie, die gelaatstrekken kunnen verifiëren... Als u vanmiddag terugkomt, kunnen ze u een betrouwbaar antwoord geven.'

Marcos Solana ging 's middags terug nadat hij geluncht had in de Círculo Ecuestre. Een wereld van zakenlieden en bekende families, gefluister van juristen en de laatste expositie van een schilder die ook de eeuwigheid nastreefde. Omdat Marcos een bekend man was, kon hij niet in zijn eentje lunchen. Weet je dat rechter Valbuena niet naar de Hoge Raad wilde gaan? Heb je gemerkt dat mevrouw de rechter Rius echte obsessies heeft? Wist je dat er in de Generalitat een geval van fraude ontdekt is en dat ze dat niet willen oplossen omdat er binnenkort verkiezingen zijn? De kreeftensoep was lekker en het vlees goed gaar, maar Marcos Solana raakte zijn lunch bijna niet aan. Toen hij terugkeerde naar Echevarria voelde hij zich licht duizelig.

'Ze hebben behalve de gelaatstrekken ook de profielen onderzocht en de afmetingen van de hoofden. Nu is er geen twijfel meer dat op de twee foto's hetzelfde gezicht staat,' zei de commissaris.

'Goeie god...'

'Dat hoeft u niet zo te bevreemden, meneer Solana. Er zitten niet zoveel jaren tussen.'

'Maar het gezicht is niets veranderd...'

Lid van de raad van bestuur van de Banco de Barcelona toen die op het hoogtepunt van zijn macht was. Pakken van manchesterwol, vesten met alle knopen dicht, vlinderdasjes of sjaaltjes zoals later Ventura Gassol ze in de mode zou brengen. Opvallende kale plekken, dikke buiken à la Grand Vefour, baardjes geknipt door een Russische prins die al vervroegd in ballingschap was gegaan. Een hele wereld die niet meer bestond, hoewel het huis nog wel bestond waarin die raad van bestuur bijeenkwam: het eerste huis op de Ramblas, een oude kanonnengieterij. En altijd de tijd in de vensters, de tijd, de tijd.

'Er zijn me nog meer details opgevallen,' zei de commissaris op vrome toon.

'Wat dan?'

'Hulpbronnen van een oude politieman die veel mensen kent. Voor alles heb ik gesproken met Francesc Cabana, de beste bankhistoricus die we hier hebben. De man met het gezicht dat nooit verandert was inderdaad in 1905 bestuurslid van de Banco de Barcelona. Hij heette Eduardo Rossell.'

Marcos Solana keek hem met hernieuwde aandacht aan. Eindelijk een verifieerbaar gegeven, een spoor. En ook met enige verbazing, want hij had niet verwacht dat de commissaris zo zijn best zou doen.

'Meneer Echevarria, wat hebt u nog meer achterhaald?'

'Dat die man, Eduardo Rossell, twee jaar later verdween. In de archieven op het hoofdbureau bevindt zich daarover enige informatie. Daaruit blijkt dat de anarchisten hem om politieke redenen hebben ontvoerd – of liever om sociale redenen, want anarchisten geloven niet in politiek – iets wat niet zelden voorkwam in die tijd. Er werd onderzoek naar gedaan, aangezien de bankier een bekende persoonlijkheid was, maar dat werd helemaal stopgezet tijdens de Tragische Week in 1909. Er waren toen in Barcelona zoveel lijken dat elk daarvan wel van Rossell kon zijn. Er schijnt wel een identificatie van stoffelijke resten te hebben plaatsgevonden, zonder al te veel zekerheden, en de zaak werd gesloten. Ik hoef u niet te vertellen dat dat nu slechts een kwestie is van prehistorische waarde.'

'Wat u me vertelt is niet zo vreemd, meneer de commissaris,' antwoordde Solana, 'want gewelddadige verdwijningen maken deel uit van de geschiedenis van Catalonië, maar de archieven van de Banco de Barcelona bestaan nog. De levensgeschiedenis van Rossell kan gereconstrueerd worden. Bijvoorbeeld waar hij vandaan kwam.'

'Dat heb ik gedaan. U denkt toch niet dat mijn mensen van de informatieve dienst hebben zitten duimendraaien. Er zijn aanwijzingen dat Eduardo Rossell verschillende talen sprak, waaronder een aantal dode talen, hij kende de geschiedenis van het land alsof hij die had meegemaakt en hij beheerste de boekhoudkunde alsof hij een computer was. Er zijn aanwijzingen dat hij bijeenkomsten in Els Quatre Gats bijwoonde, waar men zich erover verbaasde wat die man allemaal wist. Sánchez Ortiz, de toenmalige hoofdredacteur van de *Vanguardia*, heeft hem zelfs geïnterviewd.'

'Dan hebben we geluk.'

'Absoluut niet, beste vriend, absoluut niet. Alles wat hij hem vertelt, is opgeklopte lucht. Een enkele anekdote uit de krant, brokstukken herinnering van mensen uit die tijd en artikeltjes uit het bulletin van de bank. Niets officieels. Dat die man bestaan heeft, is zeker, maar om te beginnen is er geen overlijdensakte.'

'In zekere zin is dat vanzelfsprekend,' zei Marcos, die hele stambomen had moeten reconstrueren van mensen die tijdens oorlogen verdwenen waren. 'In dit land is zoveel gebeurd.'

De commissaris, die met zijn werk op aarde zalig wilde worden, keek de advocaat aan met heimelijke vroomheid. 'Ik heb iets gedaan wat u misschien had moeten doen,' zei hij.

'Wat dan?'

'Mijn informatiebronnen en vooral mijn vriendschappelijke betrekkingen bij het register van de burgerlijke stand gebruiken om de geboorteakte van Eduardo Rossell te zoeken. Tijdens het gesprek dat ik met Sánchez Ortiz had zei hij dat de man altijd beursagent geweest is en dat hij in Barcelona geboren is. Daar staat nooit een jaartal bij, wat het onderzoek aanzienlijk heeft bemoeilijkt, maar de geboorteregisters van minstens twintig jaar zijn doorgenomen. Natuurlijk komt de naam Eduardo Rossell vaker voor, maar de anderen hebben allemaal een overlijdensdatum of tenminste een verklaring van vermoedelijk overlijden, zoals het Burgerlijk Wetboek voorschrijft. Dit zou de enige zijn die niet is overleden, ondanks dat hij verdween en de politie hem zocht. Absurd. Hij had al tien keer dood moeten zijn. We hebben hier te maken met een kerel die niet alleen niet doodgaat, maar van wie niet eens vaststaat of hij ooit geboren is.'

Marcos Solana sloot zijn ogen weer.

De luxe woning aan de Paseo de la Bonanova.

Het einde van Guillermito Clavé.

De tijd.

De tijd in de vensters.

En weer werd hij duizelig.

'En dan de dokter uit 1916,' fluisterde hij met een dun stemmetje.

'Precies. Afdeling Eerste Hulp, een van de eerste in dit land. Een paar heel bekende gezichten. Gelukkig zijn de archieven van het Academisch Ziekenhuis zeer compleet.'

'En...?'

'De dokter op de foto kan geïdentificeerd worden. Hij heette dokter Serra en was hartspecialist. Hij nam aan een vergelijkend examen deel, zoals die ook nu nog voor dergelijke functies bestaan, en daar kwam uit dat die man alles wist. Er is altijd een logische manier om de geneeskunde uit te oefenen, dat wil zeggen tegelijkertijd het oude en het nieuwe toepassen, en het schijnt dat niemand hem daarin overtrof. Niemand. Bij dat examen was hij onbetwist de beste. Een arts die in de examencommissie zat, moest toegeven dat hij nog nooit zoiets had meegemaakt. Die dokter Serra beschreef hem een schedeldoorboring zoals de chirurgijns op de galeien in de vijftiende eeuw dat deden. Het meest verbazingwekkend waren niet de details en de beschrijving van het instrumentarium, maar dat hij geen enkel boek kende waarin dat werd uiteengezet. In de examencommissie kwamen ze tot de conclusie dat die man het had meegemaakt, maar dat was zo'n absurde conclusie dat ze uiteindelijk in lachen uitbarstten.'

Solana keek vol bewondering naar de commissaris.

'U hebt in een paar uur veel naspeuringen gedaan,' zei hij prijzend.

'Laten we zeggen dat het geval me heeft meegesleept omdat ik nog nooit met zo'n situatie te maken heb gehad.'

'En wat weten ze van dokter Serra in de archieven van het Academisch Ziekenhuis?'

'Dokter Serra was er net benoemd, zoals men dat noemt, toen de arbeidersstakingen van 1917 plaatsvonden, waarbij er veel gewonden waren in Barcelona. De afdeling Eerste Hulp werkte op volle toeren en die beginnend arts deed het zo goed dat hij zelfs door de gemeente gelauwerd werd.'

'Dan zal hij dus wel bevorderd zijn...'

'Dat wilden ze doen, maar toen besloot dokter Serra plotseling dat hij een particuliere praktijk in Madrid wilde beginnen. Je kunt zien dat zijn roem wijdverbreid was, want zelfs in verschillende kranten in de hoofdstad wordt die vermeld. Het schijnt dat veel patiënten met geld hem daar wilden hebben. Dat dokter Serra zich liet verleiden, lijkt me redelijk, want een medicus van faam kon in Madrid in Villa y Corte zeer veel geld verdienen. En zelfs toegang krijgen tot het koninklijk paleis.'

'Ik neem aan, commissaris,' zei Solana vol bewondering, 'dat u al contact hebt opgenomen met het artsencollege in Madrid.'

'Met mijn politiecollega's in Madrid, wat iets anders is, hoewel zij verschillende zaken vrij eenvoudig konden nagaan. Bijvoorbeeld dat onze gelauwerde dokter Serra zich nooit in de hoofdstad bij het artsencollege heeft ingeschreven. Hij nam een paar weken zijn intrek in een luxehotel in Madrid, volgens hemzelf schreef hij zich in bij het artsencollege, maar meer ook niet. En plotseling verdween hij. Zomaar. Hij verdween. Mijn collega's in Madrid en ik beseften direct dat het zinloos is naar sporen te zoeken, eenvoudig omdat die er niet zijn.'

De rillingen liepen advocaat Marcos Solana over de rug.

Hij had te maken met een man die niet geboren werd of stierf, ook al werd hij in werkelijkheid honderdmaal geboren en stierf hij ook honderd keer.

Hij herkende zijn eigen stem niet toen hij vroeg: 'En de burgerlijke stand?'

'Daar is geen beginnen aan. De plaats waar dokter Serra geboren werd, staat niet vast, dus weten we niet waar we moeten zoeken. Maar u ziet eruit alsof u een spook gezien heeft en ik wil u wel geruststellen.'

'O ja? Hoe dan?'

'Door u te vertellen dat verdwijning iets is wat vaker voorkomt. En dan praat ik niet over oorlogen, waarin een persoon in rook opgaat en er jaren gewacht moet worden om een begin te maken met de afhandeling van het vermoeden van overlijden. Nee, het is niet nodig daarop een beroep te doen. Er zijn elke dag oudjes die verdwalen en van wie men nooit meer iets hoort, knapen die ervandoor gaan omdat ze een nieuw leven willen beginnen, en het eenvoudigste is in een graf te stappen zonder dat iemand het weet. Bedrogen of ontvoerde meisjes die in het ergste geval onder de boom liggen waar ze met hun ouders altijd gingen spelen. Men komt nooit meer iets te weten van die oudjes, van die avontuurlijke knapen, van die meisjes in hun bloei. Als dat wél zo zou zijn, kon ik voortdurend zaken sluiten... U moet er niet van opkijken, m'n vriend, dat er in de loop van zoveel jaren een bankier en een arts verdwenen zijn.'

'Maar niet allebei met hetzelfde gezicht en zonder enig spoor na te laten bij de burgerlijke stand.'

De commissaris maakte een begripvol gebaar dat tegelijkertijd meer dan wat ook ter wereld leek op een gebaar van onmacht.

'Gelooft u in de duivel?' vroeg hij zacht.

18

Het ijzeren bed

Ik geloof dat ik al verteld heb dat er twee gebeurtenissen plaatsvonden waardoor alle rust en het gevoel van vergetelheid in de Onze-Lieve-Vrouwe van El Coll omsloegen: mijn bezoek aan het tribunaal van de Inquisitie en het feit dat ik een meisje leerde kennen dat wilde sterven.

Ik kan niet zeggen welke van beide gebeurtenissen het belangrijkst was, maar ik zal beginnen met het bezoek aan de Inquisitie want dat vond het eerst plaats. De priester vroeg me daarheen te gaan omdat zijn archieven moesten worden bijgewerkt en ik de enige was die kon lezen en bovendien alle historische gebeurtenissen kende die aan de orde konden komen. Dus gaf hij me een aanbevelingsbrief, wat brood en spek en nam hij afscheid van me met de woorden: 'Jij eet toch weinig, dus je zult niet van honger omkomen. En wat water betreft, dat tref je onderweg in overvloed aan.'

Inderdaad was de vlakte rond Barcelona doorkliefd met stroompjes en beken die van de bergen naar beneden kwamen en huizen en straten werden dikwijls over een stroom heen gebouwd. Later, in een tijd die op dat moment nog in nevelen gehuld was, zou ik bijvoorbeeld de bouw van de Ramblas over de Malla heen meemaken. Maar dat was toen iets wat ik me niet kon voorstellen.

Het was wel riskant me opnieuw in het ommuurde Barcelona te

vertonen met een gezicht dat helemaal niet was veranderd, maar ik moest wel gehoorzamen om geen argwaan te wekken bij de priester. Er zat dus niets anders op dan de eindeloze tocht te ondernemen naar de Calle de los Condes, waar het tribunaal van de Inquisitie gevestigd was. Of beter gezegd, daar was het, maar nog niet officieel. Een van de meest naargeestige plekken waar het ooit gezeteld heeft. Tot in de erop volgende eeuw beschikte het tribunaal officieel nog niet over de bijgebouwen van het Koninklijk Paleis, maar er vonden al wel veel verhoren plaats. De ruimten lagen naast de salon van Tinell en er waren enkele halfronde bogen te zien, een paar van de weinige architectonische elementen die door de jaren heen behouden bleven. Het deel van het paleis dat bestemd was voor de Inquisitie was somber en sinister en had een directe toegang vanaf de Calle de los Condes, waar veel later een stevig hek voor geplaatst werd. Nog steeds hangt echter het schild boven de deur, nu als aanduiding van het Marèsmuseum. Eeuwen later ben ik er weer geweest om van de kunstwerken te genieten en om de gezichten van andere bezoekers te observeren die niet weten dat ooit tussen diezelfde muren wrede beschuldigingen, geschreeuw van pijn en veroordelingen tot de brandstapel te horen waren. Het verbaast me dan me in een museum te bevinden met dames uit de gegoede stand die voor hun vriendinnenclubjes behoefte hebben aan een portie cultuur en met oudjes die mommelend praten, alsof ze de geheime vredigheid van de doden niet durven te verstoren.

Welnu, toentertijd was die plaats nog niet de officiële zetel van de Inquisitie, maar hij deed wel als zodanig dienst. Ik ging de stad binnen via de Puerta del Ángel, waar vroeger de slavenmarkt was geweest, en ik zag de markt op de Plaza del Pino, even levendig als voordat ik Barcelona verliet en in de omgeving waarvan ik dierenbloed had gedronken. Het drong tot me door dat de stad nu veel welvarender was, met meer bedrijven en met een veel betere uitrusting van de gildewerkplaatsen, hoewel er ook nog steeds op straat gewerkt werd. De mensen waren beter gekleed, maar er hing nog steeds een dikke, stinkende walm, want de straten waren even nauw als vroeger en bovendien was de bevolking toegenomen. Barcelona raakte verstikt en men begon te spreken over het bouwen van verdiepingen over de straten heen, zodat die een soort tunnels zouden worden. Tegelijkertijd begon men nieuwe gebouwen neer te zetten aan de kant van de Riego Condal, zodat ik betwijfel of iemand wist hoeveel inwoners Barcelona in die tijd had. Buiten de stadsmuren, in Raval, waar ik had gewoond, leefde een mensenmassa dicht opeengepakt.

Maar wat me benauwde was dat iemand me zou herkennen en daarom droeg ik een hoed die een deel van mijn gezicht verhulde, een zinloze voorzorgsmaatregel, want iedereen ging zijn gang en niemand lette op een ander, zoals dat in de eeuwen erna zou blijven.

Eenmaal in het gerechtsgebouw meldde ik me bij de griffier, die niet de geringste belangstelling voor me toonde, ondanks het feit dat ik hem in vlekkeloos Latijn had aangesproken. Hij zei dat ik maar moest wachten en ik werd opgesloten in een zaal waarin twee lange stenen banken stonden, waarop meer dan tien personen zaten te wachten. Vooralsnog wist ik niet wat ze daar deden, maar tot mijn schrik kwam ik er al snel achter dat ze allemaal opgeroepen waren om een eerste verhoor te ondergaan. Er werden vele twijfelgevallen voor de Inquisitie aangebracht, over het algemeen met een aanklacht, en het was niet zo vreemd dat een voorlopig verhoor plaatsvond zonder dat daar beulen of martelaars bij aanwezig waren. Er hing over alles een bepaalde beschaafde, zelfs geculti veerde sfeer en ik bemerkte weldra dat het mensen met enige diepgang waren. De Inquisitie ondervroeg nooit eenvoudige lieden, tegenover wie ze zich beperkten tot het nog maar eens verkondigen van het woord van God, maar wel hen die over dat woord een oordeel hadden. Dat is in mijn land altijd een vast gegeven geweest, door niets ooit veranderd: eenieder die denkt, is verdacht. Het beste is op alles ja en amen te zeggen en degene die bevelen geeft toe te juichen.

Een van de mensen die zich in de wachtruimte bevonden was bijvoorbeeld chirurgijn, maar hij had jaren doorgebracht op de galeien van de koning, ervan verdacht een Saraceense piraat te zijn.

Met droevige, monotone stem vertelde hij over het lot van de roeiers, die aan de banken waren vastgeketend en daarop hun behoefte moesten doen, zodat de bodem van elk schip droop van de derrie en het door de geur op mijlen afstand te herkennen was. Er was op de hele wereld geen smeriger plek dan een galei, zei die man, en ook geen plek waar meer infecties voorkwamen, zelfs bij het kleinste wondje. Er kwamen op die schepen wormen voor, maar het verbazingwekkende was, zei de chirurgijn, dat de wonden met wormen beter genazen dan zonder, want de wormen aten het verrotte weefsel op en lieten het gezonde deel met rust. Ik voelde me misselijk worden, alleen al bij het horen van dat verhaal. Bovendien werden de roeiers bij brand niet losgemaakt, maar verbrandden ze levend. Bij andere gelegenheden werden gevangenen op een snelle, hygiënische wijze uitgeroeid: en masse vastgebonden op het strand zodat ze niet konden zwemmen, werden ze vervolgens de zee in gesleept door de galei van de overwinnaars zodat ze in dieper water verdronken.

Mensen die over de wereld hebben rondgereisd, hebben er behoefte aan dat iemand naar hen luistert en die oude chirurgijn bleef maar praten. Het ergste vond ik het toen hij begon te vertellen over schedeloperaties. Hij zei dat trepanatie het mooiste voorbeeld van chirurgie was, omdat de oude Egyptenaren die al hadden toegepast, en dat hij wist waar hij precies in de schedel moest boren zonder het schedeldak van de hersenen te hoeven lichten. Met een enkele tik of in de weerbarstigste gevallen een gaatje ontdekte hij waar de kwade sappen zaten, dan verwijderde hij een klein stukje van de hersenen of wiste hij een gedeelte af en daarna sloot hij de schedel weer. Het enige onplezierige, zo gaf hij toe, was dat de patiënten soms hun naam vergaten, hun vrienden niet meer herkenden of gewoon gek werden. Ik had er toen geen idee van dat elk deel van de hersenen een andere functie bestuurt, maar die man noemde ze met een feilloze precisie, zoals ik veel later zou ontdekken toen ik naar andere medici luisterde. Ik kan zweren dat, hoewel de instrumenten en methoden sinds die tijd verbeterd zijn, alle basisideeën al in de oude geneeskunst aanwezig waren, hoewel de boeken verloren geraakt zijn en de stemmen van degenen die ze konden uitleggen zijn verstomd.

Die brute verhalen over grote slachtpartijen en eindeloze gevechten met de dood die de chirurgijn uitbraakte, maakten me tegelijk misselijk en bang. Hij wist niet waarom ze hem gingen ondervragen, maar hij scheen een paar wonderbaarlijke genezingen te hebben verricht en begon daarom faam te krijgen als magiër. Het is een slechte zaak als je tegenover leden van de Inquisitie toont meer te weten dan zij.

Een andere opgeroepene was alchemist. Tegenwoordig zou men dat een chemicus noemen in de volle betekenis van het woord. Hij kende de eigenschappen van de materie, vooral van organische stof die verband hield met koolstof, in een mate die ik me niet eens kon voorstellen. Ik besefte dat ik van die mannen in luttele uren meer leerde dan ik tot dan toe in mijn hele leven geleerd had, hoewel ik niet eens wist hoe lang mijn leven al geduurd had.

Opeens was het allemaal voorbij.

Er kwam een streng geklede man binnen en die keek ons een voor een aan met een ijskoude, vorsende blik die zelfs je gedachten doorbrak. Natuurlijk keek hij ook mij aan en ik realiseerde me dat hij me direct herkend moest hebben.

Een noodzakelijke gang van zaken.

De man die zojuist was binnengekomen, was De Ander.

Nu was ik in zijn macht.

Ik besefte op dat ogenblik dat daar, in het paleis van de Inquisitie, mijn leven zou eindigen.

Je zou kunnen zeggen dat De Ander gekleed was als priester, hoewel hij geen soutane droeg. Dat uiterlijk verkreeg hij door zijn zwarte, tot de kin dichtgeknoopte kleding, zijn strenge houding en zijn ijzige blik, die leek op het beeld van een wrekende God. Zijn haar was heel kort geknipt, zonder tonsuur, en zijn gezicht was niet veranderd sinds de eerste keer dat ik hem gezien had. Net als ikzelf, scheen ook De Ander leeftijdloos te zijn.

Hij bleef me een hele tijd aankijken, alsof hij zich erover verbaasde dat ik de vermetelheid had gehad daar te komen. Toen vertoonde hij een scheve glimlach, beseffend dat ik in zijn macht was. Op mijn vragende blik zei hij zacht: 'Ik werk hier.'

Dat was logisch. Waar zou een individu als hij, wiens roeping de dood was, anders werken dan bij de Inquisitie? Ik begreep onmiddellijk dat hij me zou laten arresteren, me zou onderwerpen aan een marteling in een van de benedenruimten en wat er van mijn lichaam zou overblijven, zou bewaren voor de brandstapel bij de eerstvolgende ketterverbranding.

Voor het eerst in vele jaren voelde ik angst. Ik realiseerde me dat het die kerel was geweest die mijn moeder had opgehangen.

Maar in plaats daarvan mompelde hij: 'Kom mee.'

Sommige vertrekken in het paleis van de Inquisitie waren zelfs stijlvol te noemen, in het bijzonder het kantoor waar hij me mee naartoe nam. Er stonden meubelen van solide hout en kloosterstoelen en om de kale stenen vloer te bedekken lagen er een paar tapijten die me van Vlaamse herkomst leken. Uiteraard hing boven het bureau een groot ivoren crucifix, dat me geen vrees meer aanjoeg zoals vroeger, want ik had er inmiddels zoveel gezien in graftomben.

Hij ging achter het bureau zitten en zei ijzig kalm: 'Ik ben een van de griffiers van de Inquisitie en wel de belangrijkste. Ik spreek geen vonnissen uit, maar ik ben degene die bij ondervragingen het oordeel velt hoe gelovig de verdachten zijn.'

En met dezelfde ijskoude stem voegde hij eraan toe: 'Over jou valt geen oordeel te vellen.'

Ik wachtte een paar seconden zonder te weten wat ik ervan moest denken, beseffend dat ik verloren was. Nooit zou ik levend uit een van de akeligste gebouwen in Barcelona komen en als ik er wel levend uit kwam, zou het zijn om naar de brandstapel vervoerd te worden. De kou die in dat vertrek heerste was afschuwelijk, alsof de stenen van de muren een voor een uit een grafkelder gebikt waren. De Ander bewoog zijn hoofd een beetje, waardoor een deel van zijn hals vrijkwam, en ik zag dat er iets op zijn huid glansde. De ketting die mijn moeder had gedragen tot op het moment van haar overlijden was er nog.

In zijn ijskoude ogen verscheen haat, maar tevens kreeg ik het merkwaardige gevoel dat hem dat irriteerde. Dat hij het beu was te moeten haten. Dat hij ergens op wachtte, bijvoorbeeld dat ik zou neerknielen om zijn voeten te kussen. Dat ik mijn berouw zou uit-schreeuwen vanuit de diepte der tijden.

Want met omfloerste stem sprak hij: 'Jij komt vanuit de diepte der tijden.'

Verward merkte ik dat hij geraden had wat ik zelf misschien niet eens wist. 'Kom ik uit de diepte der tijden? Waarom?' vroeg ik met een stem die niet de mijne leek.

'Omdat de schepping nog niet voltooid is.'

Het meisje dat wilde sterven was amper elf jaar oud; ze was klein, blond en tenger, maar met de veelbelovende vormen van een meis-je dat spoedig volwassen zou worden. Ze had een heel slanke taille, verleidelijke en stevige borsten – 'ze zal een grote snol worden,' zeiden degenen die het konden weten in de verafgelegen buurt – en bovenal volle lippen, als met een penseel geschilderd, waarachter gave, spierwitte tanden blonken. 'Dat is een wonder van God,' zei de parochiepriester, want zelfs jonge gebitten waren gewoonlijk incompleet, zwart en verrot. Als de mannen naar haar keken, geloofden zij in het wonder van God.

Het weesmeisje was uit barmhartigheid opgenomen in het enige huis van aanzien in de omgeving en was de minste dienstmeid in een huishouden vol achterdochtige, hooghartige vrouwen die prat gingen op hun geld omdat ze nu eenmaal niets anders hadden om prat op te gaan, bazig en ervan overtuigd dat God aan ieder zijn rol in het leven toebedeelt. Er waren maar twee mannen in het huis, vader en zoon. De vader, de heer des huizes, bezitter van grote stukken land maar ook van één enkele tand, drong op een nacht het kamertje binnen waar het meisje lag te slapen.

Hij spreidde haar benen met het minachtende gebaar van iemand die een stuk vee onderzoekt.

Zij kreunde.

Door een klap met de rug van zijn hand verstomde haar gekreun en vulde haar mond zich met bloed.

Daarna drong de man diep bij haar naar binnen, zo diep hij kon, terwijl zij haar kreunen bedwong en sidderde van pijn.

De man spoot zich met een kreet van lust in haar leeg.

'Als je zwanger raakt van mij, de heer des huizes, hoef je niet te verwachten dat ik het kind zal erkennen, varken,' waarschuwde hij haar, terwijl hij steunend op de borsten van het meisje overeindkwam.

De ergste vernedering was voor haar niet het verlies van haar maagdelijkheid, de pijn of de onderwerping, maar het gevoel dat die man niet het geringste belang hechtte aan wat hij zojuist gedaan had.

Alsof hij zich in een kalf had leeggespoten.

'En vooral niets tegen mijn zoon zeggen,' zei de heer des huizes, en hij knoopte zijn broek dicht.

De man die niet wist wat de dood was leunde achterover in de kloosterstoel: 'Nee, de schepping is nog niet voltooid.'

Ik bleef zwijgen. Ik wist niet wat De Ander wilde, maar het kon nooit veel goeds voor mij betekenen. Ik hield mijn kiezen op elkaar.

'Het principe van het goede zal altijd strijden tegen het principe van het kwaad,' fluisterde De Ander, 'en dat zal zo zijn tot het einde der tijden.'

Ik durfde niet te zeggen dat de schepping misschien niet had plaatsgevonden, dat het waarschijnlijk ging om een reeks kosmische krachten die door de eeuwen heen geëvolueerd waren en dat wij deel uitmaakten van die evolutie. Ik durfde het vooral niet omdat daarop in het paleis van de Inquisitie de doodstraf stond.

Er waren in Barcelona wel enkele mensen die meer in de evolutie dan in de schepping geloofden, maar de meesten van hen waren al dood. Ik bedoel dus: ze waren er niet meer, maar ze waren er wel geweest.

Ik haalde mijn schouders op. Maakte ik per slot van rekening ook maar enige kans hier levend uit te komen?

'God voltooit de schepping,' zei de man die tegenover me zat, 'door middel van de Heilige Geest, die nooit zal rusten in zijn strijd tegen het kwaad en die maar één vertegenwoordiger kent: de paus. Natuurlijk rust tegelijkertijd het kwaad, de duivel, ook nooit.'

'En hoe werkt die?' waagde ik te vragen.

'Door middel van wezens zoals jij. Helpers van de duivel. Kinderen die uit zijn occulte zaad zijn voortgesproten. Kleine monsters tegen wie gestreden moet worden tot de dag van het laatste oordeel. Wezens die uitgeroeid moeten worden, opdat ze zijn zaad niet verspreiden. Ik weet niet of het ooit tot je is doorgedrongen dat ik altijd al de heilige plicht gehad heb je te doden.'

Ik huiverde opnieuw in mijn nietigheid tegenover De Ander, die in wezen – nu besefte ik dat – tot dezelfde soort als ik behoorde:

de soort der onsterfelijken. Ik was een onsterfelijke die dat heel spoedig niet meer zou zijn.

'Dat moet ik doen,' voegde hij er met een ijzige glimlach aan toe, 'opdat het goede op aarde blijft overheersen.'

Het meisje dat wilde sterven wist dat haar buik al geschonden was, maar ze had nog steeds witte tanden. Haar buik werd steeds meer geschonden, want de heer des huizes bezocht haar elke nacht met groeiende begeerte en hij verbeeldde zich dat de voorzienigheid hem de machtigste roede van de hele landstreek had gegeven. En dat moest wel waar zijn, want wat het meisje te verduren kreeg was steeds beestachtiger. En de man herhaalde elke keer als hij vertrok: 'Niet aan mijn zoon vertellen.'

Ze had het aan de vrouwen in huis kunnen vertellen. Dat waren er heel wat en allemaal op de een of andere manier bazin, maar het meisje dat verlangde te sterven wist dat naast de pijn en de schaamte dan ook nog verachting haar deel zou zijn. Het enige wat blijkbaar belangrijk was, was dat de erfgenaam, de zoon, het niet te weten kwam.

Het kan altijd nog erger, luidt een oud gezegde dat vervolgens door wetenschappers werd bevestigd. De heer des huizes kreeg al spoedig genoeg van de buik van het meisje, dat geleerd had niet te huilen en dat hem daarmee misschien heimelijk teleurstelde bezorgde, en hij zocht andere wegen. Hoewel sodomie een doodzonde was die met de dood bestraft kon worden, was het nooit zo'n slecht idee wanneer die discreet door een heer des huizes boven op een slavin – geen slaaf natuurlijk – of boven op een dienstmeid – geen knecht natuurlijk – werd bedreven. En zo kwam het dat de man die slechts één tand had ervoer dat het meisje weer kon huilen, waardoor de nachten weer de nodige emotionele lading kregen. Soms moest de heer des huizes haar zelfs op de mond slaan.

Het meisje dat wilde sterven had opnieuw haar mond vol bloed.

En de heer des huizes gaf haar opnieuw zijn vaderlijke waarschuwing: 'Niet aan mijn zoon vertellen.'

De Ander besliste dat ik in het paleis van de Inquisitie moest worden opgesloten, waar ik was binnengekomen via de ingang waar nu een traliehek is. Het was duidelijk dat hij niet over het gezag beschikte om me te laten verbranden, aangezien daarvoor de hele ceremonie van een proces en een officiële ketterverbranding nodig waren, maar ik kon 'per ongeluk' sterven tijdens de marteling. Dat was wat hij besliste, zonder een ogenblik verloren te laten gaan.

'Het spijt me,' zei hij, 'ik hou ervan als het snel afgelopen is.'

Wat me te wachten stond, was echter niet snel afgelopen, hoewel het wel per ongeluk moest lijken. Terwijl ik in een van de bijgebouwen van het paleis moest blijven wachten, zocht De Ander twee getuigen, die een aanklacht tegen me indienden dat ze me duivelse rituelen hadden zien uitvoeren. Na die formaliteit had hij voldoende in handen om me te ondervragen en me aan folteringen te onderwerpen.

Hij zou daar natuurlijk niet bij zijn, daartoe zou hij zich niet verlagen. Hij behoorde tot de uitverkorenen van de geloofsleer, die altijd hun waardigheid behouden omdat ze niet zien hoe menselijke wezens eronder lijden. Pausen wonen geen folteringen en moorden bij, God woont geen folteringen en moorden bij, God ís alleen maar.

Een van de beulen leidde me naar het ijzeren bed, dat uit een bodem met ijzeren pinnen bestond waarop het menselijk wezen dat zijn geweten ging zuiveren, werd vastgebonden. Maar die pinnen konden in de richting van het hoofdeinde bewegen, zodat je niet onmiddellijk werd vastgenageld als je erop werd neergelegd. De pijniging begon als het rad ging draaien.

De voeten van de persoon die ze gingen martelen, werden aan de as van een rad aan het voeteneind vastgebonden, dat door de helper van de beul omlaag werd gedraaid. Daar het slachtoffer ook aan het hoofdeind van het bed was vastgebonden, bestond de foltering er niet alleen uit dat zijn spieren werden uitgerekt, maar ook dat de ijzeren pinnen hem vastnagelden op het bed terwijl het lichaam naar beneden gleed. Het was vrijwel uitgesloten levend van dat marteltuig af te komen, hoe kort ze je er ook op vasthielden.

Bij het vastbinden van mijn polsen en enkels zei de beul: 'Je doet er beter aan nu te bekennen.'

De man met de erectie, de trots van de hele streek, moest naar een paardenfeest dat in Vic gevierd werd en daarom liet hij het weesmeisje dat wilde sterven alleen achter. De paarden waren van grote klasse, hengsten uit Aragón die door de handelaren te voet vanuit Valle werden aangevoerd, niet bereden, en soms beëindigden ze hun route in wat vroeger de keizerstad Tarragona was geweest. Dagen achtereen te voet, waarbij ze ervoor moesten zorgen dat de dieren er voortdurend op hun best uitzagen. De man met de erectie spande zich niet zo in: hij ging met een wagen naar Vic, hoewel dat toch ook twee hele dagen duurde, twee dagen en nachten.

Reeds de eerste nacht kreeg het meisje dat wilde sterven de zoon, de erfgenaam, op bezoek, de trots en eer van alle fallussen buiten de stadsmuren. Natuurlijk kon het meisje dat wilde sterven die fallus niet vergelijken met die van de vader totdat ze hem gezien had. De erfgenaam, die al twintig jaar was en minstens de helft van zijn gebit nog had, begon zich te beklagen. Hij zei dat het een ware kwelling was om *hereu* te zijn, het typische gebruik in Catalonië waarbij aan de oudste zoon alles werd nagelaten, en zelfs het meisje dat wilde sterven, begreep het. Het verplichtte hem ertoe in het huis van zijn vader te blijven wonen en zich in te zetten voor het beheer van alle bezittingen, waardoor hij eigenlijk een slaaf was van de landerijen. Maar dat niet alleen: hij zou al zijn zusters een bruidsschat moeten meegeven als ze trouwden en als hij broers had gehad, zou hij die een functie of een positie hebben moeten verschaffen. Natuurlijk beklaagde de zoon van de eigenaar zich daar niet over, maar wel over het ergste: altijd ondergeschikt te zijn aan zijn vader en moeder, totdat die kwamen te overlijden. Zij waren echt de baas in huis, ze oefenden discreet maar voortdurend een schrikbewind uit van onderwerping en handkussen, als echte vorsten. Natuurlijk werden Catalaanse bezittingen dankzij het systeem van de hereu niet verdeeld en waren ze winstgevend, terwijl in sommige koninkrijken, zoals Galicië (dat had hij seizoenarbeiders horen zeggen), alles verdeeld werd, wat onproductief was, tot in het absurde toe, verduidelijkte hij aan het meisje: als er één koe was en vijf broers, had ieder van hen zogezegd recht op een vijfde koe. Elk volk heeft zijn eigen logica, maar niet elke logica is even goed, voegde hij eraan toe.

Het meisje dat wilde sterven, leerde snel.

Logica was bijvoorbeeld slecht als een vader het recht had macht uit te oefenen over al het personeel dat in dienst was, met voorbijzien van de overige gezinsleden, die toch ook hun behoeften en wensen hadden. Het meisje werd door hem niet als een vrouw beschouwd, maar als een voorwerp. En met voorwerpen kun je niet zondigen. Zo zou hij zich ervoor hoeden haar net zoals zijn vader aan te pakken en toonde hij zich verbaasd – dat was hij trouwens tevoren al – dat het meisje dat zo graag wilde sterven al haar tanden nog had: de kracht van het leven moest gezocht worden in die door de voorzienigheid beschikte ruimte tussen haar tanden. En hij toonde haar dat zijn familie niet alleen over de landerijen tevreden kon zijn, maar ook over de gereedschappen, maar het meisje dat wilde sterven kreeg het gevoel te stikken. En ze begon weer te huilen en te spuwen. Zaad, pijn en onmacht.

'Je kunt nu maar beter bekennen.'

En dat deed ik. Waarom zou ik ontkennen dat ik de duivel aanbad, als ik volgens De Ander, de machtige, de wijze, een kind van de duivel was? Ik verzocht om mijn bekentenis te noteren, maar dat had De Ander niet voorzien. Die rekende erop dat ik zou sterven bij de foltering. Voor een bekentenis waren bepaalde ceremoniële regelingen vereist, waaronder een schrijver om te noteren dat mijn woorden vrijwillig waren en dat ik niet gemarteld was, wat mijn leven voor even veiligstelde. Dus bekende ik en bovendien deed ik dat met een redelijk schoon geweten, aangezien ik wist dat ik er niemand mee zou schaden.

Het eerste wat ik moest doen was een zelfonderzoek. Mijn moeder? Een slavin, een hoer. Bijzonderheden bij mijn geboorte? Het was mogelijk dat er iemand bij betrokken was die boven de aardse wetten stond. Leeftijd? Die wist ik niet, maar misschien was ik bijna dertig jaar; eigenlijk had ik niets wat me houvast kon geven, daar ik lichamelijk nauwelijks was veranderd. Als ik hun verzekerde dat ik twintig jaar was, zouden ze me geloven; al naargelang mijn wijze van kleden leek ik jonger of ouder en dat gebruikte ik soms om niet herkend te worden. In de oorden waar ik meestal vertoefde waren geen spiegels en ook niets anders waarin ik me kon spiegelen; met veel moeite zag ik mijn gestalte weerspiegeld in poeltjes. Maar ik besefte dat ik aantrekkelijk kon lijken en dat mijn beschavingspeil, dat veel hoger was dan van de doorsneemens, me zelfs tot een begeerlijke man kon maken. Dat was alles. Veel meer was er over mij niet te vertellen.

Voor hen was dat voldoende om me aan de foltering te onderwerpen (als ik geen logisch verhaal had, had ik misschien een bovennatuurlijk verhaal), zodat ik een biografie verzon: kind uit een bordeel, zoon van een prostituee en een onbekende. Er waren er honderden zoals ik en bovendien vertelde ik tot op zekere hoogte de waarheid. Mijn moraliteit was een heel ander verhaal.

Hoe stond het met mijn moraliteit?

Misschien had ik me dat nooit afgevraagd. Ik was voortvluchtig en als zodanig had ik het recht om haat op te bouwen, hoewel ik op dat moment besefte dat ik mijn geweten nog nooit onderzocht had. Was ik voorbestemd voor het kwaad? Was het precies zoals De Ander had gezegd? Was ik een duivelskind? Moest ik het daardoor noodgedwongen zonder geweten stellen?

Ik bedacht dat het niet zo was. Ik gaf me er rekenschap van dat ik zowel goed als kwaad kende. Als de duivel betrokken was bij mijn ontstaan, kende de duivel zowel goed als kwaad. In werkelijkheid verleende hij met het kwaad waardigheid aan het goede, omdat het goede niet goed zou zijn als het kwaad niet bestond. Ik kwam tot de conclusie – waaraan ik tot dat moment nooit had gedacht – dat de duivel een wijze schepper van dubbelzinnigheden en daarom tevens een schepper van mensen is. Dat de schepping een gezamenlijk werk is dat nog niet voltooid is (dat had De Ander zelf gezegd) en dat ieder mens daaraan voortdurend een steentje bijdraagt.

Ik wist zelf niet wat ik dacht. Maar het was ook niet zo eenvoudig. Op dezelfde manier als waarop we bijdragen aan de wording van een stad, doen we dat ook met een geweten.

Ik vroeg me af of dat geweten me noodzakelijkerwijs geschonken moest zijn. En ik kwam tot de tegengestelde conclusie. Dat ik er zelf aan kon bijdragen het op te bouwen. En dat misschien de duivel, tenslotte ook een voortvluchtige, verdraagzamer tegenover mij was dan God kon zijn.

Maar dat kon ik bij de bekentenis niet vertellen.

'Eigenlijk bekent hij niets,' zei de schrijver, 'we verdoen onze tijd met hem.'

Dat was het teken om me tot spreken te dwingen en ik wist heel goed wat dat betekende.

Een droog bevel was genoeg om me naakt vast te binden op het ijzeren bed.

19

Juwelen zijn de tijd

Bij iedereen was bekend dat Marta Vives op kantoor internet gebruikte, maar voor haar privéonderzoek hield ze daar niet van. Op het net vond ze wel heel veel informatie, maar die was niet oud genoeg en kon de informatie die ze in oude archieven vond niet evenaren. Daar was ze een autoriteit die misschien met de jaren erkenning zou krijgen.

Of misschien was dat al zo. Alleen zo was te verklaren dat ze via internet in contact gekomen was met die juwelier die vreesde de duivel ontmoet te hebben.

Marta Vives ging naar de afspraak.

Ze besloot voorlopig niet te denken aan die voorouder van haar die vermoord was en wier bronzen kruis gestolen was uit haar graf op het oude kerkhof van Sant Pau del Camp, een kerkhof waarvan niemand zich meer iets wist te herinneren. Een vermoorde vrouw van wie zij meende te weten dat die een dochter had gehad...

De juwelier was niet zomaar een juwelier. In feite was hij een ex-juwelier. Hij had een bedrijf in de Calle Fernando, dicht bij de Ramblas, een omgeving van oud geld, in korsetten gesnoerde dames en luxueuze etages met sierpleisterplafonds.

De gestuukte plafonds waren er nog steeds, maar de omgeving was niet meer luxueus, het oude geld was naar de Paseo de Gracia verdwenen en de ingesnoerde dames waren vervangen door brutale meiden die hun navel toonden. Marta Vives, misschien wat ouderwets, liep te bedenken dat navels tegenwoordig een dringende erotische oproep inhielden.

De ex-juwelier was een succesvol ontwerper geworden. Eigenlijk was hij dat altijd al. Hij ontwierp exclusieve sieraden volgens het modernistische concept dat aan Gaudí was ontleend: insecten, libellen, kettingen die om zichzelf heen kronkelden en vleugels van goud die van lucht gemaakt leken.

'Neem plaats,' zei de ex-juwelier met een uitnodigend gebaar.

Marta Vives herkende de ontwerpen. Urenlang speurwerk in archieven en prentenkabinetten had haar vertrouwd gemaakt met de portretten van dames waarop onvergankelijke juwelen straalden, nu aan de kleindochters nagelaten en bewaard in de safe op de bank. Zodra ze de juwelier zag, moest ze aan enkelen van haar cliënten denken: Roca, die al eeuwen leek door te brengen op de Paseo de Gracia, Domènech in de Galerías Condal en ten slotte Suárez, bij wie het nieuwe geld zich concentreerde. Belangrijke juweliers hebben een ontwerper nodig en de man die Marta voor zich had, was dat.

'Neem me niet kwalijk dat ik je lastigviel toen we elkaar in die chat tegenkwamen. Ik denk dat wij in feite naar hetzelfde op zoek zijn: jij naar de geschiedenis van vrouwen van vroeger die misschien nog niet helemaal historie geworden zijn; ik naar ontwerpen zoals dames die nog droegen in het begin van de twintigste eeuw, omdat ik nieuwe ideeën wil opdoen. Ik besefte meteen dat jij een echte autoriteit bent.'

'Niet op het gebied van juwelen,' moest Marta Vives bekennen. 'Ik verdien de kost als stagiaire van een advocaat: maar mijn echte roeping is geschiedenis en archeologie. Ik heb werkcolleges gegeven.'

'En je bent adviseur geweest van het Genootschap van Antiquairs. Daar heb ik je naam horen noemen.'

Marta Vives glimlachte. Misschien lag in haar glimlach geen trots opgesloten maar juist het tegendeel: verlegenheid en schaamte. 'Ze betaalden me zo weinig dat ik er niet van kon leven.'

'En als stagiaire kun je dat wel?'

'Dat geeft tenminste enige zekerheid.'

'Je lijkt me erg jong om een bekend onderzoekster te zijn.'

'Ik betwijfel of ik bekend ben. Maar ik zit al zoveel jaar tussen oude papieren dat ik ook betwijfel of ik ooit jong geweest ben.'

De ontwerper toonde haar zijn laatste creaties of pogingen daartoe: tientallen tekeningen, proeven in metaal, oude foto's waarop hij variaties zocht, catalogi die eeuwen geleden leken te zijn vervaardigd bij een gala in het Liceutheater. Daarna ging hij zitten met een vel ivoorkarton voor zich.

'Je weet, jongedame, dat ik Masdéu heet.'

'En u weet dat ik Marta Vives heet.'

'Ik wil je om raad vragen en eventueel zal ik je betalen voor de tijd die je hieraan besteedt. Dat zou correct zijn. Maar eerst zou ik graag van je willen weten of je dit ooit gezien hebt.'

Met professionele halen tekende hij op het ivoorkarton een heel fijn kettinkje, dat op zich in eerste instantie onbeduidend leek. Het was eigenlijk een eenvoudig, ragfijn kettinkje, dat zelfs in goud uitgevoerd in geen enkele deftige etalage zou worden uitgestald. Marta keek er sceptisch naar.

'Waarom zou ik dat gezien moeten hebben?'

'Jij bent een expert, je hebt catalogi gezien van over de hele wereld.'

'Ik ben geen echte expert,' zei Marta zacht, 'maar in het echt zou deze ketting nooit mijn aandacht trekken. Dit kettinkje heeft niets bijzonders. Misschien is er iets speciaals aan, maar ik zie het er niet aan af.'

'Kijk eens goed naar de tekening. Met een loep kun je het beter zien, de schakels lijken de vorm van een zes te hebben.'

Marta Vives bekeek de tekening met een loep. De tekening was zo echt dat het leek of ze de ketting kon aanraken. En het was waar: de structuur leek heel fragiel, omdat de schakels op een bepaalde manier opengewerkt waren: elk ervan hing met de staart van de zes aan de volgende.

'Maar toch gaat hij niet gemakkelijk stuk,' zei Masdéu, 'het is een haast volmaakte verbinding.'

'Ik veronderstel dat het sieraad daardoor kostbaar is,' meende Marta, 'want de hoeveelheid benodigd materiaal is maar gering.'

'Daar gaat het me niet om.'

'Wilt u me vertellen dat het ontwerp weinig waarde heeft?'

'Integendeel, het is een heel ongebruikelijk ontwerp, dat zelfs voor een juwelier met ervaring een uitdaging vormt. Maar de echte waarde berust hierin dat het een sieraad is dat ik nog nooit gezien heb, en ik mag toch wel zeggen dat ik heel wat ervaring heb. Daarom wilde ik weten of jij het ooit gezien hebt.'

'Nee.'

'Dat doet me nog meer geloven in de zeldzaamheid van dit sieraad, waardoor het ongetwijfeld waardevol wordt. Maar daar gaat het me niet om. De echte waarde van dit unieke stuk, waarvan ik zelfs niet weet of het echt bestaat, schuilt in de voorgeschiedenis ervan. Ik heb eens een verzameling zeer oude prenten gekocht om nieuwe ideeën op te doen: de obsessie van een scheppend kunstenaar is iets te vinden wat alle anderen nog niet gevonden hebben. Het waren tekeningen van dames met antieke sieraden en dat interesseerde me. Opeens vond ik tussen de stapel oude papieren een serie prenten die een duivels ritueel uitbeeldden. Niets bijzonders, want dergelijke rituelen zijn van alle tijden en uit alle landen; het zou me niets verbazen als ze in Barcelona nog voorkwamen. Dat duivelse ritueel, waarbij nog geen slachtoffers waren gevallen, werd plotseling echter onderbroken door een soort antiduivel, een in het zwart geklede man die niemand leek te kennen en die met zijn dolk een van de deelnemers doodstak. De prenten waren heel oud, ik geloof uit de zestiende eeuw, maar de zeer duidelijk uitgewerkte dolk leek wel een ontwerp uit de huidige tijd. De man die de ceremonie onderbrak, was daarentegen niet zo scherp getekend. Het ging om een man zonder duidelijke leeftijd, gekleed in elegante zwarte kleding. Maar om zijn hals hing iets wat wél weer heel duidelijk getekend was: het was dit kettinkje. Dat zag er zo bijzonder uit dat het haast een obsessie voor me werd: ik overwoog onmiddellijk het na te maken en daarom bewaarde ik de oude prenten. Hoewel ik je moet bekennen, met enige angst.'

'Waarvoor?'

'De duivelse rituelen lijken me zulke oude praktijken en zo verbonden met mysteries van de menselijke natuur, dat ze me verontrusten. Maar in dit geval werd het zelfs angst. Alles was zo perfect, zo echt, dat ik er zelfs last van had de prenten in huis te hebben. En op een dag werden ze gestolen. Ik weet niet hoe. Mijn huis heeft geen speciale beveiliging, maar juist daaruit kan men opmaken dat er geen voorwerpen van waarde aanwezig zijn. Ik kon eigenlijk alleen iets afleiden uit de ordelijkheid in mijn studio, waar ik de spullen bewaar. Een ordinaire dief zou alles overhoopgehaald hebben totdat hij het vond. Welnu, er was niets overhoopgehaald en alleen dat ontbrak.'

Marta Vives beet tot bloedens toe op haar onderlip. Ze dacht terug aan wat haarzelf was overkomen. Iemand had ook zonder iets overhoop te halen het portret van haar moeder gestolen.

Even kreeg ze een waas voor ogen. Ze wist niet wat ze ervan moest denken.

'En heb jij tijdens je onderzoeken veel prenten gezien die met de duivel te maken hadden?' vroeg de ontwerper.

'Ja, beslist, maar ik herinner me er slechts één concreet. Dat is een schilderwerk van Michael Pacher dat, meen ik, van 1480 dateert. De titel ervan is *Sint Augustinus dwingt de duivel zijn missaal te dragen*. De duivel daarop kwam altijd op me over als een onberispelijk personage.'

'Dat schilderij herinner ik me ook, maar daar komen geen sieraden op voor. En portretten van dames met juwelen? Herinner je je die?'

Marta Vives raadpleegde haar geheugen. Haar brein was een enorm archief. Maar wie zou haar alleen daarom te eten geven? Soms betwijfelde ze of haar brein ook maar iets waard was. Veel mensen hadden tegen haar gezegd dat haar benen meer waard waren.

'Ik herinner me een Leonardo Da Vinci,' mompelde ze. 'Het heet *De*

dame met de hermelijn en is uit 1494. Daarop is een jongedame afge-
beeld die een fraai collier met twee snoeren draagt: het ene snoer heel
strak om haar hals, het andere hangt tussen haar borsten.'

'Dat collier heb ik vaak nagemaakt,' bekende Masdéu, 'het is een
van de meest elegante colliers die je voor een dame kunt ontwerpen.'

'En wat zou u zeggen van de hanger van de *Maagd met Kind* van de
Meester van de *Veronica*?'

Masdéu keek haar vol bewondering aan.

'Jij en ik moesten elkaar uiteindelijk wel ontmoeten,' zei hij. 'Je bent
een van de meest ontwikkelde vrouwen die ik ooit ontmoet heb, een
van die vrouwen die boven de tijd staan. En weet je waarom ik mijn
leven aan sieraden heb gewijd? Omdat die ook boven de tijd staan.
Goede sieraden hebben een eeuwig leven, worden altijd bemind en
bovendien vormen ze de geschiedenis in een notendop. Een van de
bekoringen ervan is dat ze altijd meerdere eigenaressen na elkaar
gehad hebben: ze leggen verband tussen de generaties.'

'Mag ik u misschien nog een voorbeeld geven dat ik me herinner?'
vroeg Marta met een afwezige glimlach. 'Bijvoorbeeld het collier van
Maria van Bourgondië, de dochter van Karel de Stoute. Dat is een van
de gecompliceerdste en fraaiste sieraden die ik ooit gezien heb.'

'Dat vind ik ook. Daar heb ik ook een kopie van ontworpen, maar
niets kan tippen aan het prachtige origineel. Een imitatie mist altijd de
grandeur.'

Marta Vives glimlachte vergenoegd. Ze besefte dat deze man, die
veel ouder was dan zij, een uitstekende leermeester voor haar had
kunnen zijn en haar wegwijs had kunnen maken in de oude boekwerken, maar geen van beiden had zijn roeping naast de ander kunnen ontplooien. Masdéu was ontwerper, zij de bescheiden stagiaire
van een advocaat die met mensen te maken had die niet van elkaar
hielden.

'En toch heb je het kettinkje dat ik je zojuist getoond heb, nog nooit
gezien,' zei Masdéu.

'Inderdaad, dat moet ik toegeven.'

'En ik heb het alleen aangetroffen bij dat ritueel van die duivelse ceremonie die me zo verontrustte. Ik moet bekennen dat ik zelfs een soort angst voelde en tegelijkertijd iets als ontsteltenis, omdat de antiduivel, die met zijn dolk iemand neerstak, me meer verontrustte dan de duivel. Waar ik werkelijk door van mijn stuk ben gebracht, is dat die oude papieren me ontstolen zijn. Wie heeft daar nou iets aan? Waar kunnen ze voor dienen? En wie was degene die ze vond, alsof hij altijd al wist waar ze waren?'

Marta dacht weer met angst terug aan de diefstal van het portret van haar moeder.

Maar ze voelde kou tot in haar botten toen Masdéu langs zijn neus weg vroeg: 'Weet je wie de maker was van de prent die van me werd gestolen? Die heette Vives, net als jij. Het was zijn laatste werk; kort daarna werd hij vermoord.'

20

De Heer van de Doden

De griffier van de Inquisitie had al besloten dat hij geen tijd meer aan mij zou verspillen. Hij gaf de beul een teken om me vast te binden op het bed met pinnen. Met afschuw voelde ik de pinnen in mijn naakte rug, maar ik werd nog niet vastgenageld want dat wist ik voorlopig te vermijden door mijn lichaam te ontspannen. Met de eerste draai aan het rad zou dat anders worden, want dan zou ik letterlijk op het bed vastgepind worden.

De griffier beval: 'Aan de gang.'

Op dat verschrikkelijke moment drong een aantal dingen tot me door. Ten eerste dat de zaal naar zweet en bloed rook, alsof zojuist iemand er zijn laatste adem had uitgeblazen. Het rad was zo groot dat de pinnen me bij de tweede slinger volledig zouden doorboren. Het enige licht dat op de martelplaats scheen, kwam van twee grote toortsen. Maar wat me het meest verbaasde, was dat de in het zwart geklede man met onder zijn kleding het fijne gouden kettinkje de ruimte verlaten had. Hij was weggegaan met de woorden: 'Hiervoor draagt de Kerk geen verantwoordelijkheid.' Zijn handen zouden niet bevlekt worden met mijn bloed. Toch wist ik dat ik ging sterven.

Ik voelde dat het touw om mijn benen strak trok, dat mijn lichaam naar het voeteneind werd getrokken en dat de ijzeren, omhooggerichte pinnen overal in mijn rug begonnen te prikken, vanaf mijn schouders tot mijn billen en zelfs in mijn geslacht. Het was de eerste keer dat ik me ervan bewust was een geslacht te hebben: twee jeugdige testikels en een penis die van afschuw ineengekrompen was. Ik was een man met alles erop en eraan, maar zo had ik me nog nooit gevoeld. Het was alsof mijn lichaam niet bestond, alsof het een pantser tussen mij en de wereld was. Mijn moeder had nooit iets over mijn lichaam gezegd. En ik was me er niet van bewust.

Opeens was ik dat wel.

Ik deed mijn uiterste best om het niet uit te schreeuwen, om de folteraars niet het gevoel te geven dat ze hun werk goed deden. Ik hoorde bloed druppelen onder het bed. Het besef van de dood, dat me tot dan toe onbekend was geweest, maakte zich van me meester. Het drong tot me door dat ik nog nooit aan de dood gedacht had, alsof ik anders dan alle andere mensen was. En misschien was ik ook anders. De pinnen boorden zich nog verder in mijn lichaam en ik dacht dat mijn einde gekomen was. Toen ze tussen mijn ribben drongen en die uiteendreven, werd mijn hele lichaam ontwricht. Als ze in mijn nieren en lever zouden doordringen, zou ik geen enkele kans meer maken het te overleven.

De folteraars wisten precies welk moment dat was.

Toen begreep ik het. Ze pauzeerden even en gaven me de laatste gelegenheid om een bekentenis af te leggen. Daarna zou het te laat zijn.

De griffier zei: 'Zeg op.'

Ik slaakte nog een gesmoorde kreet van pijn, terwijl mijn ogen wegdraaiden. Wat kon ik zeggen? Dat ik zo geboren was? Dat ik mijn bestemming niet kende? Dat ik achtervolgd werd vanaf het moment waarop ik het licht zag?

Ongedierte kent zichzelf ook niet en sterft zonder te weten waarom het gedood wordt.

Ik wist niet wat ik was. Het enige wat ik wist, was dat ik ging sterven en dat de man in het zwart, De Ander, achter de deur op het bericht daarvan wachtte.

Hij wist vast wel waarom ik moest sterven.

'Het is ongelooflijk, hoe lang hij het volhoudt,' zei de griffier.

Met alle pinnen in je vastgenageld, met je rug aan flarden, is het uitgesloten niet te jammeren van de pijn, en daardoor kregen ze nog meer wantrouwen. Als ik weerstand bood als een duivel, moest ik ook beslist een duivelskind zijn.

'Met nog een halve slinger aan het rad is het wel voorbij,' opperde de folteraar. En hij maakte zich op om dat te doen.

'Wacht even,' beval de griffier, nu gedreven door nieuwsgierigheid.

Hij wilde dat er nog iemand bij kwam. Als ik geen gewone ketter was, verdiende dat de aandacht van de hoogste hoeders van het geloof. Hij noteerde iets in zijn map en hoorde onverschillig het langzame druppelen van mijn bloed aan.

'Laat hem even zo liggen.'

'Dan zal hij doodbloeden.'

'Ik wil de bisschop persoonlijk op de hoogte gaan stellen.'

Ik was waarschijnlijk zó'n speciaal geval dat het de moeite waard was dat te demonstreren, mijn dood uit te buiten. Om het goede te kunnen blijven verkondigen, was wat dan ook van nut.

'Draai het rad niet terug. Ik wil dat ze het zien.' En hij liep weg.

Met het beetje bewustzijn dat me restte, wist ik dat daarna De Ander zou binnenkomen. Maar dat gebeurde niet. Ik beet m'n tong bijna doormidden om een kreet te onderdrukken toen ik bemerkte hoe langzaam mijn bloed stroomde. Plotseling was ik me ervan bewust dat er iets ongelooflijks was gebeurd.

Ik was alleen achtergebleven.

De zaal, die me nu enorm groot voorkwam en waarvan de stenen voor altijd de geur van de doden zouden vasthouden.

De toortsen die ternauwernood de schaduwen verdreven. Dat trage *tiktak tiktak* dat niets anders was dan het druppelen van mijn eigen bloed.

En de pijn, de ondraaglijke pijn die me verhinderde adem te halen omdat de pinnen me steeds meer vastnagelden met elke trilling van mijn huid.

Het rad was vastgezet. Ik kon zelfs geen pink verroeren. Ze zouden me beslist dood aantreffen als ze besloten terug te komen.

Maar nee. Ze wilden me in leven houden. Ze wilden dat de bisschop in eigen persoon die zoon van Satan zag.

Ik sloot mijn ogen.

Was ik een zoon van Satan?

Had ik ooit mijn bestemming gekend? Zou ik die te weten komen? Had ik een bestemming? Of was het als bij ongedierte, dat slechts geboren wordt om uitgeroeid te worden?

Waarom vervolgde De Ander me?

De geest is wonderbaarlijk, de geest zondert zich af, stelt zichzelf vragen, geeft zichzelf antwoorden om de werkelijkheid te ontvluchten, om geen pijn te voelen. De geest is ons eigen innerlijke mysterie en nooit zullen we hem kunnen ontsluieren. Ik was heel ver van mezelf vandaan, van mijn bloedende vlees en mijn kapotte gewrichten. Mijn geest vroeg zich af wie ik was, zonder te beseffen dat ik niets was, omdat ik ging sterven.

En opeens hoorde ik heel dichtbij een ademhaling, en rook ik een geur van verrotting.

Ik opende mijn ogen en zag naast me een gezicht. Een gezicht dat verteerd leek door melaatsheid, vol rimpels; het leek oeroud, met een paar ogen die vanuit de keerzijde van de tijd naar me keken.

Het was niet een van de ondervragers. Ik wist niet wie het was.

Ik kon nog niet weten dat degene die naar me keek de Heer van de Doden was.

Er zijn plaatsen waarvan de bestemming tevoren vastligt, maar dat wist ik toen nog niet. Ik wist ook nog niet dat daar in 1761 het Chirurgengenootschap zou worden opgericht, volgens een plan van

Ventura Rodríguez dat te danken was aan Karel III en Pere Virgili, de persoonlijke arts van Ferdinand VI. Ik kon niet weten dat daar veel later de Spaanse Koninklijke Academie van Medicijnen en Chirurgie gevestigd zou worden. Ik wist toen niet en kon ook nog niet weten dat de huidige inwoners van Barcelona menigmaal langs de deuren lopen van wat het Hospitaal van Santa Cruz zou worden, tegenover de ingang van de oude centrale bibliotheek.

Nee, dat kon ik toen allemaal niet weten. Het enige wat ik wist, was dat ik doodging. En dat een gezicht zonder tijd, uit de andere wereld gekomen, naar me zat te kijken.

'Straks komen ze terug,' fluisterde een vrijwel onhoorbare stem.

Ik gaf geen antwoord. Waarom zou ik? Ik wist het.

'Ze zijn de bisschop gaan halen, maar daarna zullen ze je laten doodgaan.'

Ook dat wist ik al. Waarom vertelde die verschijning me dat? Zijn witte haar reikte bijna tot op zijn schouders en uit zijn zwarte kleren, bevlekt met iets onduidelijks, steeg een ondraaglijke stank op, erger dan alle stank uit de graven in de stad. Zijn adem stonk ook. Ondanks mijn verschrikkelijke pijn, die maakte dat alles zich aan me onttrok, kreeg ik op dat moment het gevoel in een nachtmerrie te zitten.

'Weet je wie ik ben?' prevelde hij.

Ik deed geen moeite nee te schudden. Ik maakte geen enkele beweging. Op dat moment kon het me absoluut niet schelen wie hij was.

'Weet je wat ze met de doden doen?'

Voor het eerst schudde ik van nee.

'Je begrijpt dat hier mensen sterven. Of er blijven stukken over. Er zijn hier lijken. En wat doen ze daarmee?'

Ook nu bewoog ik me niet. Niets kon me meer schelen.

'Ik neem ze mee,' fluisterde hij.

Nu begreep ik zijn stank, nu begreep ik de haast rotte vlekken op zijn kleren.

'Iemand moet het doen,' durfde ik te fluisteren.

'Maar ík word ervoor betaald.'

'De doodgravers krijgen ervoor betaald,' fluisterde ik, terwijl ik probeerde aan iets anders te denken dan aan mijn verschrikkelijke pijn.

'Dat bedoel ik niet. Ik word niet betaald door de Inquisitie, maar door de dokters van het Hospitaal van Santa Cruz.'

'Waarom?'

'Omdat zij lijken bestuderen. Ze snijden ze open. Voor elk vers lichaam geven ze me een klein bedrag en zo hoeft het tribunaal zich niet te bekommeren over het begraven ervan. De doden geven ook geld, maar dat kun jij je niet voorstellen. Jij bent te jong om dat te weten.'

Ik grijnsde. Te jong? Wie kon weten hoe oud ik was? Wist ik het zelf? Wist ik uit welk jaar uit de diepte der tijd ik kwam?

De man kwam een beetje dichterbij. Zijn stank was echt ondraaglijk, en dat terwijl ik in een ruimte lag die bestemd was voor de doden.

'Ik zei je dat ze me geld betalen.'

'En wat is er zo anders aan de lijken die hiervandaan komen? Zijn die anders dan andere?'

'Natuurlijk zijn die anders. Als iemand bij een foltering sterft, zijn de gewrichten ontzet en daardoor zijn de dokters in de gelegenheid de meest vreemde gevallen te bestuderen. Het is mijn werk ze op mijn karretje te laden en naar het speciale zaaltje te brengen in het Hospitaal van Santa Cruz. Daar worden ze uiteindelijk begraven, maar eerst worden ze bestudeerd. Als ik dat vuile werk niet deed, zouden de dokters er niet van kunnen leren.'

'Maar ik ben nog niet dood. Ik ben niet van nut.'

Door zwakte, veroorzaakt door het enorme bloedverlies, was ik vrijwel bewusteloos. Mijn geest was verlamd. Hoe vreselijk de pijn ook was, geleidelijk leek hij vanzelf iets af te nemen.

Op dat moment fluisterde de geestverschijning: 'De dokters zullen me veel meer betalen voor een gemartelde die nog in leven is. Ze willen geneesmethoden ontwikkelen die in het ziekenhuis niet zijn toegestaan. Dus als de gefolterde overlijdt, vraagt niemand hun om rekenschap.'

Ik sloot mijn ogen zonder iets te horen. Elk moment voelde ik me zwakker en meer buiten mezelf. Ik begreep niet wat de Heer van de Doden eigenlijk kwam doen.

'Je moet niet denken dat ik het prettig vind om doodgraver te zijn,' zei hij, 'ik doe het om de dokters te helpen. Ik laat geamputeerde ledematen en wat er van de lichamen over is na het ontleden uit het ziekenhuis verdwijnen. Je kunt je voorstellen dat naast het Hospitaal van Santa Cruz een kerkhof ligt.'

Dat wist ik. Natuurlijk. Ik had lang genoeg geleefd om dat te weten.

Maar wat de ander nu fluisterde was nieuw voor mij.

'Natuurlijk ligt er naast het bekende kerkhof een geheim kerkhof. In feite barst Barcelona van die graven die niemand zich uiteindelijk meer zal herinneren. Soms, als er een epidemie is, worden huizen verbrand met de doden erin. Dan wordt daarbovenop weer gebouwd en niemand weet er meer van. Er worden huwelijksfeesten gehouden op slechts vijf meter afstand van een dode.'

Ik sloot mijn ogen weer.

'Nou en...?'

'Ik kom je hiervandaan halen,' fluisterde de stem. 'Het kan zijn dat het me niet lukt, want je hebt pinnen in je rug zitten, maar als ik het rad een beetje terugdraai, kun je je misschien bewegen. Het is natuurlijk niet uitgesloten dat je intussen doodgaat. Dat kan altijd.'

Ik keek plotseling met wat meer hoop naar hem, hoewel ik het nog niet kon geloven. Misschien wilde hij me juist aan een nieuwe foltering onderwerpen die ik nog niet kende, maar het deed er niet toe. Alles was beter dan de ondraaglijke pijn die ik leed, alles was beter dan dat druppelen van mijn bloed en dat gevoel dat mijn botten uit elkaar zouden spatten.

'Denk je dat het me iets kan schelen dat ik doodga?'

'Ik moet je nog wel vertellen dat als ze ons betrappen, we allebei worden opgehangen wegens bespotting van de Inquisitie.'

'De galg zal een opluchting zijn.'

'Als ik erin slaag je lichaam naar het ziekenhuis te vervoeren, zal ik er veel geld voor krijgen. Een gefolterde zoals jij hebben ze nog nooit gehad voor hun experimenten.'

Ik ging ervan uit dat de dokters me nog meer zouden martelen als ik erin slaagde levend bij hen aan te komen.

Maar wat deed het er nog toe?

'Dat zal je nooit lukken,' wist ik uit te brengen, 'dit is een afgesloten en bewaakt tribunaal. Er moeten bewakers achter de deur staan.'

'Natuurlijk zijn die er. Dat weet ik best... De folteraar is nu echter met een andere arrestant bezig en de griffier die alles opschreef, is de bisschop gaan halen. Als ik je zo zie, weet ik niet wat ze dachten... Je moet wel een belangrijk personage zijn, dat ze je zo gemarteld hebben.'

'Ik ben geen belangrijk personage. Ik ben alleen...'

De pijn werd zo ondraaglijk dat ik een kreet slaakte en een vloek uitte. Tot dat moment hadden we Catalaans gesproken, de gewone omgangstaal, maar nu keek de verschijning me verwonderd aan.

'Dat is Hebreeuws,' zei hij.

'Wat?'

'Je zei iets in het Hebreeuws. Ik herken dat omdat er dokters en alchemisten zijn die die taal bezigen.'

'Ik weet niets van Hebreeuws.'

'Je weet zelfs niet wie je bent.'

Nee, natuurlijk wist ik dat niet en had ik het ook nooit geweten.

Wat wist hij werkelijk van mij? Uit wat voor wereld was hij afkomstig?

Maar de ander ging op heel zachte toon verder: 'Degene die hier de baas is, is de bisschop gaan halen en het zal nog wel even duren voordat hij terugkomt. De bewakers die we onderweg tegenkomen, zullen ons doorlaten als ik zeg dat je dood bent en jij erin slaagt het zo goed mogelijk daarop te laten lijken.'

'Maar...'

'Voor mij is dit werk de gewoonste zaak van de wereld en iedereen is eraan gewend me hier te zien. Ik heb mijn kar met lijken op de binnenplaats staan. Als jij erin slaagt goed te simuleren, ben je voor de bewakers gewoon een van de doden op weg naar het kerkhof.'

Hij haalde de beveiliging van het rad en draaide dat los; bijna onmiddellijk kromp mijn hele lichaam ineen als door een veer bewogen, maar daardoor nam wel de pijn toe en werden de straaltjes bloed erger. De Heer van de Doden, die dagelijks met lijken te maken had, besefte dat hij moest opschieten omdat ik er bijna onderdoor ging. Als iemand in Barcelona dat begreep, was hij het wel.

'Beweeg je niet.'

Ik liet hem begaan. De bovenmenselijke kracht waarover die man beschikte was ongelooflijk, terwijl hij eruitzag of hij wel honderd jaar oud was. Hij trok me los van de pinnen, maar daardoor werd de pijn zoveel heviger dat ik nog een vloek uitte. De Heer van de Doden keek me verbaasd aan terwijl hij me ondersteunde.

'Dat is Aramees.'

Wat wist ik van Aramees? En wat kon hij ervan weten? Om mijn pijn nog te verergeren was die kerel me aan het bespotten.

Ik kon niet verder denken. Een vreselijke scheur in mijn vlees deed me het bewustzijn verliezen.

Misschien was dat waarop de verschijning hoopte, want zo kon hij me beter hanteren. Hij pakte me van het ijzeren bed, waardoor hij een stroom van bloed veroorzaakte, greep me bij m'n haar en sleepte me over m'n buik voort. Zo waren mijn hele rug en de verschrikkelijke wonden die nog steeds bloedden te zien. Wie me zo ook maar zag, voortgesleept als een stuk pasgeslacht vee, zou er zijn hoofd om durven verwedden dat ik dood was. Het was maar goed dat ik niet bij mijn volle bewustzijn was, want zo merkte ik niet wat er met me gebeurde. Anders was ik niet in staat geweest te veinzen.

Achter de deur stonden twee bewakers, maar die waren halfdronken. Veel later zou ik ervaren dat dronkenschap voor sommigen de enig mogelijke toevlucht is om verschrikkingen het hoofd te bieden.

'Neem je de lijken al mee, klootzak?'

'Je bent vroeg vandaag.'

Me nu met één hand verder aan mijn haren voortslepend, overhandigde de figuur uit de andere wereld ieder van de bewakers een muntstuk, dat zij met de grootste vanzelfsprekendheid aannamen. Ik leidde daaruit af dat ik niet de eerste levend-dode was die door de verschijning werd meegenomen. Wat ik niet wist, was wat er zou gebeuren als de folteraars me misten, maar ik begreep dat ze me niet zouden vinden, ook al gingen ze op zoek naar de Heer van de Doden. Het Hospitaal van Santa Cruz moest zoveel duistere hoeken bevatten dat zelfs de leden van de Inquisitie die niet allemaal in de gaten konden houden.

Ik begreep ook waarom ze ons snel doorlieten. De stank die van de man af kwam was afschuwelijk, als van een open graf.

Het oude paleis had destijds een binnenplaats – die er nog steeds is – en er midden op stond een kar met drie lijken. Het mijne zou er vier van maken. Van de rand van die kar stroomde zoveel bloed dat de staart van de arme ezel die het voertuig moest trekken helemaal doorweekt raakte. Ik werd letterlijk boven op de andere doden gesmeten, maar nog steeds met mijn rug naar boven; anders zou het contact met de verrotting me omgebracht hebben voordat we in het ziekenhuis aankwamen. Op de binnenplaats, tegenwoordig een oord van cultuur en ingetogenheid, zwermden duizenden moddervette vliegen.

Gelukkig was ik nog steeds vrijwel bewusteloos. Ik merkte bijna niets.

'Meteen wegwezen, smerige rat.'

Ze hadden de poort opengedaan. Toen werd er een dekzeil over de lichamen gelegd, zodat de vrije burgers van Barcelona al die rotzooi niet zouden zien, maar die verhulling diende nergens toe. De route van de kar werd gemarkeerd door een straal bloed en iedereen ging opzij in verband met de walgelijke stank.

En zo kwamen we, nadat we de stadsmuur van de Ramblas waren gepasseerd, aan bij het Hospitaal van Santa Cruz.

Dat was in die tijd het mooiste, modernste ziekenhuis van Barcelona.

Met de bouw van het ziekenhuis was in 1401 begonnen, het eerst met de oostelijke vleugel. Vóór die tijd waren de ziekenhuizen in Barcelona afhankelijk geweest van de liefdadigheid, deels van de gemeente en deels van de Kerk, wat dikwijls voor competentiestrijd zorgde. Tijdens die strijd deed niemand enige moeite de doden te tellen, stel ik me zo voor. In 1401 benoemde de Raad van Honderd een commissie om met de Kerk te onderhandelen en werd besloten de verschillende ziekenhuizen te verenigen in een enkel hospitaal dat gevestigd werd in de Casa dels Malalts d'en Colom, wat geen enkele zekerheid bood, want daar was eerder een leprozencentrum geweest.

Toen ik in het ziekenhuis werd afgeleverd, niet ver van het bordeel waar ik geboren ben, bood dat ziekenhuis een verre van respectabele aanblik. Aan alle kanten waren er bouwwerkzaamheden, maar aangezien pas in de achttiende eeuw het hele blok tot één geheel zou worden samengevoegd, leek het op dat moment nog een bende vol

duistere, lang niet allemaal bekende hoeken. Er was een kerkhof van
bescheiden afmetingen, een paar rustzalen – op de plaats waar eeuwen later de grootste bibliotheek van de stad gevestigd zou worden
– en wat kleinere afdelingen waar alleen de dood heerste. Daar het
een gratis ziekenhuis was, waren er allerlei experimenten toegestaan,
zij het niet legaal. De officiële geneeskunst was echter voor zover ik
wist goed geregeld. Drankjes die in de grote apotheek waren samengesteld en die in principe voor alles dienden, aderlatingen, vastenku-
ren, bloedzuigers, gebeden en bedrust. Dat waren de belangrijkste
geneeswijzen. De vleugels waar later stapels boeken zouden staan,
stonden vol bedden van waaruit men het hiernamaals aanschouwde.
Er was een zichtbaar gedeelte in het ziekenhuis waar het er routine-
matig aan toeging, hoopgevend en vooral zeer godvruchtig.

Maar de grote aantallen menselijke overschotten die door die
plaats werden geproduceerd hadden doodgravers, dieven, alchemisten en niet-erkende genezers aangetrokken uit alle windstreken van
Europa. Daar in de afdelingen dicht bij de graven, waar de controle
door het ziekenhuis werd ontdoken, werden lichamen in stukken gesneden, weefsels ontleed en foetussen uit dode moeders gehaald zonder dat iemand zich erom bekommerde of de foetus nog leefde of
niet. Alles diende als proefneming, soms uitgevoerd door regelrech-
te schurken, soms door wetenschappers uit Europa met meer aanzien, vluchtelingen uit hun land in oorlog, die van niemand een positie in het ziekenhuis kregen. De doden in de achterbuurten werden
nergens geteld en daarom bestonden er enorme beerputten waar
stoffelijke resten in werden gegooid. Hele lichamen werden er ook
in gesmeten, misschien nog voordat de laatste adem was uitgeblazen.

De wetenschap schreed voort te midden van verrotting, bloed,
gekerm, wormen en gebeden gericht tot de Allerhoogste. Het was
de enige manier waarop de middeleeuwse wetenschap vooruit kon
komen, want iedere overledene zorgde voor een les die voor hemzelf nergens toe diende, maar waarvan iemand anders, bijvoorbeeld

een Franse geneesheer, een Jood of een slaaf, altijd wel wat opstak. Aangezien ik een lichaam was dat illegaal verkregen was door omkoperij, werd ik onmiddellijk overgedragen aan een groep militaire chirurgijns die het er levend afgebracht hadden in veldslagen ver weg tegen de Slaven, de Vikingen of de Turken. Al het internationale tuig had zich daar verzameld, onder bescherming van het geld van de grote stad, en wilde geen tuig meer zijn. De ploeg die mij kocht, bestond uit drie Deense chirurgijns, eigenlijk drie amputatie-experts. Overeenkomstig de heilige normen van het slagveld werden alle geïnfecteerde of al naar verrotting stinkende ledematen losgezaagd van de rest van het lichaam, waarbij bloedingen met een schroefverband werden gestelpt. Die dokters verbeterden hun techniek door ledematen van lichamen te zagen, maar af en toe hadden ze behoefte aan een levende, wat hun echter systematisch werd geweigerd. In dit geval was ik de levende en ze wilden proberen of ze me konden redden.

Het was er afschuwelijk smerig en de enige hygiënische maatregel bestond uit emmers water die over de tafels vol ingewanden en bloed werden gekieperd. Maar die buitenlandse geneesheren waren iets verbazingwekkends op het spoor en dat was dat er soms onverklaarbare genezingen voorkwamen in ledematen waarin wormen zaten en bepaalde schimmels groeiden. De chirurgijns spraken met een soort respect over het effect van die schimmels, ook al was er geen wetenschappelijke basis voor, en daarom vonden ze de smerigheid minder erg. Tussen het bloed en water op de tafels lagen vaak ook menselijke uitwerpselen.

Die hele wereld, verbonden aan het ziekenhuis maar officieel niet bekend, waar de lijken heen werden gebracht, was gedurende twee weken mijn wereld. Zoveel tijd had ik nodig om weer te kunnen lopen, kromgebogen als een aap. Ik had het enorme geluk dat een Joodse legerarts me onder zijn hoede nam, die niet aan het uitwijzingsbevel had gehoorzaamd en daarom in het verborgene leefde, hoewel hij zich 's nachts in de stegen van de Call waagde. Hij begreep onmiddellijk twee dingen: dat ik een jongeman was die in principe gezond was, en dat de vreselijke verwondingen op mijn rug zich spoedig zouden vullen met wormen. Hij had met die methode kennisgemaakt op de galeien, waar de merktekens van zweepslagen veel op mijn wonden leken.

Het eerste wat hij deed was nagaan of mijn gewrichten min of meer op hun plaats zaten en of ik niet volledig was gekraakt door het rad. Daarna boog hij zich over de wonden op mijn rug met de waarschuwing dat het erg pijn zou gaan doen en dat hij geen enkele garantie kon geven dat ik zou genezen. 'Maar die heb je daarbinnen natuurlijk ook niet,' voegde hij eraan toe, en hij duidde met zijn kin naar de beuken van het ziekenhuis. Zijn techniek bestond uit het branden van suiker rechtstreeks op de wonden en het aanbrengen van een zalf die hij naar het scheen zelf had samengesteld. Ik had niet het minste idee dat die zalf gemaakt was van vet uit lijken, bij voorkeur vrouwelijke, omdat die een smeuïger substantie leverden. 'Van vrouwen is alles te gebruiken,' vertelde hij me veel later, 'in het bijzonder de baarmoeder als daar kort tevoren een foetus in heeft gezeten.'

Die man had nog nooit over stamcellen horen spreken en hij overleed zonder te vermoeden dat hij in zekere zin op de goede weg was. Wat hij met zekerheid wist, was dat de geneeskunst geen voortgang boekt zonder de hulp van de lichamen van slachtoffers.

Tijdens zijn behandelingen viel ik verscheidene keren flauw. De brandende suiker op de wonden was veel erger dan de folteringen van de Inquisitie. Ik begrijp niet hoe ik het kon verdragen, en twee anderen die naast me lagen in een vergelijkbare toestand, gingen dood. Een van hen was volkomen krankzinnig geworden. Ik had geluk dat de zalf uit het vrouwelijke kadaver die daarna werd aangebracht bijna verfrissend bleek te zijn, en meer nog de laag modder die daar weer op gekwakt werd.

Dagenlang werd ik verborgen gehouden in de lijkenopslag, waar het vreselijk stonk en waar de directie van het ziekenhuis niets van wist. Alleen enkele geestelijken ontfermden zich over de lichamen die door de familie werden opgeëist, als die ze tenminste wilden begraven volgens de katholieke gebruiken. De overige, waaronder die van moslims en Joden, waren niet de geringste aandacht waard.

De behandeling werd dagelijks herhaald.

Er werden een paar emmers water over mijn rug geplensd, de zalf werd eraf gespoeld en vervolgens werd er weer suiker op de wonden aangestoken, wat een helse pijn gaf. Die operatie werd drie keer herhaald en dan werd ik weer met blote rug, badend in kadavervet en modder, in de openlucht gelegd. Ik kreeg nu en dan een slok water of een kommetje soep, die de geneesheer me lepel voor lepel moest voeren, want ik kon niet overeind komen of mijn armen bewegen.

Heel die vreselijke tijd wist ik dat ze me zochten. Ik wist dat De Ander in bordelen, kotten, leprozerieën en zelfs in graven zou zoeken. En hij werd toegelaten op de afdelingen van het Hospitaal van Santa Cruz, op de officiële afdelingen tenminste, niet op de geheime. Dat was een andere wereld, een helse wereld buiten ieders bereik. De wetten die golden voor de levenden, golden niet voor de doden.

In mijn wanen dacht ik dat zoveel lijden nergens toe diende. Dat De Ander me maar te pakken moest krijgen en me opnieuw naar het tribunaal van de Inquisitie moest sturen. Maar op dat punt had ik geluk en ook op een ander punt.

'Er groeien schimmels in je vlees,' mompelde de geneesheer toen hij mijn wonden zag. 'De dokters in het ziekenhuis zouden zeggen dat je verloren bent, maar ik beweer dat je misschien nog te redden bent. Ik heb veel gevallen gezien waarin weefsels weer aangroeien door schimmels. Hoewel ik dit niet in het openbaar kan zeggen, want dan zouden ze me misschien van ketterij beschuldigen en naar de brandstapel sturen.'

Hij kreeg gelijk.

Hij werd van ketterij beschuldigd omdat hij een van de directeuren van het ziekenhuis had verteld wat hij geloofde en hij moest vluchten uit Barcelona. En mijn wonden werden littekens. Ook al was mijn lichaam nog kromgebogen en kon ik mijn gewrichten nog niet bewegen, er werd me gezegd dat ik weg mocht. De lijkenvernielende anatomen hadden me gekocht, maar wilden geen verdere experimenten op mij doen. En bovendien zag ik op hun gezicht tevredenheid en zelfs goedaardigheid. Later heb ik wel duizendmaal gedacht dat wat mensen echt verenigt, de trots is op goed uitgevoerd werk, en een geneesheer wordt door die trots haast een heilige.

Hoe dan ook, de Jood die vanaf toen de zoveelste vluchteling zou zijn, sprak me aan: 'Ik heb bijna niets gedaan. Het is ongelooflijk hoeveel levenskracht jij bezit; ik snap niet waar je uit gemaakt bent en dat je nog steeds in leven bent. Als ik mijn oude dag haal, kom ik daar misschien ooit achter.'

Ik weet niet of hij zijn oude dag gehaald heeft, maar ik denk niet dat hij er ooit achter gekomen is.

Te voet ging ik terug naar de enige plaats waar ik me redelijk veilig kon achten: die oude romaanse kerk in El Coll. Ik liep 's nachts, zodat niemand me te zien kreeg. Ik begon aan de klim langs de braakliggende velden die op korte afstand van Canaletas begonnen, ik kwam bij het dorpje dat Gracia heette en dat zo trots was op zijn grondgebied. Ik liet het weer achter me. Weer over de wegen tussen de zachtgolvende heuvels, weer de diepe kloof genaamd Vallcarca in, weer langs de paadjes die aan de ene kant naar de kerk van El Coll leidden en aan de andere kant naar de penitenten, naar de grotten van de kluizenaars.

Het kwam me voor dat de aarde wel honderd keer was rondgedraaid sinds mijn vertrek, maar daar was alles hetzelfde gebleven.

De kerk waar de gelovigen nauwelijks in pasten. De bergen waar de wolken zich in verloren. In de verte was het ommuurde Barcelona te zien. De bazen van het landgoed. En het meisje, het meisje met de ogen zonder hoop, het meisje dat dingen van de zoon niet tegen de vader mocht zeggen en omgekeerd. Daar beging ik mijn misdaad.

21

Het laatste huis aan de stadsmuur

Marta Vives jaagde achter de spookverschijning van zichzelf aan.

Ze wist niet waar ze de tijd vandaan haalde. Ze begreep niet hoe ze in staat was haar naspeuringen te laten sporen met het kantoorwerk dat Marcos Solana haar opdroeg, waaronder steeds meer familieruzies, steeds meer huurcontracten van voor de invoering van de Wet Boyer en steeds meer erfenissen van zeer verre verwanten. Maar dat kwam misschien doordat Solana blindelings op haar vertrouwde. Nooit was een stagiair van hem zo goed in staat geweest om eenvoudig een verhaal op te bouwen vanuit een naam of door een lijn door te trekken vanuit een schijnbaar nietszeggend document. Marta Vives kende de hele geschiedenis van Catalonië, de kleine geheimen ervan, de familieverbintenissen, de tegenslagen in de families, de rijkdommen en het overspel. Toch raakte ze door die hele papierwinkel geleidelijk haar vrolijke oogopslag kwijt en liep ze met steeds tragere, lomere tred, zonder dat het overigens, volgens kenners althans, schadelijke gevolgen had voor haar mooie benen. Integendeel, zeiden de mannen die het weten konden, het is gemakkelijker een vrouw tot in haar bed te volgen die met kleine pasjes loopt.

Ze benutte formaliteiten buiten kantoor om gebouwen te bezoeken, in archieven te duiken en in de oude notariaten van Barcelona te snuffelen, waarvan iedereen denkt dat er alleen maar papieren bewaard worden, maar waar in werkelijkheid gebalsemde stukjes ziel liggen.

Haar enige aanknopingspunt was een kruis dat gestolen was uit een middeleeuwse graftombe. Daar, bij dat dode voorwerp, begon de geschiedenis van haar voorouders. Van daaruit had het meisje het ene papier na het andere, het ene archief na het andere kunnen volgen van het korte leven van de dochter van die vrouw die vermoord was. Flarden van haar geschiedenis doken op in een kerkelijk register uit 1493, van vlak na de ontdekking van Amerika, waarin gedetailleerd de slachtoffers van een waterverontreiniging in Barcelona werden beschreven. Er waren zeer veel mensen begraven in een massagraf, maar bij sommige werd de precieze doodsoorzaak aangegeven: een dolkstoot bij een handgemeen, rabiës door een hondenbeet, vergiftiging door kruiden of een rituele moord. Haar verre voorouder was als enige bij een ritueel gedood.

Dat duidde op mysterieuze verbanden die uit de diepte van de tijd gekomen waren, maar nergens toe leken te dienen. En nu was er de diefstal van de enige foto van haar moeder, en verder was er nog de juwelier Masdéu die een gouden kettinkje zocht dat hij nooit had ontworpen. Marta Vives ging onvermoeibaar door met zoeken, hoewel ze soms niet wist waarnaar ze op zoek was en ze soms bang was voor haar eigen leven.

Het eerste wat haar te doen stond was natuurlijk de plaatsen vinden waar haar voorouders gewoond hadden, doordringen in het oude Barcelona, een Barcelona dat niet meer bestond. De Vía Layetana telde honderden huizen waar niemand meer weet van had, het nieuwe plein voor de kathedraal was aangelegd boven op de ruïnes van straten die nu nog slechts op papier bestonden, en de oude wijk Ribera was zo vervallen dat toen er brokstukken werden opgegraven bij de bouw van het marktgebouw van de Borne, niemand ze aanvankelijk herkende. Daar konden degenen hebben gewoond – en misschien ook wel zijn gestorven – die haar naam droegen, maar het was onmogelijk sporen te volgen in een stad die zichzelf verslond.

Uiteindelijk vond ze een spoor van wat haar overgrootmoeder had kunnen zijn of misschien haar betovergrootmoeder. Het eerste wat ze zag was dat de familie altijd endogaam geweest was: Vives-vrouwen trouwden met Vives-mannen, waarvoor ze in veel gevallen verlof moesten aanvragen wegens de familierelatie, een moeilijk te overwinnen barrière. Welke geheimzinnige roep, welke drijfveer had die wezens ertoe gebracht telkens weer naar elkaar te zoeken, alsof ze gehoorzaamden aan een bevel uit het onbekende? Was het geslacht door zoveel bloedverwantschap gedegenereerd? Het leek van niet: Marta Vives was heel gezond en ook haar moeder was dat geweest naar het scheen. Haar vader en grootvader had ze nooit gekend.

Het spoor voerde haar naar het laatste huis dat op de stadsmuur van Rondas gestaan had, het derde en laatste bolwerk van Barcelona, na de romaanse en de gotische muur. Die omvatte in principe wat nu de wijken San Antonio en San Pablo zijn, aansluitend aan het vestingwerk Atarazanas. De oude muur van de Ramblas had Raval met al zijn ellende buitengesloten (en ook de grandeur van zijn kloosters en het wonder van het Liceutheater), maar de nieuwe muur van Rondas had dat allemaal binnen een militaire ring ingesloten. In Raval waren de straten steeds nauwer geworden, zoals vroeger in de oude binnenstad het geval was, de meest gruwelijke opeenhoping van mensen en de minst bewoonbare huizen. De bedrijven die zich in die omtrek vanaf de achttiende eeuw gevestigd hadden, hadden dicht in de buurt woningen voor de arbeiders gebouwd, maar hoe kleiner hoe beter, zodat er algauw geen vijgenboom, geen tuin, geen vogel meer overbleef. De taveernen waar die nieuwe massa's behoefte aan hadden, werden steeds ongezonder en verruwden steeds meer (totdat een burger genaamd Anselmo Clavé de blokken bouwde waarmee hij de arbeiders uit die graftomben poogde te halen) en de bordelen steeds smeriger en benauwder. Er hing geen carassa meer buiten zoals in de middeleeuwen, en het eerlijkste zou geweest zijn de oude afbeelding van vrolijkheid te vervangen door de beeltenis van een wenende vrouw. Tegenwoordig vonden in de bordelen nauwelijks nog gesprekken plaats, de klanten kenden elkaar niet en geestelijken kwamen er niet meer zo vaak. Het waren nu gewoon opslagplaatsen van zaad, waarmee de vrouwen in gevangenschap het web van hun leven leken te weven.

Het huis dat Marta Vives zocht was het laatste dat onder de huizen had gestaan die direct op de nieuwe muur werden gebouwd toen die zijn nut verloren had, de ruimte meer dan ooit nodig was en de sloop van de muur in 1854 zich snel voltrok. De huizen waren illegaal en dat al eeuwenlang, evenals de huizen die zelfs tot 1946 op de oude romaanse muur stonden. Bij haar naspeuringen had Marta Vives ook achterhaald wie de laatste huurder was die uit die huizen in de oude stad verdreven was: hij heette Robusté.

Maar het huis stond er nog. Het was gebouwd aan de rand van de Calle Riera Alta en was tot in de jaren tachtig van de twintigste eeuw bewoond geweest en dus een gedenkwaardig gebouw. Zo gedenkwaardig dat er gedurende de laatste vijftig jaar een hotel voor paren in was gevestigd, altijd bestaand uit een professionele vrouw en een man die die status bijna bereikte. Onder de meest uiteenlopende politieke regimes werd daar de kunst beoefend van de steelse kus, de fellatio, liefde voor het hele leven, het gordijn en de spiegel.

Marta keek naar het gebouw dat er nu stond. Een appartementengebouw, fantasieloos en met veel glas, simpelweg gebouwd voor het elementaire leven, dat alleen maar voorbijgaat, zonder enig verband met het leven waarvan men droomt. Nogal logisch als nieuwe gebouwen op de ziel van de oude geplaatst worden. Tenminste, dat wenste zij te geloven.

Ze onderzocht in de archieven de foto's van hoe de wijk geweest was. Praktisch alles was hetzelfde, behalve de Plaza del Peso de la Paja, nu afgesloten door een gebouw van de gezondheidszorg en vroeger door een café met melancholische hoeren. De Rondasbioscoop bestond ook niet meer, een fabriek voor goedkope dromen voor families die hadden besloten ergens in te geloven, en ook het laatste huis op de muur natuurlijk niet. Vroeger stond daar een gebouw met kleine ramen, met beneden een bar – Picón genaamd, zoals op de foto's te zien was

– en kamers waarin vrouwen hun geld telden en mannen hun nummertjes. Het moest een gebouw geweest zijn met nauwe trappen, deuren die niet goed sloten, ouderwetse bedden, velours gordijnen en spiegels aan het plafond. Toen het gebouw gesloopt werd, vielen er geen stenen op de grond maar fluisteringen.

Volgens de naspeuringen van Marta was het gebouw echter niet altijd een hotel voor paren geweest. Voor die tijd was het een gewoon woonhuis en daar woonde de overgrootmoeder van Marta of wie weet haar betovergrootmoeder. De sporen gingen verloren in de wolken van de anonieme geschiedenis... Marta liep door de oude straten en had het gevoel dat de tijd in haar binnendrong.

Ze waagde het erop in de registers van de burgerlijke stand te gaan zoeken waarin de bewoners van elk huis in de stad waren vastgelegd voor de kieslijsten. Maar dat was zinloos, want vrouwen hadden geen stemrecht tot na de dictatuur van Primo de Rivera; er kwam in het register geen vrouw met de naam Vives voor. Gelukkig voor haar kreeg ze hulp van pater Olavide, die vaak in het advocatenkantoor kwam (hij was specialist in canonieke testamenten) en die haar verwees naar de Kamer van Stedelijk Eigendom. Daar zou ze misschien op het wonder stuiten van het bestaan van archieven van oude huurcontracten die waarschijnlijk niemand ooit meer had ingezien. Pater Olavide kon nog beter zoeken dan zij. Hij leek wel alles te weten.

En hij vond het contract: Elisa Vives, derde verdieping links, twee peseta's per maand. Met die gegevens kon ze bij de burgerlijke stand gaan zoeken, maar de naam bleek niet voldoende; misschien hadden de registers schade opgelopen tijdens de Burgeroorlog, misschien vonden arme mensen van twee eeuwen geleden het niet zo nodig te laten vastleggen dat ze van deze aarde verdwenen waren.

Opnieuw was het pater Olavide die haar raad gaf: 'Ga eens kijken op de Nieuwe Begraafplaats, want daar moet je natuurlijk zijn. Die is namelijk ouder dan die op de Montjuïc, ingewijd aan het eind van de negentiende eeuw. Omdat ik de beheerder ken, zal ik hem bellen om hem te vragen je te helpen. En dat zul je wel nodig hebben; ik weet niet of er een archief bestaat van begrafenissen uit de tijd van de Carlistische Oorlogen. Als het rijke mensen waren wel, want hun graftomben zijn bewaard gebleven, maar arme mensen... Nou ja, je kunt het proberen.'

Marta Vives ging het proberen. Ze verdiepte zich in een wereld van in marmer gestolde liefde. Stenen met door de tijd uitgewiste letters, gevleugelde figuren met versleten randen, met de hand uitgebeitelde verzen om kortstondige liefde te gedenken. En katten, veel katten, die in de stille uren tevoorschijn kwamen. Marta drong in die wereld binnen en in de oudste archieven had ze het geluk de naam Elisa Vives aan te treffen. Een grafnis die minstens vijftig jaar geleden geruimd was omdat er niet voor betaald was. 'Hoewel er een familie was die zelfs na de Burgeroorlog nog betaalde,' kreeg Marta te horen, 'waarschijnlijk vrienden, want de namen hebben niets met elkaar te maken. Die familie heette Masdéu.'

En de beheerder voegde eraan toe: 'Toevallig kwam een meneer die Masdéu heette een poosje geleden met dezelfde vraag bij me aan. Ik heb mijn best gedaan hem te helpen want ik kende hem. Mijn vrouw heeft namelijk eens een sieraad bij hem gekocht.'

22

De graftombe op de heuvel

De grote vlakte bij Barcelona strekte zich eindeloos ver uit. Dat gaf
het gevoel dat de stad dat gebied nooit zou inlijven, net zoals wij
tegenwoordig het misleidende gevoel hebben dat we als mensheid
nooit de hele aarde zullen bewonen. Gezien vanaf de heuvel bij de
kerk van El Coll begon toch al duidelijk te worden dat Barcelona
zijn natuurlijke grenzen had. Aan de ene kant werd de stad begrensd
door de zee, aan de andere kant door de bergen, links door een rivier
en rechts door een tweede stroom. En ook toen al was gemakkelijk
te zien dat kleine, zelfstandige dorpjes als Gracia, Horta, Sarría of
Pedralbes het gebied zouden vullen en vervolgens door de grote stad
zouden worden opgeslokt. Voorbij Raval waren in de nevels vaag
enkele huizen te zien van Pueblo Seco, dat zich niet uitbreidde omdat het verboden was dichter bij de ravijnen van de Montjuïc te bouwen. Vanaf El Coll waren in de eindeloos lange namiddagen nog een
paar heuvels te onderscheiden, een niemandsland. De late zon scheen
op velden waar nog de stilte van eeuwen heerste.

Alles was nog hetzelfde.

De priester kwam te weten dat ik door de Inquisitie gefolterd
was, maar het was niet daarom dat hij me niet meer in zijn kerk
toeliet; hij wist dat het Heilig Officie veel mensen alleen op ver-
denking aanhield. De anderen waren er nog: de herders, de land-

eigenaren, de gevallen vrouwen die als slavin werkten en vooral: het meisje.

Bij haar was niets veranderd, behalve haar ogen zonder hoop en haar lijdzame glimlach. De vrouwen in het huis behandelden haar steeds slechter en met toenemende minachting, want voor hen was het maar een leerling-hoer; daarentegen maakten ze de meesters, de heer des huizes en de hereu geen enkel verwijt. Het meisje maakte net als de dieren deel uit van wat de aarde hun geschonken had.

'Ik ben geen leerling-hoer, ik ben een volledige hoer,' zei ze me op een middag, met schaamte in haar ogen. 'Ze hebben alles al met me uitgehaald.'

Ze stortte haar hart bij mij uit omdat ze op mysterieuze wijze gemerkt had dat ik seksloos was en ouder dan ik leek. Ze luchtte haar hart bij mij omdat ze er behoefte aan had te bekennen dat ze zich schaamde, want zo kon ze de wereld onder ogen zien en haar sterven rechtvaardigen.

Ze hadden van alles met haar uitgespookt en ze was zwanger, maar ze wist niet of het van de vader of van de zoon was; in deze toestand zat er niets anders voor haar op dan in het veld haar kind ter wereld te brengen, zoals de dieren, het schepseltje op te pakken en te vluchten. Niemand zou haar helpen, de Kerk al helemaal niet. Als verspreidster van zonde zou ze misschien in een tehuis voor berouwvolle vrouwen worden opgenomen, waar zij haar hele leven de schuld zou krijgen, niet van wat ze gedaan had maar van wat haar was aangedaan, alsof het haar schuld was. Maar ze wilde niet dat haar kind dat te weten zou komen. Ze wilde sterven.

De maatschappij was vroom en rechtvaardig. Zij kon daar niets aan veranderen.

Dat bekende ze me op een middag, toen ik haar een toevlucht bood in een grot, nadat een groep buurtgenoten stenen naar haar had gegooid. Vernederend en vreselijk, alleen haar hond bleef bij haar en likte haar wonden. Haar hond en ikzelf, ik die geen naam had en geen beschermheilige en die niet zou worden vervolgd omdat ik nog zo jong was.

Ik voelde me verschrikkelijk zwak. Door het bloedverlies was ik zo uitgeput dat ik me nauwelijks kon bewegen en een duister instinct dreef me ertoe haar te gaan opzoeken. Het kleine meisje bood me niet haar lippen, want die hadden geen waarde; ze bood me vol vertrouwen haar hals.

Ik weet niet of zij het wist. Of dat haar instinct het haar zei, het instinct van een vrouw die wilde sterven.

Ze hield zich stil terwijl ik in haar hals beet zonder haar pijn te doen. Ze bleef zich stilhouden terwijl ik haar leven opslorpte. Haar mooie ogen veranderden niet toen ze de dingen om zich heen voor altijd zag vervagen. Ik weet niet of ze besefte dat ze ging sterven, net zomin als het tot mij doordrong. Of misschien wist ze het toch. Misschien, want haar laatste woorden waren: 'Dank je wel.'

Ik was het die haar doodde zonder dat ik het ook maar kon begrijpen.

Ik loog, zei dat ik haar lichaam had gevonden en vroeg of ze naast de kerk begraven mocht worden.

Dat werd door de priester geweigerd.

Alle oprechte, weldenkende mensen die regelmatig naar de mis gingen, weigerden haar lichaam. Bijvoorbeeld de eigenaar van het voornaamste landgoed in de omgeving. En de jonge hereu die het niet verdiend had op het slechte pad gebracht te worden. En ook de vrouwen uit het huis, die haar niet naast de graven van hun ouders wilden hebben, maar wel beloofden tot God te bidden of hij die hoer wilde vergeven.

Ze werd eenzaam begraven op de top van de heuvel die de vlakte in tweeën deelde, vanaf de bergen tot aan zee.

De priester en ik begroeven haar in stilte. De priester vroeg me het aan niemand te vertellen. Maar de hond die naast het graf bleef zitten janken, vertelde het wél. Hij vertelde het drie dagen en nachten lang.

23

De stad van de geestverschijningen

Rechter Brines ontving Marcos Solana in zijn kantoor dat uitkeek op de Passeig de Lluís Companys. In moeilijke tijden was hij een armeluis-advocaat geweest. Op het bureau lagen stapels dossiers hoog opgetast, vanaf de computer grijnsde een poppetje je toe en de bomen op de boulevard baadden in een weemoedig stemmend licht.

Rechter Brines was een studievriend van Solana geweest en hij had bewondering voor diens grondige kennis van de oudste families van Catalonië. In wezen zijn het altijd dezelfde families, dacht hij. Vroeger hielden ze zich bezig met de zeevaart en met de handel met Cuba. Daarna met textiel en nog later met grondstoffen. Hun laatste onuitput-telijke bron van inkomsten waren tegels, een handel waar geen eind aan kwam. En inderdaad, het zijn altijd dezelfden, maar au fond kost het moeite hen te leren kennen.

Daarom vroeg de rechter af en toe advies aan Marcos Solana. En Marcos Solana vroeg het Marta Vives.

'Ik ga de zaak van het rituele misdrijf in Vallvidrera afsluiten,' lichtte hij toe. 'Ik noem het een misdrijf omdat ik niet tot een andere verklaring kan komen. Aan de politie heb ik alle mogelijke informatie gevraagd, maar ze geven me steeds dezelfde en ik kan maar geen oplossing vin-den. Deze zaak gaat naar het voorlopig archief, maar ik zal er alert op blijven voor het geval er iets nieuws opduikt.'

Hij stak een sigaret op. 'Het spijt me dat te moeten doen, want zo blijft het volledig duister. Het is zo'n verontrustende zaak dat ik graag meer bewijzen had gevonden.'

'Ben je zoiets wel eens eerder tegengekomen?'

'Eigenlijk niet, maar dat kan komen doordat ik pas een paar jaar aan deze rechtbank verbonden ben. Een paar collega's hebben me wel verteld over eerdere vreemde misdrijven die zinloos leken en waarbij een journalist zelfs schreef er de hand van het hiernamaals in te zien; anderen halen er de tijd van Franco bij en die zaken zijn niet eens in de krantenarchieven te vinden. De reden daarvoor is heel eenvoudig: om de brave burgers niet in de war te brengen, werd in de tijd van Franco niets gepubliceerd over gebeurtenissen die te maken hadden met religie. In de religie was alles heilig. Maar waarom beweer ik dat die moord in Vallvidrera op een of andere manier verbonden is met religie? Eigenlijk weet ik dat niet. Ik weet alleen dat het een ritueel was... Enfin, ik zal de voorlopige akte opstellen, tenzij de openbare aanklager of de indiener iets anders vraagt.'

Marcos Solana knikte langzaam. Nee, hij had niets meer te vragen.

Een afgesloten zaak. Deze zaak zou nooit heropend worden, tenzij iemand op een dag in de verre toekomst hem zou gebruiken als scenario voor een serie over duivelse rituelen.

'Dank je wel dat je me zo ter wille bent geweest,' zei hij.

'Je moet niet denken dat ik er gelukkig mee ben deze zaak te kunnen vergeten. In werkelijkheid verontrust hij me. Soms heb ik het gevoel alsof de tijd niet bestaat, ondanks het feit dat we onze eigen verloedering meemaken. Er zijn ideeën die eeuwig voortbestaan en ik heb me vaak afgevraagd of er ook wezens kunnen bestaan die eeuwig leven.'

'Daar heb ik ook aan gedacht.'

'Dit is geen rationeel gesprek.'

'Nee, het is niet rationeel,' zei Marcos Solana.

'En evenmin politiek correct.'

'Nee, ook niet politiek correct.'

'Een rechter kan geen gerechtelijk vooronderzoek instellen waarbij hij uitgaat van dingen uit het hiernamaals,' rondde Brines af.

'Maar het hiernamaals bestaat wel.'

De twee mannen drukten elkaar de hand. Marcos Solana stond op het punt naar de deur te lopen. 'Ik heb gehoord dat je een overplaatsing aangeboden hebt gekregen,' zei hij, alsof het hem op dat moment zomaar inviel.

'Ja, naar Madrid, in een hogere schaal, maar ik hou het nog even af. Wat ik daar meer zou verdienen, zou ik kwijt zijn aan de huur van een etage, want hier heb ik een goedkoop appartement en dat zou ik daar weer moeten gaan zoeken. Bovendien hou ik van Barcelona, hoewel men hier geen respect heeft voor rechters en het werk zich elke dag opstapelt. Barcelona is een stad die van mythen leeft, ook al wordt er gezegd dat het een realistische stad is. En de stad is bevolkt met geesten van anarchisten, vakbondsleden, revolutionairen, van mensen die vandaag ijverig aan het werk zijn en morgen, wie weet waarom, besluiten de graven in de kloosters te gaan openbreken. Op dit moment is het buitengewoon rustig in de stad, zeker. Maar geestverschijningen bestaan, in het Hospitaal van Santa Cruz... O, we moeten niet vergeten dat er veel geesten van vrouwen bij zijn. Hier hebben de fatsoenlijkste courtisanes van Europa geschiedenis geschreven.'

De rechter schaterde het uit terwijl hij zijn bezoeker naar de deur begeleidde.

'O ja,' zei hij terloops, 'bedank Marta Vives voor haar hulp. Af en toe vraag ik haar om informatie, wanneer in een akte een oude naam voorkomt. Zij weet er alles over en verschaft me alle inlichtingen met zoveel kennis van zaken en onbaatzuchtigheid dat ik haar er nooit genoeg voor zal kunnen belonen. Twee weken geleden vroeg ik haar naar de hoofdrolspelers in een bankfraude – uit oude families – en zij vertelde me de achtergronden op zo'n manier dat ik het gevoel kreeg alsof ik in het begin van de twintigste eeuw leefde, toen de banken in Barcelona pas gevestigd werden. Je weet niet hoeveel werk me dat

scheelt... In die informatie komt trouwens de naam voor van een voorouder van Marta en misschien wist ze er daarom wel zoveel van. Die
voorouder was naar het schijnt een eersteklas boekhouder, een van die
typen met een brilletje die in een achternamiddag de balans opmaken
van de grootste machinefabriek van Barcelona. Een volmaakte vent, zo
een die zich nooit vergist. Maar op een dag wordt hij opeens in een
krankzinnigengesticht opgesloten.'

'In het ergste geval kreeg hij een aanval van cijferwaanzin,' antwoordde Solana, die niet van cijfers hield.

'Je stagiaire Marta gaf geen details. Ze noemde haar voorouder alleen
omdat hij algemeen secretaris was bij een bank en de boeken achterliet
zonder ze af te sluiten, hetgeen enkele latere discrepanties verklaart die
mettertijd aanleiding vormden tot fraude. Ik kon merken dat Marta het
niet prettig vond erover te schrijven. Maar ik leidde uit haar verhaal af
dat de goede man krankzinnig geworden was; hij begon te verkondigen
dat hij in de onsterfelijkheid geloofde, wat eigenlijk nog heel normaal is,
want alle katholieken geloven daarin. Maar daarna beweerde hij – en
dat deed hij bij een algemene vergadering van de bank – dat hij onsterfelijke wezens kende. "De heiligen die in de hemel zijn," zei een geneesheer met wie hij dagelijks omging. "Nee," stelde de voorouder van
Marta, "het gaat om mensen die op aarde zijn." De dokters, steeds ver-
baasder, drongen er bij hem op aan meer bijzonderheden te geven en
uiteindelijk noemde hij het adres van een man die volgens hem onster-
felijk was. De bank betaalde een privédetective om naar dat adres te
gaan, maar daar woonde niemand, of beter gezegd: er had een man
gewoond en die was er niet meer. De zieke eindigde in een inrichting,
waar hij zelfmoord pleegde, maar of iemand hem daarbij een handje
hielp, is nooit opgehelderd, en bovendien is het al jaren geleden. Van
wat ik van Marta Vives begrijp, zijn veel van haar voorouders op tragische wijze aan hun eind gekomen.'

Hij maakte een verontschuldigend gebaar, misschien omdat hij er
spijt van had zoveel te hebben gepraat. Maar per slot van rekening was

Solana zijn vriend en was Marta Vives een vrouw voor wie hij waardering had.

'Pas goed op haar. Het is een vrouw die veel waard is. En...' waagde hij het eraan toe te voegen.

Er viel een stilte. 'En?' vroeg Solana.

'En ik heb het gevoel dat haar leven in gevaar is.'

24

De laatste charge

Op 3 juni 1931 werd de kerk van Santa María del Mar door de Tweede Spaanse Republiek tot nationaal monument uitgeroepen, zonder dat dat een opstand van rechts tot gevolg had. Dit was een bewijs dat de Republiek evenveel belangstelling had voor culturele thema's als voor landbouwkwesties, maar volgens deskundigen moest men niet veel verder gaan. Er waren grenzen aan het culturele belang van kerken.

Ik ken de discussie goed, want ik werkte toen als verslaggever bij *El Diluvio*, de antiklerikale krant, en had ondanks dat veel vrienden bij kranten van rechts, zoals *La Veu de Catalunya*. Daar hadden ze waardering voor me omdat ik het antwoord kende op elke vraag. Wie was parlementsvoorzitter toen besloten werd af te rekenen met Cartagena? Ik wist het. Ik denk dat ik daarom aangenomen werd bij *El Diluvio* en ze me toestonden vrienden in het andere kamp te hebben.

Anderzijds was het niet zo moeilijk om bij de oprichting van de Tweede Spaanse Republiek aan het werk te komen bij *El Diluvio*. Willekeurige burgers konden tot de redactie toetreden, schrijven wat ze wilden en hun artikel voor publicatie overhandigen, uiteraard zonder enige honorering. In de helft van de gevallen werd het artikel gepubliceerd.

Ik begon te houden van de Calle Argentería, aan het eind waarvan de Santa María del Mar staat, in de buurt van de Fossar de les Moreres, door de regering van Catalonië beschouwd als een plaats van eer. Zo wordt die plaats nog steeds beschouwd – na talloze Catalaanse regeringen in ballingschap – maar de Calle Argentería is een pittoreske, welvarende buurt met tal van restaurants waar de eer van Catalonië nog altijd hooggehouden wordt. In de Fossar de les Moreres, waar vanaf 1714 de helden – of de waanzinnigen – begraven werden, zijn weinig restaurants te bekennen.

Ik ga er dikwijls naartoe, omdat ik een van degenen had moeten zijn die daar in het ossuarium zijn bijgezet en De Ander had daar naast me moeten liggen.

Na de dood van het meisje begreep ik dat ik niet in de heuvels kon blijven. Ik zou beschuldigd worden van moord en vervolgd worden, wat weer een stroom van geruchten zou veroorzaken, en het ergste was dat ik inderdaad verantwoordelijk was voor haar dood.

Ik voelde een soort vloek op me rusten.

Als ik in de spiegel van de sacristie keek, zag ik altijd hetzelfde gelaat: dat van een man van nog geen dertig jaar, een man wiens uitdrukking, postuur of gebaren niet veranderden. Om me heen veranderde alles voortdurend, er werden zelfs nieuwe huizen in de heuvels gebouwd, maar in mij leek de tijd te hebben stilgestaan. Net zoals op andere plaatsen gebeurd was, was het onvermijdelijk dat de mensen dat gingen beseffen, dat ze zouden denken: dat kan toch niet waar zijn?

Bovendien was er de dood van het meisje.

In dit geval was ik het instrument geweest. Instrument van wie? En waarom? Wat was mijn missie, als ik die al had? Wat was de betekenis van mijn zonde? Was er iets wat me onherroepelijk tot het kwaad dreef?

Ik moest vluchten. Ik kon niet langer op dezelfde plek blijven.

De priester liet me gaan, al vermoedde hij iets vreemds. Maar eerst vond hij het nodig me goed in te prenten dat deze wereld volmaakt beschikt was door de hand van God, dat de rollen al vastgelegd waren en iedereen zijn plaats kende. Aan de ene kant de landeigenaren, die door de Heer uitverkoren waren op grond van hun deugden en die niet alleen belast waren met het handhaven van de waarheid, maar ook met het verdelen van goederen. Aan de andere kant het slechte volk, dat door het beoefenen van de verheven deugd van liefdadigheid verlost moest worden. Naastenliefde was het nobelste dat God ons gegeven had, want dankzij naastenliefde werd rechtvaardigheid op aarde verspreid. Alles wat de natuurlijke orde van God verstoorde was zonde, en als daar geweld bij kwam, betrof het een doodzonde die streng bestraft diende te worden. Daarom moest degene die niets van God ontvangen had dankbaar zijn, aangezien hij immers ten volle de gelukzaligheid deelachtig was. Gaf ik me er geen rekenschap van dat alles voorbestemd was? Dat zei hij tegen me omdat hij merkte dat ik niet vroom genoeg was, ook al had ik zoveel jaren in de kerk gewerkt.

De priester koesterde argwaan: hij dacht dat ik op een of andere manier voorbestemd was voor het kwaad.

Ik vertrok vol twijfels over mijn identiteit en mijn bestemming, maar ik liep niet zo heel ver. Diep in de bergen van Vallcarca had zich een groep kluizenaars gevestigd die uitsluitend van water uit de talrijke bronnen leken te leven en die me opnamen in de veronderstelling dat ik kwam om te mediteren. En ze zaten er niet zo ver naast, daar ik verteerd werd door onzekerheid, vraagtekens plaatste bij mezelf en twijfelde of de schepping van de wereld voltooid was; hij was hoogstens half af. Ik veronderstel dat ik hierdoor revolutionair werd en, wat erger was, ketter, maar geen van de heremieten leek het te merken. Later kwam ik te weten dat ze allemaal ongeveer dezelfde ideeën hadden als ik, dat sommigen voortvluchtig waren voor de wet of gezocht werden omdat ze weggevlucht waren van hun meester. Ze gingen niet om met de kluizenaars van de penitenten, hoe dichtbij die ook waren, want die schenen te denken dat de wereld zo volmaakt was dat ze hem niet verdienden.

Die broederschap van het water – zij het niet van het eten – duurde maar kort, want we werden gearresteerd, verdacht van berovingen en banditisme, ook al had niemand iets gestolen. Ikzelf, de meest miserabele van allemaal, had niets anders gedaan dan het bloed gebruiken van een hond die toch dood zou gaan. Ik denk dat de hond me dankbaar was dat ik zijn lijden verlichtte: met een ketting vastgebonden aan de deur van een landhuis had hij zijn hele leven de brandende zon en de ijzige kou te verduren gehad, plus de eenzaamheid en de stokslagen die men hem toediende om hem valser te maken. Ik was de enige door wie hij zich liet benaderen, in het ochtendgloren, misschien omdat hij iets in mijn blik had gezien wat alleen te zien was voor hen aan wie de fundamentele waarheid op aarde was geopenbaard.

Bijna alle kluizenaars werden gevangengenomen, maar met mij toonde men enig mededogen, want ik was per slot van rekening een nieuwkomer. Ze hielden me maar twee maanden achter de tralies, die ik doorbracht met een van de merkwaardigste oude mannen die ik ooit in mijn leven ontmoet had. Hij was vrijwel blind, maar desondanks scheen hij instinctief alle verhoudingen in de wereld te kennen. In zijn jonge jaren was hij leerling geweest bij Griekse meetkundigen en Moorse wiskundigen en daardoor was zijn wereld een simpele verzameling onderling harmoniërende getallen. Met de rand van een steen schreef hij onvermoeibaar op de aarden vloer van de kerker en uit zijn mond hoorde ik wetenswaardigheden waarvan ik het bestaan nooit had kunnen bevroeden. Onder andere de meetkunde van Euclides, de gulden snede van Phidias en vergelijkingen die door de Moren waren ontworpen en in veel gevallen overgebracht door de Joden. Ik begon te beseffen dat ik, klein monster, een geleerde was.

Het zou echter nergens toe dienen. Nadat ik vrijgelaten werd, moest ik gaan werken in de talloze grafkuilen die geruimd werden in Raval om op de oude begraafplaatsen huizen te bouwen. Daar kwam ik erachter dat steden gebouwd worden op menselijke resten en op voorwerpen als een ring, een kruik, een stuk gaas, een doek, aangetast door de tand des tijds, en dat de lijken verschillende stadia ondergaan: wormen, larven, vliegen, kevers en stof, stof van eeuwen, dat ik inademde als de lichamen opgegraven werden om de graven te ruimen. Ik deed meer kennis op over anatomie en botten dan menig arts die de koning behandelde, maar dat kwam nooit iemand te weten.

Ik veranderde driemaal van werkplek om niemands aandacht te trekken. Mijn eerste nieuwe bestemming was in de steengroeven van de Montjuïc, die vanouds zo intensief ontgonnen waren en die bovendien zoveel leed hadden meegemaakt dat elk stuk rots de ziel van een dode steenhouwer leek te bevatten. Mijn volgende bestemming was een functie als boekhouder van een zijde-importeur en ten slotte iets beters: klerk in een notariaat dat aan de Plaza del Aceite gevestigd was – veel later verdween dat en kwam er een taveerne in het pand waar ik eeuwen later Picasso zou leren kennen – en waarin alle juridische akten werden opgetekend van een stad die inmiddels de belangrijkste aan de Middellandse Zee was. In al die jaren was ik immers niets veranderd, maar werd Barcelona een vreemde reus, die iets had ontdekt wat deze stad altijd heeft weten te behouden: het vermogen tot samenleven. Vreedzaam samenleven en verdraagzaamheid. Niemand die er komt werken is een vreemdeling in deze stad van iedereen, hoezeer hij ook moet lijden zoals mijn moeder geleden heeft. Ook wie niet als Barcelonees geboren is, sterft uiteindelijk wel als Barcelonees. Ik besefte dat ik daarom van Catalonië hield, ondanks de heersende domheid.

Maar geschiedenis wordt door de dommen geschreven, terwijl de verstandigen alleen kalenders maken.

Soms sloop ik als een schaduw naar de Santa María del Mar en de Fossar de les Moreres. Daarvan wordt gezegd: *no s'hi enterra cap traïdor*. Wat zoveel wil zeggen als: iedereen die in die aarde rust is een held. Helden, zo weet ik nu, denken dat ze een morele missie moeten volvoeren, maar in werkelijkheid zijn ze bezig met een esthetische missie. Zonder hen zou de mens niet boven het stadium van het kuddedier uitkomen.

Als een geschiedschrijver me ernaar zou vragen, zou ik hem namen kunnen geven van personen die daar rusten, want ik heb ze gekend en ging met hen om. Ik leerde hun angst en hun moed kennen en hun geloof in de dood, omdat ze het geloof in de overwinning verloren waren. Alleen zij zijn de ware helden.

Alles begon met een kwestie die de Catalanen tot de hunne maakten en waaraan ze hun woord gaven, maar die hun eigenlijk heel weinig had hoeven interesseren, want het was een Europese kwestie, een van die kwesties van rijken waarvoor armen sterven.

Ik wist al vanuit mijn functie als oudste klerk op het notariskantoor dat deze stad een eigenaardigheid heeft: hij wil niet leven van de Staat, maar hij wil ook niet dat de Staat van hem leeft. Daarom was Barcelona altijd heel trots op zijn voorrechten en privileges, die de koningen van Spanje met een eed moesten bekrachtigen. En als de koningen van Spanje bij het Catalaanse parlement geld kwamen vragen om een van hun oorlogen te financieren, vertrokken ze meestal zonder meer mee te krijgen dan drie kwart van het gevraagde bedrag. Als reactie daarop besteedden de koningen van Spanje ook niet zoveel geld aan Catalonië.

Mijn medeburgers, als ik hen zo mag noemen zonder dat ze razend worden, waren bijgevolg zeer gebrand op hun wetten, die bescherming moesten bieden tegen de troepen van Filips IV, de koning die goed van het leven wist te genieten, want hij wijdde zich aan de jacht op fazanten en het bevruchten van prijzenswaardige vrouwen. Maar het werd erger voor hen toen zijn erfgenaam, Karel II, overleed zonder erfgenaam, zonder van zijn voorouders de kunst der voortplanting te hebben geleerd, en dat wekte de begeerte op van de groten van Europa. Die hebben altijd heel goed geweten wat hun te doen staat, iets wat de bevolking nooit geleerd heeft.

Wij die al zo lang geleefd hebben, hebben een zekere neiging tot cynisme. Ik geloof niet dat de mannen die stierven bij de verdediging van de muren van Barcelona wisten wat ik wist over de Europese dynastieën, maar dat interesseerde hun niet zo; hun drijfveer, wist ik, was pure trots. De notaris die dat inzicht wel had, vertoonde nooit enige neiging tot gevoelens van trots.

Lodewijk XIV van Frankrijk, zei hij tegen me, alsof ik dat van hem moest leren, ziet de troon van Spanje vacant en wil het land een Franse koning opdringen met de naam Filips V, waardoor hij oppermachtig zal worden in Europa, zonder enige rivaal. Je moet namelijk wel weten dat men in Europa over evenwicht begint te praten en wie Europa overheerst, zal over de aarde heersen.

De notaris kon niet weten dat ik meer episoden in het verleden had meegemaakt dan al zijn voorouders tezamen en vervolgde met de woorden: 'Het Europese evenwicht wordt verbroken als Frankrijk en Spanje verenigd worden en daarom willen de centrale staten Spanje een Oostenrijkse koning opleggen, Karel. Dat zou de Catalaanse arbeiders, die toch altijd de onderdrukten zullen zijn, weinig moeten kunnen schelen, maar Karel van Oostenrijk heeft beloofd hun speciale privileges te respecteren en Filips heeft zoveel risico niet durven nemen. Je moet weten dat Frankrijk een centralistisch land is, hoewel ik betwijfel of je begrijpt wat dat betekent.'

Ik maakte een gebaar van onwetendheid, alsof ik niet precies wist waar hij het over had, terwijl ik de geschriften opstapelde waarin de bezittingen in Calatonië verdeeld waren. Ik kende de geschiedenis van elk document. De geschiedenis van elke vooraanstaande familie. De geschiedenis van elk leven en vooral van elke dood.

En met wat er daarna gebeurde, maakte ik nadrukkelijk kennis.

Barcelona hield woord ten gunste van Oostenrijk en de Europese machten kwamen onderling tot verdragen zonder hun woord ook maar enigszins te houden. De Catalanen, en in het bijzonder de Barcelonezen, stonden in de oorlog helemaal alleen.

En ze leken daarin te berusten.

Dit was een verstandige stad geweest. De notaris was verstandig. De kooplieden waren het. Zij die in de steengroeven en de stallen stierven waren het. Die hadden nooit naar meer gestreefd dan het verkrijgen van een stuk brood.

Deze stad had de eerlijkste en strengste gilden. Hij had de eerste handelsregels opgesteld in de *taula de canvi*, de kredietbrieven van de lommerds verbeterd, de regels van het zeerecht vastgelegd en voor altijd het stadsreglement bepaald met de *Ordinacions de Sanctacilia*. Hij had eer ingelegd met vervoersverzekeringen, boedelscheiding vastgelegd bij huwelijken, het wederzijds testament in het leven geroepen, de vrijheid om bij testament te beschikken over het grootste deel van de erfenis en versnippering van landerijen tegengegaan. Catalonië en vooral Barcelona leek een schoolvoorbeeld van redelijkheid.

Welnu, de realiteit bleek anders.

Barcelona leeft van mythen.

Wat eraan schort, is dat men het niet heeft beseft.

De notaris stopte met werken in september 1714. Ik stopte met werken. De handwerkslieden van de gilden lieten hun gereedschap achter en namen de wapens op. Al wie armen had, vatte post op de stadsmuren. Dokters bestegen die om voor de gewonden te gaan zorgen. Vrouwen vergaten dat ze kinderen hadden bij de gedachte dat ze een vlag hadden.

En dat alles voor een koning ver weg van wie ze zelfs niet wisten waar hij geboren was. Dat alles voor een erewoord.

De noodklok werd geluid.

Klokken hebben gezond verstand. De doden hebben altijd het laatste woord, maar ditmaal was dat aan al die mensen die gingen sterven.

Ik vroeg me af waarom.

Zij vertelde het me.

Eva kwam van het Catalaanse platteland, dat al onderworpen was door de troepen van de Bourbons die uit heel Europa waren gekomen. Een dubbele ring van greppels, stormtorens, kurassiers, cavaleristen, huursoldaten te voet en tot verspieders omgevormde mineurs, omringden de stad zonder hoop, maar de klokken bleven het laatste woord verkondigen van hen die gingen sterven.

Ik ben seksloos. Dat ben ik altijd geweest. Als een vrouw naar me keek, wist ze dat ze met mij de soort niet in stand zou houden, en daarom begrijp ik niet wat Eva in mij zag. Misschien vermoedde ze net als de vastgeketende hond in mij de fundamentele waarheid in de wereld. Bovendien hoefde zij de soort niet in stand te houden, want ze droeg de soort al in zich mee. Ze was negen maanden zwanger.

Evenals het meisje dat zo vurig naar de dood verlangde, was ook zij toen ze net vijftien was door haar meester verkracht, waarmee heel duidelijk werd gemaakt dat het de meesters en niet de slaven zijn die de macht op aarde bezitten. Ze was weliswaar niet zo vaak misbruikt als het meisje dat wilde sterven en bovendien had haar meester haar beloofd dat ze het kind mocht houden, op twee voorwaarden: dat het nooit zou vragen erkend te worden en dat het net als al zijn voorouders deel van het bezit zou blijven en voor altijd een extra kracht op het landgoed zou zijn.

Door Eva besefte ik dat de stad streed voor een belofte, maar dat zij streed voor een deel van haar wezen. In de geschiedenis van Barcelona komen talloze vrouwen voor die gestreden hebben voor een deel van hun wezen. Maar over hen spreekt nooit iemand.

Bovendien wist ze intuïtief dat wat zij in haar buik droeg een meisje was. De intuïtie van vrouwen bedriegt hen nooit. Eva wist dat haar dochter geketend aan de aarde geboren zou worden, dat ze zou opgroeien en zien hoe haar borsten ontluikten en haar heupen breder werden. En dat de heer des huizes haar ook zou zien groeien en die heupen tot de zijne zou willen maken. En die borsten.

En ten slotte weer een bed.

En weer een meester die zijn mannelijkheid aan haar zou meten. Nee. Dat wilde Eva niet.

Ze zei me: 'Ik wil dat mijn dochter in vrijheid geboren wordt.'

Vanaf de tijden die ik in mijn herinnering bewaarde, was Barcelona altijd in verband gebracht met vrijheid. Slaven die erin slaagden zich binnen de stad te vestigen werden vrije burgers. Zij die een sikkel hadden, streden ervoor om geen slaaf te worden. Zij die gingen sterven, stelden zich voor dat hun rechten hen onderscheidden en hun een toekomst verschaften.

Ik ben al zo oud.

In een revolutionair lied tijdens de Burgeroorlog hoorde ik deze oeroude wens: 'Als ik sterf, zullen mijn zonen leven.'

Eva besliste dat haar dochter zou leven.

Ik leerde haar bij de stadsmuren kennen, toen ze ondanks haar zwangerschap met een hellebaard in haar hand stond. Ik stond naast haar omdat ik dat moment van waanzin wilde meemaken en wist dat alleen waanzin geschiedenis maakt. Toen ik zag dat de granaten de stadsmuur verwoestten, nam ik haar mee naar een van de torens van de kathedraal, wat me een veiliger plaats leek.

De noodklok luidde, de oude Tomasa.

Zij die stierven voor een koning ver weg, wisten niet dat ze alleen voor zijn eer stierven.

Eva wist iets meer. Eva wist dat ze zou sterven, alleen niet voor haar eigen buik maar voor de buik van haar dochter.

Ze wist meer dan ik.

Toen ik haar in mijn armen nam, dacht ik niet aan haar maar aan mijn moeder. Mijn moeder had niet vrij geboren kunnen worden. En toen de muren al in brokstukken weken, toen de Bourbonse troepen al te vuur en te zwaard de stad binnendrongen, zei Eva me huilend dat ze haar laatste daad in het leven wilde verrichten: bereiken dat haar dochter op vrije grond geboren werd. Ik zei haar dat Barcelona dat al niet meer was, dat er nog slechts hier en daar een nisje, nauwelijks een straatlengte vrijheid resteerde in de stad, als vrijheid überhaupt bestond. Maar wat Eva met haar wonderlijke jeugdigheid afdwong, was dat ik slechts één stem en één hartslag hoorde; bijna verborgen onder de kerkklok trok ze haar rok op en hurkte neer als een dier in het veld, als de eerste vrouwen. Ik zag haar gezwollen borsten, hoorde haar gereutel en haar tandengeknars. Ze keek naar me op en prevelde: 'De stad zal haar opnemen.'

Terwijl de kogels om ons heen floten en zelfs op het veld stuiterden, probeerde ik haar te helpen, want ik wist hoe het moest: in ziekenhuizen had ik dokters zien werken terwijl het bloed de wanden besmeurde.

En toen trachtte die jongeman ook te helpen. Hij liet zijn vlag vallen, misschien omdat hij besefte dat de buik van een vrouw meer waarheid bevat dan alle vlaggen van de wereld tezamen. Hij kwam naar Eva toe, legde haar languit op de grond en deed haar benen uit elkaar, waartussen al een hoofdje prijkte. Alles zat onder het bloed. Zij schreeuwde zelfs niet, want ze was zich ervan bewust dat ze geen dochter baarde, maar hoop op de toekomst.

'Ik ben assistent in het ziekenhuis,' verklaarde de jongen, 'ik weet hier wel iets van.'

Ik wist aardig wat meer, maar ik merkte dat hij het goed aanpakte, zodat ik me ertoe beperkte hem te helpen. Terwijl Eva haar kiezen op elkaar zette, bedacht ik dat er voor haar en ook voor het kind nauwelijks een kans op overleven was, niet eens vanwege de kogels, maar vanwege de vuiligheid. Waarschijnlijk zouden ze alle-bei na een paar dagen bezwijken aan koorts.

'Het is er al. Het is een meisje,' schreeuwde de jongeman.

Ik zag dat hij tranen in zijn ogen had.

Hij was beslist zo iemand die gelooft dat het leven de dood altijd zal overwinnen.

Maar de aanval was al in het laatste stadium. De Barcelonezen stierven achter de laatste stenen van de muur. Bovenop zag ik een van de vertegenwoordigers van de stad, Casanova, die viel met de vlag in zijn armen. De vreemdelingen schreden triomfantelijk en onder trom-geroffel voort, terwijl de laatste verdedigers hen probeerden tegen te houden, niet meer met hun wapens, maar met geschreeuw. Ik pakte de baby, die onder het bloed zat, en legde haar onder de kerkklok, naast haar moeder, die inmiddels het bewustzijn had verloren.

Op dat moment schampte een kogel mijn hals; hij had helemaal door me heen kunnen gaan, maar hij raakte me alleen maar. Mijn bloed spatte op de Tomasa en besmeurde de rand ervan. Zoals het pleegt te gaan in dergelijke gevallen, voelde ik niet de geringste pijn en drong het nauwelijks tot me door.

Wel besefte ik dat het de laatste aanval was en dat de Bourbonse troepen de stad al in trokken. Heel Barcelona was aan het sterven, maar het zou niet de eerste keer zijn. En plotseling verscheen De Ander, zich bewegend tussen de ruïnes. Hij was in het zwart ge-kleed, zoals altijd, smetteloos, streng... Hij droeg geen wapen en hij leek daar alleen maar te zijn om de doden te tellen.

Wat een vreugde voor hem, dacht ik.

Doden zondigen niet.

De laatste aanval bereikte alle uithoeken van Barcelona. Overal om me heen was alles ingestort en de triomfkreten van de overwin-naars verstikten de schrille jammerkreten van de stervenden. Van beneden af wezen verschillende soldaten naar mij en op dat moment drong het tot me door dat ik misschien zou sterven.

Minutenlang was mijn hoofd een draaikolk. Ik moest blijven leven. En verderop was een waar bloedfestijn.

Het kwade overwon.

Mijn lafheid overwon.

Ik ging achter de jongeman staan, die weer opgestaan was en zijn vlag weer had opgepakt. De twee kogels die naar mijn borst op weg waren, troffen de zijne. Ik zag hem vallen en ik bleef me met zijn lichaam beschermen door me tegelijk met hem te laten vallen.

Ik ontkwam.

Geleidelijk namen de kreten af.

Met hun bajonet gaven de aanvallers gewonden de genadesteek.

Maar de vlag stond nog overeind.

Ik glipte tussen de daken van de kathedraal door, waarbij ik op de laatste lijken trapte, en toen viel de vlag.

Wat ik in die dagen meemaakte, leerde me dat eenvoudige mensen, het volk, uiteindelijk altijd hun lotsbestemming vervullen, namelijk werken voor hun kinderen en sterven voor hun meesters. Wat overblijft is de eer, maar de eer bereikt de onbekenden van de Fossar de les Moreres niet, want die is voorbehouden aan degenen die niet daar begraven zijn. Ambieer je als man of vrouw de eeuwigheid, dan moet je niet tot het volk behoren.

En ik besefte iets wat ik al wist: Barcelona leeft nog steeds van mythen.

Elk jaar op 11 september wordt er een huldebetoon georganiseerd voor Rafael de Casanova, die naast zijn vlag neerviel maar niet stierf: hij trok zich terug op zijn landgoed, accepteerde zelfs een pensioen van de overwinnaar en stierf van ouderdom als een redelijk man. Maar generaal Moragas, die onthoofd werd door de overwinnaars en wiens hoofd tentoongesteld werd in een kooitje, werd vergeten.

Men zou het hoofd moeten buigen voor het naamloze volk,

maar men buigt het alleen voor wie niet meer tot het volk behoren.

Goed, maar niemand behoeft op mij te letten. Ik ben niet meer dan een vogelvrije.

Barcelona verloor alles, behalve de behoefte om door te gaan met werken. De dag volgend op de vernietiging waren de mensen op hun post en vormden ze weer een volk dat klaarstaat om opnieuw geschiedenis te schrijven. Filips V, die het niet zo slecht deed, want hij voerde tenminste bepaalde beschaafde regels van de Fransen in, vaardigde het Decreto de Nueva Planta uit, waarmee vrijwel alle Catalaanse vrijheden werden afgeschaft, en vernietigde de oude wijk Ribera, die van Santa María del Mar, om de wijk Ciudadela te stichten. Van Ciudadela tot de hellingen van de Montjuïc moest hij de gehele opstandige stad in bedwang houden; zo zou er geen sterveling zijn die zijn stem durfde te verheffen. Barcelona was misschien de enige stad ter wereld die zijn straten zag verbreden om charges van de cavalerie mogelijk te maken.

De Calle Princesa voert burgers (en gewapende cavaleristen) vanaf de citadel, waar de troepen gelegerd waren, in een rechte lijn naar de centra van de macht, namelijk het gemeentehuis en de Generalitat, die gemakkelijk onder controle zijn te houden. Daarvandaan loopt de Calle Fernando vervolgens rechtdoor naar de altijd drukke Ramblas, en ook rechtdoor naar de oude Calle Conde del Asalto en naar de Paralelo, de buitenrand bij Raval en zijn hongerige arbeiders. Alle troepen die van de Montjuïc afdalen zullen aansluiting vinden bij de troepen die vanaf Ribera te paard gegaan zijn en zullen het volk ervan overtuigen dat het het beste is zijn plaats te weten.

Bovendien weet het volk over het algemeen niet wat het wil. Maar mijn lange ervaring als schurk zegt me dat het volk zichzelf altijd slecht leidt.

De uit hun huis gezette mensen uit de wijk Ribera werden overgebracht naar een nieuw Barcelona in het klein dat Barceloneta genoemd werd. De nieuwe wijk werd niet zonder gebrek aan visie ontworpen door een militaire ingenieur die Ceemeño heette en in die wijk deden de nieuwe buurtbewoners drie dingen: de zee ontdekken, de etages met kinderen vullen en dromen van de komende revolutie, totdat de terechtstellingen op het strand hen ervan overtuigden dat het beter is niet te dromen. Met de jaren zag ik Barceloneta veranderen in een wijk met restaurants, bierlokalen, tapastenten en jachthavens; ik zag het veranderen in een alleszins redelijke wijk.

Wij die tussen de schaduwen rondzwerven vergeten niets, maar de bewoners van de steden vergeten hun eigen geschiedenis. Toen de Borne, de grote centrale markthal, in onbruik raakte omdat er een andere, grotere marktplaats gekomen was, werd erover gedacht daar een cultureel centrum en een grote bibliotheek in te richten, waarvoor het nodig was de funderingen uit te graven waaroverheen eeuwenlang kruiers heen en weer hadden gelopen, het gewicht van karren was gegaan en het geroep van verkopers had geschald. De grote buik van Barcelona was leeg en men dacht erover hem te vullen met brokstukken geschiedenis. Maar bij het dieper doordringen in de aarde verschenen de resten van huizen, straten, greppels en waterlopen, dat wil zeggen een hele onbekende stad, een soort Egyptische stad. Niemand wist goed wat dat was totdat men door logisch redeneren tot de conclusie kwam dat het de resten van de wijk Ribera waren, verwoest door Filips V, van waaruit de inwoners van Barcelona de laatste weerstand hadden geboden. Het was een heldenbuurt die eeuwenlang begraven was geweest onder tonnen groenten en fruit die niet eens uit Catalonië kwamen. De autoriteiten stelden zich standvastig op jegens die eer, plengden officiële tranen en haalden uiteraard fotografen erbij. Speciale zorg werd besteed aan het lokaliseren van mogelijke lichamen om die de verschuldigde eer te bewijzen.

Er kwamen wat botten tevoorschijn, maar slechts twee menselijke skeletten die te reconstrueren leken. Ze behoorden toe aan een jongeman met de restanten van een sikkel in de vuist en een vrouw die zijn andere hand vasthield. Het dagblad *Vanguardia* wijdde een grote reportage aan de mogelijk intieme relatie tussen de twee doden, maar ook dat leidde nergens toe. Toen men hen trachtte te scheiden, vielen ze in stof uiteen.

25

De man die nooit begraven werd

Stof, stof, stof... Door de ramen van zijn kantoor die uitkeken op de oude stad zag Marcos Solana de nieuwe stad voortdurend groeien. Hij strekte zich nu al zover het oog reikte uit en de oude huizen van tien families werden gesloopt om er woonblokken voor vijftig gezinnen te bouwen, waarin niemand meer iets wist van de geschiedenis of de omgeving waarin hij woonde. Overal waren hijskranen en stofwolken te zien, die op de ondergang van een gebouw duidden en een nieuw kind van beton aankondigden. Barcelona was vol olieputten, waar de bouwbedrijven meer zaken deden dan er in het oude Texas werden gedaan.

Het is beter zo, zei hij soms bij zichzelf. In de oude straten kon je niet wonen.

Soms dacht hij aan de Callejón Malla, die al verdwenen was, waarvan oude foto's kinderen toonden die nog nooit de zon hadden gezien.

Maar alles ging heel snel, te snel. Hij had gelezen dat de Diagonal tot 1900 niet had doorgelopen tot de Carretera de Sarría en dat de rest bestond uit velden en vrijstaande huizen waar niemand durfde te wonen. Nu kende de Diagonal geen eind, want het was in feite een autoweg die de inwoners van Barcelona ontsnapping bood, hoewel er ook dagelijks meer dan een miljoen mensen overheen gingen naar hun werk en terug. Een van de wonderen van Barcelona was namelijk dat veel mensen uit de stad zich niet meer de luxe konden permitteren in de stad te wonen.

Solana liep door zijn kantoor en ging van het ene naar het andere raam. Hij voelde zich beschut door de oude stad. En tegelijkertijd voelde hij zich veiliger omdat hij op zijn eigen geschiedenis liep.

Op dat moment kwam Marta Vives binnen. 'Neem me niet kwalijk, maar je ziet er vermoeid uit,' zei de advocaat.

'Dat ben ik niet, hoor. Ik slaap alleen slecht 's nachts.'

'Als je wilt, kun je wel een lang weekend vrij nemen om er eens tussenuit te gaan. Dan put je je misschien lichamelijk meer uit, maar anders groeien de problemen je boven het hoofd.'

Ze glimlachte en wees naar het bureau, waar de papieren torenhoog lagen opgestapeld. Solana wist echter dat het niet alleen dat was. Iets baarde Marta Vives zorgen – je zou haast zeggen dat iets haar bang maakte – en wel zodanig dat haar fysieke kracht de laatste tijd een bijzondere charme erbij had gekregen, een soort aristocratische matheid. In het begin had ze de advocaat verbaasd met haar atletische gestalte, haar lengte en souplesse, haar fysieke kracht. Nu bewonderde hij haar om haar intelligentie, maar soms scheen ze hem angst aan te jagen.

'Bedankt voor je laatste rapport, Marta. Het is voortreffelijk.'

'Dat is geen verdienste. Het is een onderwerp waar ik al goed in thuis was.'

'Goed thuis zijn in onderwerpen is altijd een verdienste geweest, beste meid. Dat moet je niet bagatelliseren.'

Al pratend keek Marcos Solana heimelijk naar haar benen. Dat durfde hij niet openlijk te doen, want hij vreesde dat Marta het zou merken en wat zou ze daarvan denken? Stel je voor dat ze het als een ongewenste intimiteit zou opvatten?

Hij wendde zijn blik af.

Nee, nee, het was terecht. Een vrouw heeft er recht op dat haar privacy niet wordt geschonden. Vaak is privacy het enige wat overblijft, hoewel maar weinig mensen er zo over denken.

'Waarom slaap je slecht, Marta?'

Zij wendde haar blik af. Ze kon hem de waarheid niet vertellen, vertellen dat ze onder werktijd archieven bezocht om informatie over haar familie te zoeken, om te spitten in details die alleen daar te vinden waren of op het kerkhof. Daardoor had ze soms geen tijd voor kantoorzaken, maar ze nam de papieren mee naar huis en werkte er 's avonds aan, zonder er iets over te zeggen tegen Solana. Die zag dat alle zaken in orde waren en hij stelde ook geen vragen. Het enige wat hij merkte was dat Marta niet dezelfde was, dat ze ten prooi was gevallen aan een soort geestelijke inzinking.

'Het is maar tijdelijk,' zei ze. 'Het gaat wel weer over.'

En ze sloeg haar benen over elkaar.

Marcos realiseerde zich weer dat het misschien wel de mooiste benen waren die hij ooit gezien had.

Maar waarom had Marta steeds zo'n schichtige blik in haar ogen?

Het meisje probeerde er stellig achter te komen waarom juwelier Masdéu en zijzelf hetzelfde zochten. Waarom de voorouders van de familie Masdéu het graf hadden betaald van een vrouwelijke voorouder van haar, over wie ze nauwelijk iets wist. Ze kon het natuurlijk rechtstreeks aan Masdéu vragen, maar dat leek haar naïef. Liever had ze wat meer gegevens gehad, zodat ze tenminste wist op welk terrein hij zich bewoog.

Ze ging op bezoek bij een oude geschiedkundige, Conde genaamd. Conde was met emeritaat, vergeten door zijn studenten, maar hij deed nog steeds onderzoek en etaleerde zijn kennis even vlot als zijn kortaangebondenheid. Hij placht te zeggen dat het vak geschiedenis nergens toe diende, omdat er geen college in werd gegeven. 'Tegenwoordig zijn er op de middelbare scholen,' verkondigde hij, 'de eerste trede der wetenschap, leerlingen die slagen zonder te weten wie Franco was en welke oorlog hij teweegbracht. Er zijn er zelfs die zonder blikken of blozen zeggen dat hij een bij volksstemming gekozen president van de Spaanse Republiek was. Wij die over geschiedenis schrijven, zijn slechts een stel mafkezen en nietsnutten. Binnen honderd jaar zullen een paar andere mafkezen en nietsnutten over onze burgeroorlogen het absolute tegendeel schrijven van wat ik heb geschreven, maar ook hun werk zal niemand lezen.'

Hij ontving Marta Vives in een ouderwets kantoor in de Calle Petritxol, voorheen een straat van advocaten en nu een straat van galeries en bonbonwinkels. 'U zou zich met iets anders moeten bezighouden,' was het eerste wat hij zei.

'Waarom?'

'U bent jong en knap.'

'En waar zou ik me volgens u mee moeten bezighouden?' vroeg zij met haar kin omhoog. 'Meelopen bij een bankier terwijl hij zegt dat hij een balans gaat bestuderen?'

'Nee, maar u zou moeten deelnemen aan kennisspelletjes op de televisie en beroemd moeten worden. Negentig procent van de deelnemers is beslist minder dan u. Het lijkt me jammer dat u uw leven verdoet en geen deel hebt aan de cultuur van het volk.'

'Welke cultuur?'

'Die van leren dat dit land elke dag geboren wordt en sterft. Het volk koestert geen enkele herinnering aan gisteren en hecht geen belang aan wat morgen zal brengen. Als de laatste televisiequiz is afgelopen, is het ook met Spanje afgelopen, maar het is prima zo. Ik denk dat we op weg zijn een volstrekt vervloekt land te worden.'

Marta durfde hem geen ongelijk te geven. Was de wereld maar alleen wat de spelletjes op televisie voorschotelden.

'U weet dat ik de geschiedenis serieus neem, vooral die van deze stad,' zei ze. 'Ik heb u mijn portfolio van de universiteit gestuurd om door u ontvangen te worden. Juist omdat ik de geschiedenis serieus neem, zou ik u graag enkele vragen stellen over de vele twijfels die ik heb.'

'Bent u bezig aan een doctoraalscriptie?'

'Daar ben ik al mee klaar. In mijn portfolio zult u zien dat ik cum laude ben afgestudeerd.'

Conde scheen een ogenblik uit het lood geslagen. Hij raadpleegde enkele aantekeningen naast zich. Daarna keek hij met meer respect naar Marta.

'Ik beklaag u,' zei hij.

'Waarom?'

'Het was een scriptie over Barcelona en dit is een gecompliceerde stad.'

'Dat ben ik met u eens,' antwoordde Marta. 'Vanuit een breed historisch perspectief denk ik niet dat Barcelona ooit logica heeft gekend.'

'Ik vrees dat we er hetzelfde over denken, maar ik zou ook niet graag zien dat deze stad de logica van een Zwitserse stad had. Gaat u zitten.'

Dat deed Marta, maar ze sloeg haar benen niet over elkaar.

'Wat wilt u weten?'

'U speurt in originele documenten. U hebt alle registers die er in het kleine Catalonië bestaan, bestudeerd.'

'Ze zijn niet goed bijgehouden,' protesteerde Conde, 'en veel ervan zijn verdwenen.'

'Misschien zijn niet alle geschiedkundigen zo nauwgezet als u.'

'Zij beperken zich ertoe elkaar te citeren en raadplegen geen godvergeten register. En wie kan dat iets schelen. Men leeft niet in het verleden, alleen maar in het heden. Het verleden is hoogstens een discussieonderwerp, of zelfs dat niet. Vraag het maar aan de klanten in de bonbonwinkels daar beneden, en nu moet u ophouden met die beleefdheden en me zeggen wat u wilt.'

'Ik heb informatie nodig over een oude familie, maar ik kan u er niets voor betalen. Als u uren moet besteden aan het zoeken in oude dossiers, moet u het maar vergeten. Antwoordt u me maar alleen als u de informatie uit uw hoofd weet.'

'Alle geschiedkundigen zijn arm, tenzij ze iets anders doen voor de kost, dus ik zal proberen u te helpen.'

'Er is een oude Barcelonese familie, de familie Masdéu.'

'Er zijn veel oude Barcelonese families, maar binnenkort zal er niet
één meer over zijn. Dat is ook niet zo belangrijk. Oude families zijn
maar lastig en binnenkort dienen ze zelfs niet meer als culturele ico-
nen. Wat nu de overhand heeft, is de cultuur van de middelmatigheid.'
'Neemt u me niet kwalijk,' voegde hij eraan toe, 'u zult wel gemerkt
hebben dat ik een van die typen ben die overal tegen protesteren.'

'Ik vroeg u of u zich iets herinnert van de familie Masdéu.'

Professor Conde sloot een ogenblik zijn ogen, alsof hij alleen wilde
zijn met zijn gedachten. Marta stelde zich voor dat hij ook met zijn
eigen gedachten overhoop moest liggen, maar dat was het bewijs van
gezond verstand.

'Een tak van de familie zat in de handel,' zei hij. 'Die waren verschrikkelijk protectionistisch, ze waren tegen de invoer van textiel-
soorten uit het buitenland, om te zorgen dat de Catalaanse industrie
geen concurrentie kreeg. Wie wel beconcurreerd werden, waren de arbeiders, die in steeds slechtere omstandigheden leefden en zich organi-
seerden in revolutionaire cellen. Maar wat ik u vertel is niets nieuws,
het is de geschiedenis in een notendop van Catalonië in de tweede
helft van de negentiende eeuw.'

'Als een deel van de familie in de handel zat,' opperde Marta, 'neem
ik aan dat dat in ruimere zin betekent dat er ook takken waren die zich
aan andere bezigheden wijdden.'

'Natuurlijk, aan politiek en aan de clerus. Dat vormt ook een deel
van de geschiedenis van Catalonië in de negentiende eeuw.'

'Wat bedoelt u met "politiek"?'

'Vrijwel alleen burgemeestersposten. Alles wat verbonden is aan de
concrete belangen van een landstreek. Een burgemeester had in die tijd
veel invloed en als u wilt, vertel ik u het verhaal van de rivier de Llobregat en zijn textielkoloniën en fabrieken.'

'En wat bedoelt u met "de clerus"?'

'Als ik het wel heb, kunnen we daarin wat verder komen. Er waren
een bisschop, een abt en verschillende catecheten, verdedigers van de

traditionele religie zoals die ons in de boeken wordt uitgelegd. Er was zelfs een soort ziener. En de priesters in de familie waren zeer behoudend, ongeveer zoals de predikers van de carlistische brigaden.'

'Strijders van God?'

'Dat zou een passende omschrijving kunnen zijn.'

'U hebt geen enkel document geraadpleegd. U hebt een verbazingwekkend geheugen, meneer Conde.'

'Wat kan betekenen dat ik het allemaal verzonnen heb, zoals wel meer gebeurt.'

Marta glimlachte, terwijl ze bedacht dat ze de oude man aan het afmatten was. Maar misschien vond hij het prettig te beseffen dat iemand zich hem nog herinnerde. Voor de zekerheid stelde ze een laatste vraag: 'Is er nog een spoor over van de woningen van dat deel, laten we zeggen het clericale deel van de familie?'

'Het gebruikelijke: kloosters, parochies, woningen van oude paters en zelfs oude carlistische kazernen. Die waren in de negentiende eeuw heel normaal in Catalonië,' antwoordde hij.

'Woonde iemand van hen in Barcelona?'

'Dat weet ik niet meer, maar dat kan ik nakijken. Of misschien weet ik het toch nog... Laat me eens kijken. Ik meen dat een van de priesters in Barcelona overleden is, maar niet in de familiewoning, die aan de Calle de Mercaders stond en natuurlijk nu niet meer bestaat. Ik heb een keer zonder daarvoor de stad uit te hoeven onderzoek gedaan naar de relaties tussen handel en geestelijkheid in de periode die men later de tijd van de goudkoorts noemde. Goud voor enkelingen, uiteraard. Ik kan het nakijken als u bereid bent nog een kwartiertje te wachten.'

Hij begon te zoeken in zijn bibliotheek vol vergeelde documenten, waarin alleen hij de weg wist. Marta dacht dat sommige van die papieren bij aanraking uiteen zouden vallen. Conde zocht en zocht, waarbij hij wolken stof en maden liet opstuiven, terwijl Marta zich afvroeg waarom een atlete als zij, die kampioenschappen had gewonnen, zo'n plezier had in dat stof van graftomben.

Nadat het beloofde kwartier inmiddels een uur was geworden, maakte Conde een tevreden gebaar. 'Ik denk dat ik het heb.'

'En wat is het?'

'Het huis waar een van de priesters van de familie stierf. Ik bedoel de enige die niet in het familiehuis of in een klooster stierf. Het was een van de intelligentste Masdéus; hij werd bisschop en natuurlijk had hij geen erfgenamen. Dat verklaart wat ik u zo direct zal vertellen.'

'En?'

'Hij vermaakte zijn bezittingen aan de gemeente om er een bibliotheek mee op te richten, bestemd voor arme studenten. Grote flauwekul, want daarvoor bestaan al veel belangrijker bibliotheken. Ik vermoed dat hij doelde op jongemannen die aan het seminarie wilden gaan studeren, maar dat is nog grotere flauwekul: er wil niemand meer naar het seminarie. En dus nam het gemeentebestuur vele jaren geleden het legaat aan, maar maakte het geen aanstalten om er vervolgens iets mee te doen. Het huis raakte in verval en was naar het schijnt in zo'n slechte staat dat zelfs krakers zich de moeite bespaarden erin te trekken. Het enige wat nu de moeite waard is, is de binnenplaats, en ik stel me zo voor dat het gemeentebestuur een ruil of zoiets tot stand heeft gebracht. Maar daarvoor moeten ze het huis laten slopen.'

'Waar staat het?'

'In de oude binnenstad natuurlijk; ik geloof in de Calle Baja de San Pedro, maar dat weet ik niet meer precies. Ik kan het opzoeken want ik heb hier een gemeentecatalogus.'

Hij zocht tussen andere papieren, niet zo oud maar er straalde wel een zekere eerbiedwaardigheid van af. Ten slotte overhandigde hij Marta een geschreven notitie.

'Alstublieft. Ik vraag me af waarom u dat allemaal wilt, waarvoor u het nodig hebt.'

'Ik denk erover naar het huis toe te gaan,' zei Marta met een dun stemmetje

'Echt waar?'

'Als dat niet zo was, had ik u niet lastiggevallen.'

De handen van de oude Conde trilden even. Zijn ogen, waar normaal geringschatting uit sprak, drukten nu grote twijfel uit. Met een stem die niet meer de zijne leek, fluisterde hij: 'Dat moet u niet doen.'

'Waarom niet?'

'Er wordt gezegd dat het lichaam van de priester er nog steeds ligt,' mompelde de oude man terwijl hij haar de rug toekeerde. 'Volgens de officiële registers werd hij nooit begraven.'

26

De graaf van Spanje

'Ik ben Karel van Espagnac, heer van het kasteel van Ramefort, kapitein-generaal van Catalonië. Ik eis dat mijn bevelen onmiddellijk worden opgevolgd, en eenieder die zich daaraan onttrekt, zal de gevolgen moeten aanvaarden. Ik wil hier aan mijn bureau binnen vijf minuten de documenten hebben die noodzakelijk zijn om vanochtend in een aantal gevallen de doodstraf te laten voltrekken.'

Ik heb de woorden van dat opperwezen dat elke dag zijn portie bloed nodig had uitstekend begrepen.

Ik, de zoon van een hoer, ik die nooit zal sterven, heb anderen zien sterven.

En bovendien wist ik alles over die kapitein-generaal die het absolutisme aanhing. Karel Jozef van Spanje en Couserans was in 1775 in Frankrijk geboren en was voorbestemd om in 1839 in Organyà in de provincie Lérida te sterven, gewurgd door zijn eigen mensen. Bij het uitbreken van de Franse Revolutie vluchtte hij naar het Verenigd Koninkrijk en vervolgens naar Mallorca. In 1792 stelde hij zich in dienst van de Spaanse Kroon en vocht hij tegen zijn Franse landgenoten. In 1811 had hij de positie van veldmaarschalk verkregen (al kon ik er niet achter komen op grond van welke verdiensten). Ferdinand VII, een man met een fijne neus, benoemde hem in 1818 tot kapitein-generaal van Catalonië.

Ik herinnerde me dit alles om de eenvoudige reden dat ik het zelf heb meegemaakt. De graaf van Spanje onderdrukte met zeer harde hand de opstand *dels agraviats*, waarbij hij zelfs degenen liet opknopen die genade gekregen hadden. Het was gebruikelijk dat hij hun lichamen liet tentoonstellen op de schavotten in de citadel en zelf in het bijzijn van de doden danste.

Ik was hier zo goed van op de hoogte omdat ik niets minder dan zijn secretaris geworden was. Ik, de man die niet sterft, was ondergedompeld in een wereld van doden.

Soms kostte het me moeite mijn herinneringen te verdragen.

Ik bedacht dat het rechtvaardig zou zijn dat herinneringen, en ook het leven, het woord einde kennen.

Maar ik kende dat woord niet. Ik kon me er niet aan onttrekken het allemaal mee te maken en het me te herinneren. Soms kwam het me voor alsof ik weer op de stadsmuren van Barcelona stond of onder de Tomasa, een van de klokken van de kathedraal, die ik met mijn bloed bevlekt had toen de troepen van Philips V de bestorming inzetten, nadat voor mijn ogen een vrouw een dochter had gebaard, terwijl ze ervan droomde vrij te zijn in een vrije stad. Vrij?

Ik had nog niet meegemaakt dat Barcelona dat was geworden.

Ik sloot mijn ogen. En ik herinnerde me dat er vanaf toen in de toegetakelde stad van alles was gebeurd: de betrekkelijke voorspoed door de handel, de kroning van Karel IV, het tijdperk van de grote Goya, de Onafhankelijkheidsoorlog, die de regeerperiode van twee koningen omvatte, de troonsbestijging van Ferdinand VII en het uiterst genadeloze absolutisme, waarvan de graaf van Spanje de wettelijke vertegenwoordiger in Barcelona was.

Hij liet Barcelona, dat vrij had willen zijn, ten onder gaan in die wereld van doden.

Na de woorden van de kapitein-generaal keek ik op mijn horloge, een kostbaar gouden sieraad dat een van de gehangenen me had toevertrouwd om aan zijn zoon te doen toekomen. Dat heb ik nooit kunnen verwezenlijken, want zijn zoon werd eveneens opgehangen.

Ik berekende de tijd die me restte. Minder dan vijf minuten... Ik, de man zonder leeftijd, was, ironie van het lot, een van de secretarissen van de kapitein-generaal, en wel degene die het aantal doden in de citadel moest bijhouden. De bisschop van Barcelona had me voordat hij overleed aanbevolen. 'Het is een vroom man,' had de prelaat gezegd, 'want zolang ik hem ken, heeft hij nooit iets anders gedaan dan het uitdelen van laatste sacramenten en het zoeken van begraafplaatsen voor overledenen.' Het merkwaardige is dat dat waar was: niets had ik zo goed geleerd als alles wat verband hield met de dood van mensen.

Vijf minuten...

Als ik niet opschoot, moest ik 'de gevolgen aanvaarden'.

Dus rende ik weg, op zoek naar de lijst van terdoodveroordeelden.

Het paleis van de kapitein-generaal stond in die tijd vlak bij zee, in verbinding met een gedeelte van de stadsmuur langs de kust. Het strekte zich uit over een groot opgehoogd terrein dat de naam Pla del Palau had gekregen en dat een soort wonder was in een stad zo overvol dat er nauwelijks pleinen waren, want Barcelona was nog steeds dichtbebouwd tot aan de stadsmuren. Daar op de Pla del Palau oefende de huurmoordenaar van Ferdinand VII zijn absolute bevoegdheden uit, een Spanjaard zo Spaans dat hij geboren was in Frankrijk.

'De geschiedenis is een klucht,' placht de graaf tegen me te zeggen na een aantal drankjes. 'Ferdinand VII, die eertijds de Spanjaarden vroeg de Fransen om zeep te helpen, vraagt nu de Fransen om de Spanjaarden om zeep te helpen. Dus hoe word ik geacht de geschiedenis serieus te nemen? Wie haar serieus neemt, sterft een zinloze dood ter wille van de geschiedenis. De stommelingen weten namelijk niet dat de geschiedenis wordt geschreven door degenen die hen hebben gedood.'

196

'Maar dit is een stad waar mensen sterven om vrij te zijn,' had ik hem eens geantwoord.

'Precies... en het belangrijkste is dat ze sterven.'

Ik durfde hem niet te zeggen dat de geschiedenis ongetwijfeld wordt geschreven door degenen die overleefden, maar de legende – die uiteindelijk het belangrijkst blijkt te zijn – wordt geschreven, zij het met behulp van de wind, door degenen die wisten te sterven, en ik wist uit ervaring dat legenden uiteindelijk belangrijker zijn dan geschiedenisverhalen.

Dat durfde ik hem niet te zeggen, want in theorie moest ik verheugd zijn over de executies. Maar mijn hand beefde toen ik de lijst aan hem gaf.

Deze keer waren het er drie. Drie jonge mannen die leuzen hadden durven roepen ten gunste van de Grondwet. Alsof de Grondwet – zei de graaf van Spanje – ertoe diende de koning iets te leren.

Ferdinand VII had die avond, na persoonlijk de executies aan de galg te hebben bijgewoond, meegevoerd door zijn barmhartigheid een procedure bedacht die minder pijnlijk leek, namelijk de wurgpaal, maar die leek de kapitein-generaal te ingewikkeld om te gebruiken en de graaf vroeg zijn huismeester en mij, als een van zijn secretarissen, om burgerkleding voor hem in gereedheid te brengen die geschikt was voor zijn voornemens. Die burgerkleding moest als van een burger zijn die geen aandacht trok, een willekeurige welgestelde burger.

Meneer de kapitein-generaal had een zeer intensief nachtleven. Soms zei iemand – maar ik was dat niet – tegen hem dat het gevaarlijk kon zijn 's nachts incognito uit te gaan, maar hij antwoordde altijd met zijn merkwaardige manier van spreken: 'Klotuh. Ik ga naar de vrouwuh.'

Naar de 'vrouwuh' gaan kon voor anderen gevaarlijker zijn dan voor hem, als je het goed bekeek, want alle bordelen zaten vol spionnen: verklikkers, verraders en over het algemeen mensen met een dikke kont die geld opstreken van Zijne Majesteit. Ook zaten ze vol verraadsters die in ruil voor bescherming voortdurend informatie doorgaven aan de huurmoordenaars van de graaf. Vanzelfsprekend liepen langs de huizen van plezier, ware tempels van de burgerlijke samenleving, ook valse blinden rond, bedelende gitaristen, schrijvers op zoek naar hun eerste werk en zelfs stierenvechters op zoek naar een kans. Ferdinand VII kwam namelijk voor de stierengevechten op alsof daar de ware geest van het vaderland te vinden was. Soms werd in kleine arena's, als de stier al zieltogend was, het publiek toegestaan in de ring te springen en het dier op wrede wijze te bestoken. Het was een van de weerzinwekkendste perioden die ik heb meegemaakt. En ik bevond me in het middelpunt ervan.

Er was een stierenvechtersschool geopend, de universiteit van Barcelona was gesloten vanwege de opstandige geest die er heerste en de opleidingen waren verplaatst naar Cervera, een traditionele, kleine, gemakkelijk te beheersen stad. De weinigen die met mij durfden te praten, klaagden dat het in dit land absoluut niet nodig was na te denken en dat het zo beter was omdat God ons beschouwde als uitverkoren volk. Degenen daarentegen die wel trachtten na te denken, beseften dat de waarheid niet bestond in hun land en dat ze die in het buitenland moesten gaan zoeken. Er ontstonden twee Spanjes.

Die nacht wilde de kapitein-generaal zich onder het gewone volk mengen, dat wil zeggen hun stallen bezoeken, zoals hij letterlijk zei. En zo liet hij me, met twee geladen pistolen voor als er iets gebeurde, een huis aan de Plaza del Regomir binnengaan, waar we vloekend terugdeinsden voor de lucht van grove tabak, zware wijn, ongeluchte kamers en vooral van smerig water. Dit bordeel was echt smeriger dan dat in de middeleeuwen waar mijn moeder had gewerkt.

'Hier heb je nou de fijnbesnaardheid van het volk dat zoveel kritiek op mij heeft,' gromde hij. 'Dit is de sfeer waar ze van houden, als het erop aankomt.'

Toen vroeg hij me met hem mee te gaan naar een kleiner, schoner en wat hoogstaander bordeel, waar een dame van hoge afkomst zich bezighield met het beschermen van jongedames. Maar we hadden pech. De voorname dame was ziek, ze had de pokken, en haar echtgenoot, die ook bij haar bedrijf betrokken was, had een aanval van de zogenoemde opstijgende of klimmende jicht, hetgeen wilde zeggen dat deze in zijn voeten begonnen was en daarna zijn benen en heupen onder vreselijke pijnen lamlegde. Wanneer de kwaal het hart bereikte en het leven uitbluste, kon men maar beter God danken voor zijn barmhartigheid. Zoals vanzelfsprekend in dergelijke omstandigheden werkten de zedige jongedames niet met hun onderlichaam, maar wel met hun lippen, namelijk om te bidden voor de redding der zielen.

De graaf van Spanje hield juist van vrome jongedames en het kon hem geen zier schelen dat de eigenaar aan jicht stierf; maar pokken waren te besmettelijk en daar liet hij zich door afschrikken. We gingen ervandoor, terwijl hij zwoer dat hij de volgende dag mannen zou sturen om de hele inboedel te verbranden.

'Ik zou ook deze hele vermaledijde stad moeten verbranden,' bromde hij, 'behalve de kazernen en kerken, het enige gezonde wat er in de stad is. Want in deze streek van onbeschaafd volk accepteert men geen autoriteit; het enige wat er geaccepteerd wordt, is een verdrag.'

Het dreef hem tot wanhoop tot deze conclusie te moeten komen, want de kapitein-generaal was ervan overtuigd – en dat had hij al vele malen verklaard – dat de macht geen concessies kan doen en ook nooit moet doen. De macht is er niet om begrepen te worden, maar om gerespecteerd te worden. Ik zou hem vanuit mijn ervaring hebben kunnen vertellen dat in Barcelona een macht die men begrijpt nu juist een macht is die men respecteert, maar zo'n gecompliceerde gedachte was niet gemakkelijk het brein van de graaf in te krijgen, noch in dat van zijn heer en meester, koning Ferdinand

VII. Dus zweeg ik en richtten we onze schreden onder bescherming van het duister naar de Calle Montcada, waar de paleizen stonden van de oude burgerij, die al in verval begonnen te raken. Die paleizen hadden gewoonlijk een brede poort waar rijtuigen door konden en een voorname trap aan een kant in de hal (met een trap onderscheidde een huis zich), die naar de eerste verdieping voerde, die normaliter gewijd was aan de zaken van de huiseigenaar maar die soms verhuurd werd. De overige ruimten waren vertrekken voor de familie, zo nobel als men wil maar zonder enig daglicht. Ik heb me dikwijls afgevraagd of de dames in die tijd daardoor zo'n blanke huid hadden.

In de Calle Montcada woonde een dame die bij tijd en wijle bezoek van hoge komaf ontving, maar de dame was er niet. Een of andere deugdzame persoon had haar vast meegenomen om elders de nacht door te brengen. 'Mijnheer had even moeten waarschuwen…' verontschuldigde het dienstmeisje zich.

En toen gaf de kapitein-generaal, voor wie die avond alles mislopen was, me nog een afschuwelijk bevel. Tirannen komen tot rust door contact met een vrouw en dat is altijd een van de grote deugden van seksuele omgang, alsof ik dat verdomme kon weten… Maar omdat de kapitein-generaal geen enkel vrouwtje had kunnen vinden dat hem beviel, had hij zijn woede niet onder controle. Hij droeg me op na te gaan of de lijst al klaar was met degenen die de volgende dag zouden worden opgehangen. Dat deed ik en toen zag ik dat boven aan de lijst een vrouw stond, een meisje bijna nog, Elisenda, pas vijftien jaar.

Ik had haar naam eerder gezien, maar ik vertrouwde erop haar naam op de lijst te kunnen verdoezelen of tenminste haar beurt te kunnen uitstellen en haar te kunnen redden.

Dat bleek niet meer mogelijk, want ik werd betrapt.

En hier begon mijn wereld van verwarring, de tegenstrijdigheid in mijn leven. Wat kon mij een opgehangen meisje schelen? Moest ik juist geen vreugde voelen als ik haar benen zag bungelen? Vertegenwoordigde ik niet het kwaad?

Ik stelde mezelf zoveel vragen waar geen antwoord op was te geven.

Of misschien vond ik twee antwoorden, hoewel die me belaadden met twijfel: met het kwaad kun je een overeenkomst sluiten, omdat dat geen absolute waarde is, terwijl met het absolute goede geen overeenkomst gesloten kan worden. Tegenover het goede kun je alleen op je knieën vergeving vragen. En het tweede mogelijke antwoord was gelegen in het idee van vrijheid. Ik had altijd vrij willen zijn, zonder dat ik dat bereikt had, en ik kon geen haat voelen voor personen die ook vurig verlangden vrij te zijn.

Niemand kon me begrijpen. En al helemaal niet een beest als de graaf, die de absolute waarheid en het absolute goede vertegenwoordigde.

We waren het fort weer binnengegaan en liepen meteen door naar de gevangenis. Ik merkte dat de heer door onze omzwervingen zeer opgewonden was geworden bij het idee een meisje op te hangen, nu hij haar toch niet kon bezitten. Hij vroeg de bewaker wie Elisenda was.

'Dat is ze,' zei de bewaker.

Ik keek naar haar bij het licht van de olielamp en zag op haar gezicht de zachtheid van een aanvaarde dood.

Ze leek op een hondje dat weet dat het geofferd gaat worden. Ze zat in het niets te staren zonder droefenis en zonder haat; Elisenda moest wel de kracht van een dier hebben want ze begreep het kwaad niet. Haar overdreven bleke gelaatskleur en haar van koorts fonkelende ogen wezen erop dat ze aan een ziekte leed die heel algemeen was in het ommuurde Barcelona, waar de huizen niet geventileerd werden en geen schoon water hadden: tuberculose. Haar uitdrukking vol schaamte en haar gescheurde kleren duidden op nog iets: de gevangenbewaarder had haar verkracht.

En het was de bewaarder zelf die me, terwijl de kapitein-generaal een verrassingsinspectie uitvoerde bij de wacht, in alle duidelijkheid iets toelichtte, wat hij dikwijls deed: 'Ik denk dat zij onschuldig is en dat ze de schuld op zich heeft willen nemen van een hele groep die de graaf wilde doden. Ik heb haar eerst even een beurt gegeven zodat ze wat ervaring opdoet. Hoewel ze niet veel tijd meer zal hebben om te leren, want ze is bij de groep van morgen ingedeeld.'

Bij de groep van nu, dacht ik.

De kapitein-generaal was woedend.

Er is bijna geen toorn zo hevig als die van iemand die onvoldoende geneukt heeft.

Terwijl ik naar het meisje keek, schoot me iets te binnen. Bij gebrek aan andere gaven beschikte ik over een uitstekend visueel geheugen en ik vergat nooit de gelaatstrekken van iemand. Maar die gelaatstrekken, waar had ik die eerder gezien?

Opeens wist ik het weer: de toren van de kathedraal, in 1714.

De vrouw die een vrij dochtertje geboren wilde zien in de vrije stad.

Er waren natuurlijk wel meer dan honderd jaar verstreken. Voor anderen een eeuwigheid, maar voor mij niets.

'Wat weet je nog van je familie?' vroeg ik haar.

Ze keek me wantrouwend aan, hoewel niets haar meer kon schelen. Ze haalde haar schouders op en fluisterde: 'Is het de moeite waard dat te weten?'

'Misschien niet, maar wat weet je van je moeder?'

'Ze werkte in een spinnerij. Veertien uur per dag, behalve op zondagmiddag. Op zondagochtend moest ze de machines nakijken. Ze is op een dag aan het weefgetouw gestorven, van uitputting, geloof ik, al besefte ze dat zelf niet. Is dat wat u wilde weten?'

'Ben je daarom revolutionair? Wat denk je te kunnen veranderen?'

Elisenda sloot haar ogen.

'Mijn moeder heeft me geleerd om revolutionair te zijn. Ik weet dat het nergens toe dient, maar zij heeft het me geleerd.'

'En je vader?'

'Die is overleden in een gevangenis in Mahón, op Menorca.'

De bewaker keek me vol argwaan aan. Hij snapte niets van die ondervraging. Hij gaf het meisje een duw: 'Ik heb te horen gekregen dat de terechtstelling vervroegd wordt,' gromde hij. 'Dus waar wachten we verdomme op? Waarom al dat geklets?'

Ik keek niet eens naar hem.

'Elisenda, herinner je je iets van je grootmoeder?'

'Ik heb haar niet gekend, maar ik weet waar ze geboren is.'

'Waar dan?'

'In een van de torens van de kathedraal, in september 1714.'

Nu was ik het die de ogen sloot.

In de naam van Satan...

Meer dan honderd jaar sinds de geboorte van dat meisje aan wie de herinnering verloren ging...

Meer dan honderd jaar nadat een meisje geboren werd in vrijheid...

En wat was er geworden van dat verlangen naar vrijheid? Wat?

Elisenda moest iets vreemds aan me gemerkt hebben, want ze fluisterde: 'En wat gaat dat alles u aan?'

'Misschien gaat het me helemaal niet aan. Wat weet je van het leven van je grootmoeder?'

'Alleen dit: dat ze geboren is tijdens de bestorming van Barcelona.'

'Verder niets?'

'Nou... wat mijn moeder me soms vertelde.'

'En wat vertelde ze je?'

'Dat die vrouw vreselijk bloedde en dat een paar nonnen haar verzorgd hebben... Natuurlijk moest de eerste hulp door een militaire arts gegeven worden – een militaire arts van de overwinnaars, alsof het niet erg genoeg was... Het was koorts na de bevalling. Bijna alle vrouwen overleden daaraan.'

Ik beet op mijn lippen. Ik herinnerde me de afschuwelijke smerigheid, het stof, het schroot, de vuile handen, de urine... Dat in vrijheid geboren meisje moet een ijzeren gestel gehad hebben om het te overleven terwijl haar moeder doodbloedde.

'Wat is er daarna van haar geworden? Ik bedoel van je oma. Voor zover je weet.'

'Toen haar moeder eenmaal genezen was, zetten de nonnen haar buiten de poort van het klooster.'

'En de dochter?'

'Het meisje, dat mijn grootmoeder zou worden, hielden ze bij zich als weesmeisje en later als dienstmeid. Ze vertrok daar pas toen ze bijna volwassen was, toen ze trouwde met een arme man die ook bij de nonnen in dienst was geweest. Ze kregen een dochter, die mijn moeder zou worden, degene die gestorven is aan een weefgetouw. Maar ik vraag me af wat het belang daarvan is en vooral voor een man als u.'

Ze keek me geringschattend en opstandig aan, met ogen die ondanks alles nog steeds die van een kind waren.

Ze wist waarschijnlijk al dat ik secretaris was van de tiran die haar naar de galg stuurde. Min of meer de baas van de bewaker die haar net verkracht had. 'Zodat je moeder en grootmoeder geen van beiden ooit vrij geweest zijn,' vroeg ik aarzelend.

'Nee. Waarom?'

'Ik weet waarom ik dat vraag.'

Elisenda spuwde haar woorden bijna uit: 'Nee, dat waren ze niet, maar ik zal tenminste in vrijheid sterven. Voor zover ik weet kan niemand me dat afnemen. Dat kan niemand doden. En over honderd jaar herinnert iemand zich mij misschien nog.'

'Over honderd jaar zullen er nog steeds meisjes zoals jij sterven. En inderdaad zal iemand op straat zich hen herinneren.'

De bewaker kwam tussenbeide: 'Wel, waar wachten we nog op? De beul heeft de lijst al. Waarom praat u met haar? Haar hondenleven kan niemand wat schelen.'

'En daarom heb jij dus die hond misbruikt,' mompelde ik.

En ik glimlachte. Men heeft me altijd gezegd dat ik een onheilspellende glimlach heb, misschien een glimlach uit een andere
wereld. En misschien is dat waar, want afschuwelijker dan de grijns
van de dood is de glimlach van het eeuwige leven. Soms heb ik zelfs
gedacht dat God daarom op de miljoenen afbeeldingen die we van
hem hebben nooit glimlacht. Is dat nooit iemand opgevallen?

'Kom, laten we geen tijd meer verdoen,' drong de bewaker aan.

'Zij is nu niet meer van belang voor je, toch?'

'Ik weet niet waar u dat vandaan hebt.'

'Het komt doordat ik heel goed de gewoonten van de kapitein-
generaal ken: hij wil dat alle formaliteiten in acht genomen worden
en dat de veroordeelde bijvoorbeeld pas uit de cel gehaald wordt als
de beul en het piket er zijn. Sluit haar op en kom even met me mee.
Ik wil je nieuwe orders laten zien.'

Die ellendeling kon het zich niet permitteren mij te wantrouwen;
ik was veel hoger in rang. Dus gehoorzaamde hij: hij draaide de
sleutel om en volgde me naar een gang waaraan de kantoorruimten
lagen, maar waar zo vroeg in de ochtend niemand was. Er heerste
volkomen stilte. Buiten de ramen met stenen kozijnen was niets te
zien dan flarden nevel.

Plotseling keerde hij zich naar me toe.

'Wat doen we hier eigenlijk?' stamelde hij.

Hij ontmoette mijn kalme ogen en mijn glimlach, de glimlach van
het eeuwige leven.

'Maar...'

Hij kreeg geen tijd om verder nog iets te zeggen. Misschien kreeg
hij nog wel tijd om te denken, enkele seconden te denken aan die
onheilspellende wereld die hij nooit gekend had.

Zijn hals. Zijn stuiptrekking. Mijn gerichte beet.

Zelfs een vampier kan afschuw voelen. Zelfs een afgezant van het
kwaad kan braakneigingen krijgen.

Ik walgde ervan zijn bloed te drinken, maar ik had het nodig. Ik had al te lang mijn heimelijke drang niet verzadigd, de bodemloze put van mijn dorst. Ik liet zijn lichaam zo leeg achter dat ik het bloed uit mijn mondhoeken moest wissen. En ik spuugde bloed op het stuk vuil. Daarna pakte ik zijn sleutels en keerde op mijn schreden terug.

Ik had een plan om het meisje te redden. Het was nog mogelijk.

Toen ik terugkwam bij de cel van Elisenda had ik vrede met mezelf en met mijn ware bestemming. Het was misschien de eerste keer dat ik me echt vrij voelde.

Zij zat nog opgesloten in de cel, zoals ik verwachtte. Ze waren haar nog niet komen halen. Ze zag dat ik de sleutels had en iets deed haar raden wat er gebeurd was, iets liet het hart van het meisje op hol slaan. Ze was echter intelligent genoeg om te weten dat sommige dingen onmogelijk zijn.

'Het is nog nooit iemand gelukt,' fluisterde ze. 'Anderen hebben geprobeerd te vluchten en die zijn zelfs niet voorbij de tweede bewaker gekomen.'

'We kunnen het proberen,' zei ik en ik stak de sleutel in het slot. Maar ik kreeg zelfs geen kans hem om te draaien, want op dat moment arriveerde de beul met het piket. Dat was vijf tegen één en ik had geen andere wapens dan mijn tanden. Die en mijn blik.

Het had geen zin. 'Het is tijd,' zei de beul ongedwongen.

De soldaten van het piket vormden een barrière tussen de veroordeelde en mij en maakten elke actie om haar te redden kansloos. De beul bond haar handen nauwkeurig vast op haar rug. Ik voelde de grond onder mijn voeten trillen toen ik de blik van berusting van het meisje op me gericht voelde.

Elisenda werd naar de grote binnenplaats van de citadel gebracht, waar zoveel rechtschapen mensen waren gestorven en waar een permanent schavot stond opgesteld; het kwam maar zelden voor dat het een dag ongebruikt bleef.

Met ogen die van een ander leken, zag ik hoe de beul achteruit de trapladder opging en Elisenda ophees door middel van het touw waaraan hij haar had vastgebonden. De behendigheid en kracht van deze man leken me ongelooflijk. Toen hij zijn slachtoffer hoog genoeg had opgehesen, pakte hij haar bij haar middel en plaatste haar onder de strop en trok die aan de linkerkant van haar hals aan, precies onder haar oor, omdat zo gegarandeerd haar ruggengraat zou breken. Wat me deed huiveren was dat de strop onmiddellijk onder het haar van het meisje verdween.

Ik hoorde een trommelslag, één maar. Het was een goedkope dood.

Het was allemaal verschrikkelijk, zelfs voor iemand als ik, maar bovendien gebeurde er iets waar ik niet op gerekend had. Elisenda woog namelijk niet veel en bij het opengaan van het valluik zou alleen haar val haar dood niet veroorzaakt hebben. Er was iets meer nodig.

Daarom wierp de beul zich op haar lichaam op het moment dat het valluik openging, stortte hij met Elisenda neer en hing hij samen met haar te schommelen. Het waren twee lichamen in één, twee verschrikkingen en voor mij twee doden.

Ik moest hem echter recht doen en erkennen dat die weerzinwekkende handeling professioneel was, om het zo maar uit te drukken. Met het toegevoegde gewicht zou gegarandeerd de hals van het slachtoffer onmiddellijk breken. Maar ik wilde dat niet erkennen. Ik kon het niet. Voorovergebogen bleef ik staan, met een bittere smaak in mijn mond. En ik boog steeds dieper voorover onder het gewicht van alle smart die zich tijdens mijn leven had opgestapeld, toen ik de graaf, gekleed in groot gala, enkele danspassen zag maken vlak bij de binnenplaats. Ik had gehoord van die vreselijke ceremonie, van dat toppunt van wreedheid, maar tot dan toe had ik het nog nooit gezien. Voor het eerst stonden mijn krachten op het punt het te begeven.

Die nacht vertrok ik van de citadel, bevrijdde ik me van een last die velen graag hadden willen dragen en die me macht en rijkdom verleende. Hoewel ik als secretaris van de graaf van Spanje werd benijd en ook benijdenswaardig was, kon ik niet langer doorgaan als lakei van een machthebber die niet alleen elke vrijheid van nul en generlei waarde achtte, maar ook elke gedachte. Ik moest opnieuw beginnen, ik moest me weer als een schaduw onderdompelen in de stad die voor mij eeuwig bestond.

Op mijn lange weg, die weg waarover ik niemand iets kon zeggen, ben ik getuige geweest van de zoektocht naar vrijheid, zelfs ten koste van het leven. Maar vrijheid was een droom die nooit zou uitkomen.

Ik dacht aan de vrouw die ik in 1714 een kind had zien baren onder een met bloed bevlekte kerkklok en ik herinnerde me dat er een bijzonder licht was in haar ogen, ondanks de pijn. Zij had gewild dat haar dochter in vrijheid geboren werd in een vrije stad, maar noch haar dochter noch haar kleindochter had dat bereikt; het enige wat ze bereikten, was hoop op de geschiedenis van de stad. En nu was die hoop voor altijd uitgedoofd.

Bovendien liet ik opnieuw een dode achter. Ik moest vluchten...

En die nacht werd ik weer de grote onbekende, ik vluchtte opnieuw in de nevelen der eeuwen.

27

Het huis met de schaduwen

In de Calle Baja de San Pedro hoopt de geschiedenis van de stad zich op, van de kleine kooplieden, de binnenplaatsen zonder licht en de echtelieden die al hun tederheid in een boekhoudschrift hebben vastgelegd, tussen debet en credit. De geliefden worden oud voor het venster waarvan ze alle zonnestralen kennen, en de kinderen wordt geleerd dat grijs ook de kleur van de hoop kan zijn.

Marta Vives keek naar het huis.

Het was smal, uit natuursteen opgetrokken, maar waarschijnlijk begin twintigste eeuw voorzien van een nieuwe deklaag, die nu al bijna zwart was. De originele stenen waren te zien op afgebladderde plekken en in een paar spleten was op wonderbaarlijke wijze onkruid ontsproten.

Ernaast stonden modernere en in zekere zin plechtstatiger huizen en daarin waren tekenen van leven te zien: een bloempot op een balkon, een gordijn dat wapperde in de wind, wat wasgoed aan een lijn. De portalen waren donker als bodemloze putten van peilloze, raadselachtige ouderdom. Hier en daar was het grijs verlevendigd door het uithangbord van een café; misschien zouden jongeren die cafés op een avond ontdekken, zoals ze de cafés in de Borne hadden ontdekt, maar nu keken de klanten in het niets en leken ze niets te hebben ontdekt, zelfs hun eigen leven niet.

In één oogopslag kon je zien dat het hele gebouw van slechts twee

verdiepingen op het punt stond in te storten en dat er daarom geen krakers in hadden durven trekken. Door de oeroude deur leek al heel lang
niemand naar binnen te zijn gegaan, hoewel het duidelijk was dat een
of andere gemeenteopzichter af en toe kwam controleren, alleen maar
om vast te stellen dat de eigendommen van de gemeente nog niet in
de bodem waren weggezakt.

Ze moest naar binnen, maar ze wist niet hoe. Het eerste wat ze moest
doen, begreep ze, was ongedwongenheid veinzen, alsof ze een van de
gemeenteambtenaren was.

Ze had een loper bij zich, waarvan ze niet exact wist hoe ze hem
moest gebruiken. Een van de verschoppelingen uit Raval voor wie ze
zorgde in de buurtvereniging, had haar twee praktijklessen gegeven, al
had ze niet gezegd waar het voor nodig was. En nu was ze haar kennis van zaken aan het testen, waarbij ze deed alsof wat ze aan het
doen was een legale handeling was. Misschien had ze geluk.

En jawel.

Bij de tweede poging gaf de deur mee. Het slot was oud, maar het
was goed gesmeerd, want af en toe kwam iemand van de gemeente het
nakijken. Marta stond tegenover een ondoordringbare duisternis.

Ze moest denken aan iets waar ze juist niet aan wilde denken, namelijk aan de geschiedenis van het huis en van de priester wiens lichaam nog aanwezig moest zijn. Misschien moest ze geen aandacht
besteden aan wat een oude, maffe geleerde haar had verteld.

Of misschien toch wel? Soms wordt er in een kamer waarin niemand meer komt een mummie gevonden van een persoon aan wie
niemand meer enige herinnering heeft. Zo houden grote steden geheimen verborgen; ook zijn er dikwijls graftomben in de bodem waarvan
niemand weet heeft. Als de priester onder in dat huis was overleden
– ongetwijfeld was er een kelder – was het mogelijk dat geen van de
gemeentelijke technici iets gemerkt had bij de gehaaste, routinematige
afhandeling van de gemeentelijke inbeslagname.

In de kamers achter in het huis, voorbij de smalle trap, stonden wat spullen die duidden op vergane glorie: de resten van twee mahoniehouten tafels, van een bed dat leek op een katafalk en een paar oude kasten met wat eens boeken waren geweest en nu amper wat verschrompelde pagina's, overal verspreid. Het hele leven van een stad die niet meer bestond, was in die cocon van de dood samengebald.

Niemand had zich ergens meer om bekommerd; gemeentehuizen registreren wel bezittingen, maar niet de tijd die vervliegt. Op een dag zou het pand teloorgegaan zijn en de kranten, zij het niet allemaal, zouden het gemeentebestuur beschuldigen van nalatigheid. Verder niets. Of misschien zou er over een paar jaar een appartementengebouw met een penthouse zijn.

Ze zag ook de restanten van twee gemummificeerde katten. God mocht weten hoe die daar hadden weten binnen te dringen. Het rook nergens naar, zoals in een heel oude graftombe.

Dat alles kon Marta Vives zien dankzij een zaklantaarn, want het huis had blijkbaar geen water en licht. Alleen aan de achterkant scheen een gelig licht, dat van de smalle binnenplaatsen kwam. De stemmen van een televisieserie brachten leven in deze tempel van het verleden, maar het was bizar.

Zou dat laatste schuilhoekje van de familie Masdéu ook maar iemand iets kunnen schelen? Marta dacht van niet; ze verwachtte ook niet er iemand aan te treffen. Bovendien begon ze bang te worden, ook al had ze al heel wat vergeten en verlaten vertrekken en graftomben meegemaakt.

Ze kon maar beter weggaan. Ze begreep eigenlijk niet eens meer waarom ze hierheen gegaan was.

En toen dacht ze een schaduw op een stoel te zien zitten, naast het donkerste raam, dat uitzag op een hoek van de binnenplaats. Ze bleef staan met al haar zintuigen op scherp, maar ook met het gevoel zich vergist te moeten hebben; per slot van rekening bestond het huis uit een en al schaduw.

Maar die schaduw in die stoel... had een menselijke vorm!

Marta voelde hoe de adem stokte in haar keel.
De schaduw bewoog. Stond langzaam op.
Kwam naar haar toe.

28

Fatsoenlijk genoeg om te doden

Het Café met de Zeven Deuren werd op kerstavond 1838 officieel geopend, ongeveer tegelijk met de bouw van de zogenoemde huizen van Xifré, die er nog precies zo uitzien als toen. De officiële opening viel samen met de ingebruikneming van de Paseo de Isabel II. Het café bevindt zich op de plek waar de promenade op de Pla de Palau uitkomt en zat in betere tijden vol met autoriteiten als de graaf van Spanje. Joan Cortada, een kroniekschrijver die destijds in het dagblad *Diario de Barcelona* schreef, benadrukte de bijzondere betekenis van het cijfer zeven, zo gebruikelijk in de mythologie en bij sekten. 'Het café zonder naam,' zei hij, 'heeft zeven deuren. Hoera voor het Café met de Zeven Deuren!' Cortada staat dus bekend als de bedenker van die benaming. Het is ook verrassend dat de arcade voor het café zeven bogen heeft, het getal dat in dit geval verbonden is aan de vrijmetselarij.

Aan de buitenkant van het gebouw waarin het café zich bevindt zijn nog meer vrijmetselaarssymbolen te vinden. In de eerste plaats de toespeling op Urania op de voorgevel, vanaf de middeleeuwen als symbool van astronomie en architectuur geadopteerd door de vrijmetselaars. Toevallig is Xifré, de bouwer van het pand, geboren in 1777. In het café zijn ook symbolen van de vrijmetselaars te zien, zoals de tegelvloer in witte en zwarte vierkanten en de tegeltjes op de oudste muren.

Dit las ik allemaal in een boek dat over het oude café geschreven werd door José María Carandell en Leopoldo Pomés. En ik las het toevallig aan een van de tafels in het café, terwijl de ruimte volliep met hongerige klanten die de faam van het restaurant kenden. Het wemelde van de klanten met een toeristische gids in de hand, voor-al Japanners.

'Verder nog iets, meneer Ponte?' vroeg Clos, een van de oudste obers.

Ik noem me nu Ponte.

Ik heb nog steeds het gezicht van een dertigjarige, hetzelfde postuur, hetzelfde gewicht en dezelfde schichtige blik en ik zorg er-voor die nergens strak op te vestigen. Ik ben in het bezit van het identiteitsbewijs van een overledene die ik zelf begraven heb in de nog verse specie van een gebouw in aanbouw. Het was een politie-informant die mijn identiteit wilde natrekken en een gevaar voor me vormde. Ik denk veel aan de doden die ik op mijn geweten heb, maar niet aan deze. Die man, een zekere Ponte, verdiende het niet te leven en bovendien handelde ik uit zelfverdediging.

De politie denkt dat hun informant werd gedood door een onbe-kende moordenaar en dat ze die nooit zullen vinden. Wel, dat is be-slist waar: ik heb hem gedood en ze zullen me nooit vinden. Omdat ik geen creditcard heb – ik, nota bene accountant in dienst van een bank, heb geen creditcard – nooit een paspoort heb aangevraagd en ook nooit formaliteiten verricht heb bij overheidsinstellingen, is mijn identiteitsbewijs moeilijk controleerbaar. Ik weet dat ik het nooit zal kunnen laten verlengen, omdat er dan een merkwaardige geschiedenis zou uitkomen, maar tegen die tijd zal ik wel weer een andere identiteit gevonden hebben, denk ik, op grond van het grote aantal verdwijningen elk jaar in Barcelona. Verdwijningen vormen voor mij een bron die nooit uitgeput raakt.

'Alstublieft, meneer Ponte, de rekening.'

Ik betaal en geef een royale fooi, want ik heb nu geen geldgebrek.

Als procuratiehouder hou ik toezicht op de beurstransacties van mijn bank en ik hoef de straat maar over te steken om mijn werkplek te bereiken, in het classicistische paleis tegenover het café. De grote verrassing van het interieur van dat gebouw is een prachtige, gotische constructie en jaren geleden werd een schitterende bovenzaal ontdekt waarvan niemand het bestaan wist. Veel oude gebouwen in Barcelona zijn als graftomben waarvan men niet weet wat er te vinden is.

Ik kijk naar het Pla de Palau, de plaats waar vroeger het paleis van de graaf van Spanje stond, en ik probeer nog verder weg te kijken, naar het park van de citadel, waar altijd de galg heeft dienstgedaan. De geschiedenis van Barcelona bestaat uit enkele tientallen doden over wie men spreekt en duizenden doden over wie niemand spreekt.

Alleen ik herinner me hen: de liberalen, de opstandelingen die nog net tijd hadden om een laatste schreeuw van hoop te uiten, het meisje...

De respectabele heer Ponte, die niemand in verband kan brengen met een politie-informant in de Chinese wijk, steekt de straat over en gaat de beurs binnen. De foto op het identiteitsbewijs is het enige valse eraan, maar de leeftijd wekt bewondering bij eenieder die hem leest. Er staat in dat ik vijfenvijftig jaar oud ben en iedereen is verbaasd te bemerken dat mijn gezicht niet veranderd is.

Ik vertel dan dat ik huidcrèmes gebruik. Dan vragen ze me welke dat zijn. Ik antwoord altijd dat dat een geheim is dat ik meeneem in mijn graf.

'Jammer. Als u het te gelde zou maken, zou u fabelachtig rijk worden.'

'Ik ben geen mens voor de handel.' Ik ben geen mens voor handel en toch ben ik procuratiehouder bij een bank.

Toch is mijn geval niet zo vreemd. De meeste mannen en vrouwen die in de stad overleven, doen werk waar ze niet van houden.

Zo was het niet altijd.

Die nacht in 1820 toen ik ophield een van de secretarissen van de graaf van Spanje te zijn, vond ik onderdak in een liberaal en natuurlijk clandestien centrum dat feitelijk een vrijmetselaarsloge was. De leden ervan vertrouwden me omdat ik hun de plattegronden van enkele ingangen in de citadel verschafte, waardoor zij in staat waren een verrassingsinval te doen en een half dozijn terdoodveroordeelden te bevrijden. Zelf nam ik ook deel aan die nachtelijke operatie om hen te overtuigen van mijn goede wil.

Een van de veroordeelden, Serra genaamd, kon niet gered worden. Hij werd de volgende ochtend opgehangen en liet een jonge weduwe achter.

Ik leidde een bestaan zonder vrouwen, maar het was die vrouw, Claudia, de weduwe die niet kon huilen, die mijn leven getekend heeft.

Die groep liberale samenzweerders had een dekmantel, een school voor analfabeten in de Calle de Aviñon, en ik bood aan er les te geven. Om te vermijden dat ik herkend werd, verfde ik mijn haar en gebruikte ik een valse baard. Ook zette ik een bril op, maar daarachter bleef iets wat nooit zou veranderen: mijn blik van eeuwig leven.

Uiteraard kon iedereen die naar die school kwam lezen en schrijven; de lessen waren een voorwendsel voor de verbreiding van de revolutionaire ideeën. Constitutionalisten, progressieven, vrijdenkers en zelfs een enkele ketter, iedereen was enthousiast over mijn lessen. Ik was de enige die alles leek te weten.

Ze zagen dat ik geen enkel boek hoefde te raadplegen. Dat ik de geschiedenis van de belangrijkste gebouwen in de stad kende alsof ik ze zelf gebouwd had. Dat anekdoten over beroemde voorouders voor mij geen geheimen hadden. Ik was de beste leraar die ze ooit hadden gehad en dat droeg bij aan mijn roem.

Het droeg te veel bij aan mijn roem.

De huurmoordenaars van Ferdinand VII infiltreerden in de clandestiene kringen en zo was het niet verwonderlijk dat iemand ondanks mijn vermommingen besefte dat mijn gezicht nooit veranderde. Dagelijks speelde ik met mijn leven.

Claudia was degene die het me vertelde. Claudia, de weduwe van Serra, de man die opgehangen was nadat wij hem niet hadden kunnen redden, kwam me opzoeken in mijn kleine schuilplaats, gelegen in de Calle de Escudellers. In die straat, grenzend aan de stadspoort, waren vroeger fraaie adellijke paleizen geweest en er waren nog restanten van over uit het verleden. In die tijd was het nog geen straat die verbindingen had met de onderwereld, zoals veel later het geval zou zijn.

Ik beschikte over een kamer in een soort logement dat me was aanbevolen door de vrijmetselaars zelf en dat een zeer geduchte naam had: Hermandad. Ik betaalde mijn huur door in opdracht universitaire teksten uit het Latijn te vertalen.

Claudia was jong en had de fijne, blanke gelaatstrekken van vrouwen die altijd in de stad hebben gewoond. Ze was echter revolutionair, nog meer dan haar echtgenoot, de gehangene: niet alleen borduurde ze vlaggen, net als Mariana de Pineda, maar zij liep er ook mee te zwaaien. Dat was bij een aanval op de citadel waarbij twintig mannen omkwamen en zij was de enige vrouw die meedeed. Achtervolgd door de straten, werd ze opgevangen door een reactionaire priester, die haar als betaling wilde verkrachten. Claudia's echtgenoot doodde de reactionair meteen de eerste nacht.

Nu woonde ze buiten de muur van San Antonio in een straat die nog geen naam had en waar later de beroemde markt Ninot zou worden gebouwd. Toen ze me kwam opzoeken zei ze zonder omhaal: 'Jullie van de loge beginnen bekend te worden en de dienaren van de koning kunnen elk moment komen om jullie allemaal te arresteren. En als ze jou niet daar arresteren, komen ze wel naar dit logement, waarvan de naam als een uithangbord is. Om te overleven moet je naar een veiliger plaats en die heb ik voor je gevonden. Vanaf de dag dat mijn man werd opgehangen heb ik daarnaar gezocht.'

Ze nodigde me eenvoudig uit bij haar te komen wonen. Het was de eerste vrouw die belangstelling voor mij toonde, denk ik, en de eerste die me als man zag. Uiteraard weigerde ik.

Dat kon ik absoluut niet doen. Ze zou meteen ontdekken dat ik geen man was.

Toch bleef me uiteindelijk niets anders over dan toe te geven. Een politie-infiltrant gaf de loge aan en ze kwamen ons arresteren. Ik ontsnapte omdat ik een oude, middeleeuwse steeg kende die in die straat uitkwam, maar nu kon ik er niet meer onderuit te verhuizen.

En daar was Claudia.

Edelmoedig. Dapper. Een voorstandster van vrijheid voor het hele volk en met name voor alle vrouwen. Ze dacht nooit aan het gevaar dat ook zij liep en ook niet aan het gegeven dat er in de kleine woning slechts één bed stond.

Ik weet niet of er op dat moment in Barcelona meer vrouwen als Claudia waren. Misschien was zij de enige. Ze beschouwde de man als kameraad naast wie ze kon sterven maar niet als heerser over haar lot. We woonden amper een week samen (ik sliep zonder enig probleem op de vloer) toen zij besefte dat ik bijna niets at, dat ik bijna elke nacht naar buiten ging – ze wist niet waarheen – en dat ik soms terugkeerde met bloeddruppels op mijn kleren. Ik zei haar dat ik een informant van de politie van de koning had gedood, wat waar was, maar wat zij zich niet kon voorstellen, was op welke manier ik hem had gedood.

Ik heb haar nooit de waarheid hoeven vertellen. Claudia beschouwde me als een held en werd verliefd op me. Ik was een levende kameraad en haar echtgenoot was niet meer dan een dode kameraad. Claudia hanteerde wapens omdat ze in de toekomst geloofde en in dit geval was ik de enige toekomst.

Ik herinner me het bescheiden huis, omringd door leegte, dat wil zeggen omringd door tuinderijen, met jankende honden en met katten die onder de rokken van Claudia vluchtten. Soms werkte ze op het land, andere dagen ging ze naar de stad om dienstmeisjes van voorname huizen te helpen, maar ook dan was ze een gedistingeerde vrouw. Ze had klasse. Iedere man zou zich tot haar aangetrokken hebben gevoeld.

Ze werd eigenlijk omringd door rijkelui. Ze boden haar geld. Claudia was de voorloopster van de meisjes die eeuwenlang naar Barcelona kwamen om de kost te verdienen, niet alleen voor zichzelf maar ook voor hun kind, na als immoreel verdreven te zijn uit het huis van een meester die zelf nooit gewerkt had. Maar Claudia bezweek voor niemand; alleen voor mij bezweek ze, omdat ze me een held vond. Een armzalige held, bij wie alles op verraad uitliep en die niets dan een lafaard was. Op een nacht bood ze me haar lippen, haar adem en haar bed. In de stilte van enkele velden waar alleen de honden bleven blaffen, met uitzicht op de wachtvuren op de stadsmuren van Barcelona, kwam Claudia erachter dat ik een geslacht had maar de roep van het geslacht niet voelde. Voor het eerst zonk ik weg in schaamte over mezelf.

Want zelfs een man die geen gevoel in zijn geslacht heeft, schaamt zich als hij bij een vrouw nergens toe dient. Miljoenen mannen zijn me op die weg voorgegaan, al wist ik dat niet. En evenals miljoenen mannen besloot ik, nu ik nutteloos was, tenminste verstandig te zijn.

Niet alleen was ik in een bordeel geboren, maar ook kende ik alle bordelen in de stad, want er was in de hele stad niets wat ik niet kende. Tijdens mijn verblijf in een kerk had ik vrouwen fluisterend horen biechten en ik wist wat hen in verleiding bracht, dus ik wilde verstandig blijven.

Ik deed wat ik in de loop der eeuwen had zien doen, al nam ik er nooit aan deel. Ik paste alle variaties toe waarin de penis geen rol speelt en ik raadde alle geheimen die vrouwen nooit prijsgeven en die altijd geheim blijven, omdat ze ze met niemand in praktijk brengen.

Het werkte niet. Claudia wilde geen burgermannetje – die indruk had ze van mij – maar een kameraad in volle glorie die in staat was haar kinderen te geven en naast haar te strijden. Ik merkte dat ze in plaats van een orgasme te krijgen tranen in haar ogen had.

Ze was niet als andere vrouwen. Andere vrouwen wilden alleen zekerheid, een toekomst tussen hun eigen vier muren, een aantal goedverzorgde kinderen en een reeks verboden in bed. En omdat Claudia niet als andere vrouwen was, vertelde ik haar de waarheid, wat ik nog nooit gedaan had tegenover een vrouw. Ik dacht dat ik voor één keer eerlijk kon zijn en me kon overgeven aan een vrouw die zich aan mij overgaf.

Ze geloofde me niet. Claudia geloofde niet in onsterfelijke mannen maar in mannen die de trots bezaten om te sterven.

De volgende nacht, toen ik zoals altijd buiten was, omringde de koninklijke politie het huis. Ze wilden haar levend in handen krijgen; Claudia, die de schakel was tussen de revolutionairen, kende zoveel namen, die ze uit haar zouden weten te krijgen terwijl ze haar ingewanden opensneden.

Daarom wilde ze niet dat men haar levend te pakken zou krijgen. Ze hing zich op.

Het enige wat de verklikkers vonden was een postume boodschap waarvan ze niet wisten dat hij aan mij gericht was. In de boodschap stond eenvoudig: 'Je moet hoe dan ook ergens in geloven.'

Claudia zou na haar dood begraven worden in het massagraf, bij haar echtgenoot. Ze had geen moment gedacht dat ze een luxe begrafenis zou krijgen. Er werd voor betaald door een geldschieter in wiens huis ze gewerkt had en die talloze malen had getracht haar te kopen. Aan een grote bloemenkrans hing een lint met een tekst die voor iedereen onbegrijpelijk leek: 'Eindelijk neem je mijn geld aan.'

Veel mannen hebben slechts die ene trots.

De geldschieter deed al het mogelijke opdat zijn vrouw niets te weten kwam van die uitgave.

Zijn vrouw kwam er toch achter.

Ik had in het kantoor van een advocaat in de Calle de San Pablo een schuilplaats gevonden – dicht bij de kerk en het oude kerkhof, waar alles al veranderd was – en daar ontving ik de opdracht de echtgenote te gaan bezoeken om een boedelscheiding te regelen. Ik kon haar zozeer geruststellen dat ze besloot om met haar man door te gaan, omdat het haar, zoals ze zei, per slot van rekening toch beter uitkwam. Dat burgerlijke zinnetje behelsde een hele principe-verklaring waar ik met niemand over praatte.

De dankbare geldschieter betaalde de advocaat een forse rekening en wilde mij bovendien leren kennen om me bij zijn zaken te betrekken. De gesloten overeenkomst was ook uitstekend voor zijn imago. Toen hij zijn zaken uitbreidde en omvormde tot een echte bank, nam de vroegere geldschieter, nu bankier geworden, me in vaste dienst.

En zo ontstond dan weer de heer Ponte.

Vreemd genoeg zijn er in Barcelona, dat beschouwd wordt als het belangrijkste economische centrum van Spanje, geen banken van Calataanse origine. Het zijn allemaal instanties met een hoofdzetel buiten Catalonië, zoals de Banco de Santander Central Hispano, de Banco de Bilbao-Vizcaya en de Banco Español de Crédito. Toch weet ik dat in Barcelona de eerste grote bank werd opgericht toen alleen de Banco de San Fernando nog maar bestond, die later de Banco de España zou heten. De beroemdste eigenaar daarvan was Manuel Girona, een multimiljonair die een hele tijd later de nieuwe voorgevel van de kathedraal uit eigen zak financierde. Die bank werd opgericht in 1842 en waar de hoofdvestiging was, is nu nog te zien op de Ramblas: het is het laatste gebouw aan de zeekant. Ik veronderstel dat het een streng gebouw genoemd wordt totdat het instort, want tevoren zat er een kanonnengieterij in en daarna nog iets ergers: de militaire rechtbank.

De zogenoemde Banco de Barcelona verkreeg zelfs het privilege legaal bankbiljetten in omloop te brengen, hetgeen deze bank in een vrij unieke, bevoorrechte situatie bracht. Deze bank kreeg tweemaal een crisis te verduren: de eerste keer in 1848 (hongersnood in Europa, revoluties en massale intrekking van fondsen) en de tweede keer in 1866 (een aandelencrisis die uiteindelijk uitliep op de officiële uitgifte van bankbiljetten). Beide keren kwam hij die goed te boven. In 1920 stortte hij echter in, toen de nieuwe Europese orde aan het eind van de Eerste Wereldoorlog afrekende met de handelsbelangen die Spanje door zijn neutraliteit had verkregen. Einde verhaal.

Ik, Ponte, die gedurende vele jaren samen met anderen het heft in handen had op de beurs, weet dat het door de individualistische aard van de Catalanen komt dat ze nooit grote banken hebben. Ik weet ook dat een man zich niet gedurende vele jaren in het financiële milieu kan ophouden zonder van uiterlijk te veranderen en zonder de aandacht te trekken van mensen die dagelijks een nieuwe rimpel in zijn gezicht willen ontdekken. Dus moest ik een dynastie verzinnen.

Toen ik merkte dat ik gevaar liep, ging ik in Parijs werken en daarna in Genève, waar ik beweerde een zoon te hebben. Natuurlijk trok ik me terug uit de zaken en nam ik afscheid van de erfgenamen van de geldschieter, die al overleden was. Ik ging naar zijn begrafenis, ging vooraan staan en liet een krans bezorgen met een tekst op het lint die ook niemand begreep: 'Ik stuur u uw geld terug.'

Ik bleef twee jaar in het buitenland, niet in Parijs, waar bankiers dikwijls kwamen, maar in de onderwereld van Marseille, waar bankiers nooit kwamen. Daar leerde ik verschillende gevechtstrucs kennen, waaronder de 'coup van Père François', waarbij met een enkele beweging van twee vingers de ogen van een tegenstander worden uitgestoken.

Toen die twee jaren voorbij waren, presenteerde zich in Barcelona mijn 'zoon', die zoveel op mij leek dat iedereen verbaasd was. Ik deed alsof ik van de vrouwen hield (mijn 'vader' kwam daar niet) en had zelfs twee concubines: het waren twee eenvoudige meisjes aan wie ik geld gaf in ruil voor hun discretie en met wie ik nooit het geringste seksuele contact heb gehad. Ze dachten waarschijnlijk dat het een alibi was om mijn voorliefde voor mannen te verhullen, iets wat vaker voorkomt dan men denkt.

Intussen was Barcelona zo enorm veranderd dat niemand de stad meer kende. De stadsmuur aan de Ramblas was neergehaald en er was serieus sprake van de muur bij de rondwegen van San Antonio en San Pablo te slopen. De tiran Ferdinand VII was overleden zonder dat dat vrede bracht: toen er in feite al twee Spanjes bestonden, begonnen de Carlistische Oorlogen.

Maar de stad groeide en groeide en raakte steeds meer verstikt binnen de stadsmuren; de textielbedrijven strekten zich uit langs de welvarende straten (de Calle Fernando, de Calle Ancha, de Calle Canuda en de Calle Carmen), terwijl daarentegen Raval, waar ik geboren was, bezaaid was met piepkleine woningen waar de arbeiders die in de fabrieken praktisch ernaast werkten, telkens een paar uur sliepen. Het Hospitaal van Santa Cruz en de San Pablokerk leken onveranderd, maar van het oude kerkhof was geen spoor meer te bekennen. Evenals honderden jaren tevoren kwamen er telkens kleine theaters bij en feesttenten en kleine huisjes waar het altijd druk was en waar zoveel vrouwen huilden.

Er was niets meer over van het huis van mijn moeder. Ook niet van de galgen op de Boqueríavlakte. Evenmin van de wachtposten aan de Ramblas.

Maar er werden herenhuizen gebouwd voor rijke mensen die meubelen van hoge kwaliteit wilden kopen. Om me te onderscheiden van mijn 'vader' verliet ik daarom de zaken in de beurs en deed ik me voor als deskundige in antiek meubilair, wat nog waar was ook. Ik handelde bijvoorbeeld in kostbare muziekinstrumenten, zoals een mandoline uit 1775, gesigneerd door Vinaccio, en een luit van Matheus Buckberberg, gedateerd 1613. Ik keek niet neer op handel in tegeltjes uit verafgelegen kerken die door dieven werden geroofd – een proces dat blijkbaar nooit zou ophouden – of handel in historische boekwerken als *De Architectura* van Vitrubio.

Op die manier kregen de mensen die mijn 'vader' hadden gekend geen argwaan, al zeiden ze wel dat er een verbazingwekkende gelijkenis was. Ook werden ze niet achterdochtig door de verdwijning van verschillende schurken in de laaggelegen wijken in de stad, waarvan er een achteraf werd gevonden zonder een druppel bloed in zijn lichaam. Maar dat gebeurde slechts heel af en toe en Barcelona was nu eenmaal een gewelddadige stad en dus wekte dit bij niemand wantrouwen.

Ook De Ander koesterde geen argwaan.

Ik zag hem niet meer, maar hij zou weer verschijnen, daar was ik zeker van. Gebeurtenissen herhalen zichzelf altijd en tijd bestaat niet. We brengen een onderverdeling aan om ons leven een beetje te ordenen, hoewel de tijd in wezen eendimensionaal is en geen begin of eind heeft.

Om geen commentaar uit te lokken ging ik ook vrijwel nooit naar de revolutionaire plaatsen van samenkomst die de aanzet zouden vormen voor de Eerste Republiek. Ik, de zoon van een bankier, was een rijk en gerespecteerd handelaar, zozeer dat enkele oude patriciërs me hun dochters ten huwelijk boden zonder dat de arme meisjes er iets over mochten zeggen. De families groeiden door huwelijken uit berekening en gingen ten onder door huwelijken uit liefde, zodat iedereen verheugd was over wijsheid in de slaapkamer. Telkens als ik zo'n bruiloft moest bijwonen, ging ik daarna naar het graf van Claudia.

Misschien zouden er geen vrouwen als zij meer geboren worden, misschien had de stad hen voor altijd verzwolgen.

Revolutionaire vrouwen blijven echter bestaan.

Barcelona bruiste, werd steeds rijker en tegelijk steeds armer.

Door mijn kwaliteiten als kunstkenner kon ik in één oogopslag een echte Goya van een Lucas onderscheiden, iets wat me geen enkele moeite kostte, omdat ik de geschiedenis van elk schilderij kende. Ook stelde ik me in verbinding met vervalsers van formaat, nepbankiers en zelfs beruchte, internationale moordenaars die misdaad tot een schone kunst verheven hadden, zoals later in een boek vermeld zou staan.

Een van hen, een aantrekkelijke, ambitieuze vrouw om precies te zijn, stelde me voor een misdrijf te financieren waardoor ik in één klap ontzaglijk rijk zou worden. Het ging om het doden van een man die een nieuwe stad had ontworpen. Hij heette Cerdà.

29

Huizen die niet bestaan

Ondanks het feit dat ze archeologe was, maakten oude huizen Marta Vives bang; onverlichte binnenplaatsen maakten haar bang, vermolmde hekken, ramen die niet sloten en die klapperden in de wind. Vooral bedden waarin iemand gestorven was, maakten haar bang. Marta was iemand die geloofde dat doden op een of andere manier in hun huis aanwezig blijven.

Ze stond op het punt te gaan gillen, want wat daar achter in het verlaten huis bewoog, leek wel een dode. Maar ze schaamde zich. Ze had toch al zo vaak graftomben gezien.

Haar stevige benen deden een stapje opzij; ze zocht een streepje licht, licht van betrekkelijke waarde in die wereld die niet meer bestond. En toen kon ze zien dat de schaduw die zich plotseling had bewogen en nu op haar afkwam, een levend mens was. Een lange, magere en bovendien correct geklede man.

Voor hem kon ze niet bang zijn. Het was een priester. Een bekende.

'Pater Olavide,' fluisterde ze.

De man die zo vaak in het kantoor van Marcos Solana kwam, diens vriend en medewerker, misschien de meest geleerde priester in de stad, kwam op haar af en stak haar zijn hand toe.

'Ik heb het gevoel dat ik je aan het schrikken gemaakt heb, Marta,' sprak hij met een glimlach.

'Pater Olavide, ik begrijp niet hoe u hier komt. Ik ben inderdaad geschrokken. Stom van me.'

'Ik begrijp ook niet waarom jij hier bent, Marta.'

Hij ging tegenover haar zitten. In wat jarenlang de salon van het huis geweest moest zijn, vroeger het toneel van ontvangsten, stonden enkele fauteuils uit de tijd van koningin Isabella, twee kapotte gaslampen en de overblijfselen van een mahoniehouten tafel. Er was echter geen gas of andere mogelijkheid voor verlichting, alleen het licht van buiten, dat nu bijna verdwenen was, hoewel door de ramen aan de andere kant van de binnenplaats een zwak licht scheen. Er was leven tegenover het dode huis.

Uit beleefdheid had Marta haar zaklantaarn uitgedaan; ze wilde niet dat Olavide het gevoel had aan een ondervraging te worden onderworpen. En bovendien was het zo beter, want vanuit de huizen aan de overkant van de straat zou het schijnsel van de lantaarn te zien zijn en argwaan kunnen wekken.

'Ik geloof dat ik hier illegaal binnengekomen ben,' zei Marta.

'Dat begrijp ik niet.'

'Ik moet toegeven dat het schandalig is voor een vrouw die op een van de meest vooraanstaande advocatenkantoren in de stad werkt.'

'Als je dat wilt, vraag ik niets meer,' zei Olavide hoffelijk.

Zijn priestergewaad ging verloren in het donker; in het zwakke nevelige licht was alleen zijn gezicht te zien.

'O nee, pater Olavide, u kunt vragen wat u maar wilt.'

'Vertel me dan maar eens waarom je hier bent.'

'Ik wil niemand kwaad berokkenen en dat pleit me misschien vrij; ik probeer alleen iets te onderzoeken waar mijn baas niets van weet en dat zuiver privé is. U weet toch dat ik een merkwaardige vrouw ben.'

'Hoe moet ik dat begrijpen?'

'Ik heb archeologie gestudeerd, geschiedenis, heraldiek en andere vakken van twijfelachtig nut. U weet dat ik alle oude families van deze stad ken.'

'En dat loopt steeds meer door elkaar. De oudheid bestaat niet meer of heeft geen belang meer. En,' voegde pater Olavide er glimlachend aan toe, 'ik beweeg me in hetzelfde vakgebied als jij, Marta, dus kan ik geen kritiek op je hebben. In Rome heb ik lesgegeven over geslachten die teruggaan tot de eerste apostelen, wat naar ik aanneem, betekent dat ik veel leugens heb verteld. Maar wat jij weet is waar, en voor je baas is het heel nuttig; voor advocaten bestaan de oude families nog om de eenvoudige reden dat de oude erfenissen bestaan.'

Marta probeerde te glimlachen. 'Ik neem aan dat mijn baas het daarom met me uithoudt.'

'En wat zocht je in dit huis, even aangenomen dat je iets zocht? Het is eigendom van de gemeente, hoewel ik bang ben dat de gemeente nooit zal doen wat de laatste erflater wilde.'

'Ik ben hier juist zonder toestemming binnen om aanwijzingen te zoeken over de laatste erflater.'

'Weet je wie het was?'

'Een priester genaamd Masdéu.'

'Een betrekkelijk rijke priester, zoals veel priesters in die tijd. Daarom wilde hij graag dat dit een openbare bibliotheek zou worden.'

'Weet ú dat ook?'

'Maar natuurlijk, beste meid. De eigendomsregisters van de gemeente zijn niet geheim. De notariële protocollen evenmin. Een oudhoogleraar als ik moet op zijn minst een aantal dingen van zijn stad weten.'

'Wel...' Marta moest erkennen dat pater Olavide een van de weinigen was van wie ze iets kon leren. 'Een vrouwelijke voorouder van mij is gestorven zonder dat haar overlijden geregistreerd werd, maar ik heb wel de plaats achterhaald waar ze begraven lag. Ik zeg "lag", want ze is daar niet meer: vele jaren geleden werd haar stoffelijk overschot verwijderd van het kerkhof van Pueblo Nuevo. Deze voorouder van me overleed onder bijzonder vreemde omstandigheden... alsof ze door de duivel was getekend. Ik weet niet hoe ik het moet zeggen.'

'Je hebt het heel goed gezegd, maar ik ben bang dat dat niet alles is.'

'Nee, dat is niet alles. Terwijl ik onderzoek deed, kwam ik nog iets heel vreemds te weten: de familie Masdéu betaalde voor haar graf, hoewel ze later, ik denk door de chaotische toestanden tijdens de Burgeroorlog, de betaling hebben stopgezet. Dat had tot gevolg dat het stoffelijk overschot verdween.'

'Dat kwam heel vaak voor,' sprak pater Olavide met zijn blik strak op haar gericht, 'en wat weet je nog meer?'

'Ik begrijp niet waarom ze jarenlang hebben betaald. Ze kunnen haar niet eens gekend hebben.'

'En dat heeft je belangstelling gewekt?'

'Ja, want zoals ik u net vertelde, overleed mijn voorouder onder vreemde omstandigheden en alsof ze door de duivel getekend was. En zij niet alleen; in mijn verre familie hebben zich gevallen voorgedaan waar ik wellicht nooit iets van zal begrijpen.' En met een dun stemmetje voegde ze eraan toe: 'Pardon, maar ik geloof dat ik me belachelijk maak door u dit te vertellen.'

'Niemand maakt zich belachelijk als hij praat over onderwerpen die hem angst aanjagen. Ik geloof namelijk, Marta, dat je bang bent.'

'Ja,' antwoordde ze eerlijk.

'In dat geval hoef je je niet te schamen om het in alle eerlijkheid te vertellen. Ik begrijp alleen niet waarom je hier gekomen bent. In de eerste plaats: hoe is je dat gelukt?'

'Met een loper.'

'Merkwaardige manier van doen voor een stagiaire van een advocaat. Maar maak je geen zorgen, ik heb bij de biecht wel verbazingwekkender onthullingen gehoord. En je zegt dat je aanwijzingen zoekt over de laatste bewoner van dit huis. Waarom?'

Marta beet op haar onderlip. 'Ik denk dat het allemaal belachelijk is. Ik dacht dat ik hier iets van een aanwijzing zou kunnen vinden over de dood van mijn voorouder.'

'Je kunt wel merken dat je historica bent.'

'En dat ik veel twijfels heb. En bang ben.'

'Twijfel is iets anders dan angst. Voor iets natuurlijks als de duivel zou je niet bang hoeven te zijn.'

Het meisje aarzelde. 'Is de duivel iets natuurlijks?' vroeg ze met een stem die niet de hare leek.

'Zeker. Dat zeg ik je, ik die jarenlang in Rome heb lesgegeven over de kerkvaders. De duivel is een van de natuurlijke factoren in de Bijbel, zij het onder verschillende namen en met eigenschappen die twijfel zaaien. De duivel is een van de meest verwarrende personages binnen de religie, maar is er zonder twijfel in aanwezig. Je zou zijn figuur als iets heel gewoons moeten zien.'

'Dat idee kan ik niet vatten,' bekende Marta Vives.

'Misschien omdat dat idee een langere toelichting vereist. Maar geef me eerst antwoord op een vraag. Ik heb het gevoel dat dit huis je bang maakt, dat je al bang was voordat je mij hier bij het raam zag zitten. Waarom?'

'Een historicus heeft me verteld dat het lichaam nog hier in huis aanwezig was.' Marta's stem klonk onvast toen ze deze woorden sprak.

Soms had ze het gevoel nog maar een klein meisje te zijn, bang voor bedreigingen vanuit de gang, gekraak van hout en licht dat door kieren van de deur komt. Het was allemaal belachelijk, dacht ze, maar ze wist dat als ze pater Olavide daar niet had aangetroffen, ze het op een gillen gezet had.

Aan de andere kant van de binnenplaats gingen opeens een paar fellere lampen aan. De schaduwen op de binnenplaats werden levendiger... Er trilde iets in de lucht en op de kroonlijst verschenen grillige schaduwen.

'Betekent dat dat hij hier stierf zonder dat iemand het wist?' zei pater Olavide.

'Dat weet ik niet. Die historicus vertelde me dat de begrafenis van die man nergens is geregistreerd en zijn lichaam nooit ergens is gevonden.'

'In grote steden gebeurt veel wat niet in registers wordt vastgelegd of misschien niet te vinden is. Het is ook waar dat veel mensen in hun huis sterven zonder dat iemand erachter komt, totdat er opeens een mummie gevonden wordt in een kamer. Als jonge priester werd ik soms geroepen om de zegen uit te spreken over het stoffelijk overschot van iemand die misschien al jaren in de hel was.' Hij pauzeerde kort, alsof hij over zijn eigen woorden nadacht. 'Goed, ik moet toegeven dat dit niet zo'n vrome uitspraak is... Maar aangezien het in dit geval om een priester gaat, zou de bisschop iets gedaan hebben. Of de gemeente, toen die het legaat aanvaardde en het huis overnam. Dat zegt althans het gezonde verstand, maar hoe dan ook...'

Marta merkte dat deze laatste woorden in de lucht bleven hangen. 'Wat, hoe dan ook?' vroeg ze met trillende lippen.

'Het lichaam zou in een verborgen kamer kunnen liggen... Bijvoorbeeld ergens in de kelder. Deze eeuwenoude huizen hebben hoeken en gaten waar jarenlang niemand geweest is en die uiteindelijk in de vergetelheid raken. Er zijn valse tussenwanden, afgesloten deuren. En bovendien heeft dit huis... hoe zal ik het zeggen... een slechte naam. Daarom ben ik hier.'

Aan de andere kant van de binnenplaats gingen de lampen weer uit. Marta's lippen trilden weer.

'Wat bedoelt u?'

'Je hebt me verteld waarom jij in dit huis bent, Marta, maar van mijn kant heb ik je nog niets verteld. Welnu, ik ben hier omdat ik de sleutels heb: de Kerk speelt een rol bij het beheer van de bibliotheek die hier ingericht moest worden. En bovendien ben ik al sinds vele jaren exorcist en een van de meest gerenommeerde autoriteiten als het gaat om de duivel. Ik weet dat veel mensen dat als een grap zouden opvatten, maar jij niet; de duivel is een gewoon personage in de patristiek, de leer der kerkvaders die is vastgelegd in de boeken van de klassieken die de leerstellingen ontwikkelden over de figuren in de evangeliën en de Bijbel.'

Marta toonde geen enkele verbazing en ze vatte het al helemaal niet als een grap op. De boeken van de patristiek maakten deel uit van haar wereld.

'Wat u me vertelt, is heel verontrustend,' fluisterde ze na enkele seconden.

'Ik neem aan dat je bedoelt dat ik de duivel in verband breng met dit huis.'

'En, is dat uw bedoeling?'

'Om je de waarheid te zeggen, ja,' zei pater Olavide. 'Er zijn plaatsen met verborgen geesten, vooral oude huizen waarin veel mensen zijn overleden. In nieuwe, kleine huizen zonder geschiedenis die naar kattenpis ruiken, lijkt me dat niet mogelijk. Maar er zijn plaatsen die getekend zijn en dit is er een van. Ik denk niet dat het toeval is dat wij elkaar hier getroffen hebben zonder het van tevoren van elkaar te weten. Wij beiden hebben iets onbestemds opgevangen wat anderen niet merken.'

Hij ging voor het raam staan, waardoor hij de lichten vanaf de overkant afschermde. Hij leek Marta langer en magerder dan anders en tegelijkertijd gewichtiger. Ze voelde zich enorm opgelucht dat ze niet alleen was. Olavide betekende voor haar niet alleen gezelschap, maar hij gaf haar ook kracht.

'In straten als deze,' vervolgde hij, 'lijken in de schaduwen geheimen op de loer te liggen. Neem me niet kwalijk dat ik zo praat; ik kan het niet anders uitdrukken. Onder elk bestaand huis ligt een ander dat ooit bestond. Als je een gat zou maken in een van de riolen die hieronder liggen, zou je waarschijnlijk iets aantreffen wat ooit de salon was waar de nu overleden familie bijeenkwam. Blijft er iets over van hun geest? Ik weet het niet, maar in elk geval heb ik er respect voor vanuit het geloof. En er kan enige waarheid in schuilen, want zoals ik je al zei, er is een legende aan dit huis verbonden.'

Hij ging weer zitten. Er viel een lichtstraal op wat een mahoniehouten tafel geweest was, die onmiddellijk in een laag stof verdronk.

'Welke legende?' vroeg Marta.

'Ten eerste dat er hier onder onze voeten een mummie zou kunnen liggen. Dat is geen nieuw verhaal, Marta, je moet niet denken dat het een nieuw verhaal is, en als jij en ik het kennen, zijn er meer mensen die het kennen. Misschien komt het daardoor dat ik weet dat hier duivelse rituelen hebben plaatsgevonden. Er zijn hier mensen binnen geweest die schaduwen gezien hebben en geesten hebben ervaren. Vandaar naar het oproepen van de duivel is maar een kleine stap. Verbaast het je niet dat niemand iets doet met dit huis? Soms bestaat er voor uiterst serieuze plaatsen, zoals gemeentekantoren, een bepaalde vrees. Hoewel ik daar niet van opkijk. Wij priesters weten dat er zelfs onder de Sint-Pieter in Rome geheimen verborgen liggen en daarom lijken wij omringd door een sfeer van eeuwigheid.'

'Dus u bent hier gekomen voor iets...'

'Omdat ik weet dat er satansrituelen hebben plaatsgevonden, zij het zonder slachtoffers. Als het iets anders was geweest, was de politie wel tussenbeide gekomen. Het gaat om aanroepingen die misschien beladen waren met angst, net zoals jij die nu voelt. En ik ben gekomen om te kijken of ik er iets van bespeur en om te ervaren wat er van de geesten nog aanwezig is. Als er tenminste nog iets aanwezig is. Maar ik ben hier ook om een prozaïscher reden.'

'En welke is dat?'

'Een deel van al deze oude bezittingen die in handen van de gemeente zijn gekomen, wordt beheerd door een stichting die over het gebruik ervan moet beslissen. Ik maak deel uit van die stichting en bij tijd en wijle moet ik een rapport opmaken.'

Hij stak zijn hand uit naar Marta Vives omdat ze elkaar al bijna niet meer konden zien. Als een beschermende schaduw begeleidde hij haar naar de deur.

'Wilt u dat ik mijn zaklantaarn aandoe?' vroeg zij.

'O nee... Ik ken het huis alsof ik hier geboren ben; vergeet niet dat ik hier vrij regelmatig kom. Maar nu moet ik gaan en ik wil je hier niet alleen achterlaten. Ik zou je nooit in een situatie als deze alleen achterlaten.'

Hij greep haar hand stevig beet. Het meisje voelde zich gerustgesteld, gesteund door die schaduw die alles leek te beheersen. Vaag zag ze de deur, waarachter nog een wereld van schaduwen rustte.

'Maar jij kwam hier om iets uit te zoeken,' zei pater Olavide, 'en ik zal je helpen. Alles wat er gebeurd kan zijn met die voorouder van je zul je te weten komen, dat beloof ik je, want misschien heb ik de middelen om het na te gaan. Je moet hier echter niet meer alleen komen... dat moet je beslist niet doen.'

Hij opende de deur om haar uit te laten. Marta Vives voelde zich veilig door het contact met zijn hand, ze voelde hernieuwde kracht in alle spieren in haar lichaam. Ze had het gevoel dat ze ergens van gered was, het leek haar of ze een heel tastbare wereld achter zich liet, maar wel een die uit duisternis bestond.

30

De stad van het geld

Elke goed georganiseerde samenleving is erop gebaseerd misdaad als onvermijdelijk te accepteren. In dictaturen veel meer dan in vrije samenlevingen, maar geen enkele samenleving is er vrij van. Soms berust misdaad op corruptie. Soms op gebrek aan vrijheid, op leugens of op bloedbanden.

De man die ik op de top van de Montjuïc leerde kennen voordat ik aankwam bij het kasteel dat beladen was met dood en legenden, had een vooruitziende blik. Hij heette Ildefons Cerdà en hij wilde Barcelona veranderen.

Het was geen erg zwaargebouwde man en op een willekeurige andere plek had hij zelfs onbeduidend kunnen lijken, maar terwijl hij daar stond te gebaren en enthousiast stond te praten over de stad die aan zijn voeten lag, was hij in mijn ogen een reus.

'Ik vertel u dit omdat ik hulp nodig heb,' zei hij tegen me, 'en u kunt me die geven. Iets zegt me dat u een verstandig man bent en dat u veel meer weet dan anderen. Bovendien werkt u bij de oudste krant van dit werelddeel.'

Ik was toen inderdaad redacteur – gevolmachtigd redacteur nog wel – bij de *Diario de Barcelona*, het oudste dagblad dat op het Europese vasteland werd uitgegeven. Alleen *The Times* was ouder, maar die verscheen in Groot-Brittannië.

'Iedereen die ooit het bevel heeft gevoerd over Barcelona, beschouwde de stad in wezen als een militair fort,' sprak Cerdà terwijl hij zenuwachtig over de zandweg met me opliep, 'vandaar de brede stadsmuren. De brede, driedubbele muren die in de loop der eeuwen zijn gebleven. U kunt zich indenken dat de grote vlakte die zich uitstrekt vanaf Canaletas tot aan het dorp Gracia daarmee te maken heeft: het is verboden er te bouwen zodat er geen schuilplaats is voor een macht die de stad wil belegeren, en geen beschutting als die vijand zijn kanonnen opzet of oprukt. Dat wil zeggen, heel die grote vlakte moet vrij blijven als vuurlinie voor de verdedigers. Geen enkele autoriteit schijnt te hebben begrepen dat Barcelona een grote handelsstad en een culturele stad is en dus iets anders dan slechts een militair fort. Die mensen zien niet in dat Barcelona met de stadsmuren ten dode is opgeschreven. Binnen de muren verkommeren talloze arbeiders die geen frisse lucht hebben, geen schone omgeving, zelfs geen drinkwater, om maar niet te spreken van ruimte om zich te bewegen. En weet u, meneer de journalist,' vroeg die apostelfiguur me, 'hoeveel van die arbeiders het hele jaar door werk hebben? De statistieken vertellen dat ongeveer tien procent van de geschoolde arbeiders gewild is bij werkgevers, terwijl de overige negentig procent slechts zo'n zes tot acht maanden per jaar werk kan vinden. Is dat lijden niet genoeg? Moet ik er nog aan toevoegen dat sommige huizen en straten uit de middeleeuwen dateren?'

'Natuurlijk niet,' antwoordde ik, en ik maakte haastig wat aantekeningen.

'U bent een van de invloedrijkste redacteuren van *El Brusi*,' ging Cerdà verder, 'en daarom heeft alles wat u schrijft ook veel invloed. Ik vraag u niet me als een ziener te beschouwen.'

'Dat zou ik nooit doen,' zei ik, deels uit beleefdheid en deels omdat Cerdà een befaamd ingenieur was. Hoewel hij naar eigen zeggen door veel mensen eenvoudig beschouwd werd als een ziener.

Vervolgens strekte hij zijn armen uit, alsof hij daarmee de hele vlakte wilde omvatten.

'Vanaf het begin van de Ramblas tot aan het kleinste zelfstandige gehucht bij Gracia zal een groot ruitpatroon aangelegd worden. De huizenblokken zullen allemaal dezelfde afmetingen hebben, maar absoluut niet op elkaar lijken, want ze worden slechts van twee kanten opgetrokken, voor het merendeel in L-vorm, en tussen die huizenblokken in komen tuinen en open ruimten. Bovendien zal het bebouwde gedeelte van het ene huizenblok uitkijken op de open ruimte bij het volgende, waardoor op de meeste plaatsen onbelemmerd zicht is op een tuin of een bos. En ik zal u nog iets zeggen: die huizenblokken vormen geen rechte hoeken, maar staan schuin ten opzichte van elkaar, waardoor een fraaier en overzichtelijker beeld ontstaat. Overzichtelijkheid is buitengewoon belangrijk, want dan kan men de stoomvoertuigen die door de straten rijden zien op de kruispunten en ontstaan er geen ongelukken.'

Dat idee van stoomvoertuigen was iets waar nog niemand van gehoord had, laat staan van wat Cerdà beweerde, dat elk gezin er een zou hebben.

Ildefons Cerdà ging verder, zonder dat het hem al te zeer leek te kunnen schelen wat ik ervan dacht. 'Er komen brede straten waar al dat verkeer van die voertuigen doorheen kan, waarvan ik nu voorzie dat ze op stoom zullen rijden en die geparkeerd worden voor het huis waar de eigenaar woont. Zegt u me eens, beste vriend, wie wil zo'n vooruitgang nu niet? Kunt u zich een volmaakter stad voorstellen dan zoals ik u die zojuist beschreven heb?'

'Maar, meneer Cerdà,' veroorloofde ik me tegen te werpen, 'wat gaat er gebeuren wanneer alle buurtbewoners zo'n voertuig hebben als u noemde? Dan weet niemand waar hij het moet laten. Die passen niet allemaal op straat.'

De apostel keek me haast verontwaardigd aan. 'Wat is dat voor idee?' baste hij. 'Ik heb de naam een ziener te zijn, maar u overtreft me. U moet weten dat de stad in mijn project immens groot zal zijn, met zeer brede straten, zodat ze nooit vollopen met voertuigen. U moet bedenken dat in elk ruitje slechts de helft benut zal worden voor woongelegenheid, zodat de opstoppingen waarover u het hebt zich nooit zullen voordoen.'

En weer wees hij naar de enorme ruimte die voor hem lag uitgestrekt vanaf de hellingen van de Montjuïc. Het was onmogelijk dat die met voertuigen zouden vollopen, als je rekening hield met het idee om slechts een deel van elk blok te bebouwen.

'Vergeet u alstublieft niet om het precies zo op te schrijven als ik het verteld heb,' beëindigde hij, 'want ik begrijp dat het niet gemakkelijk is. En wilt u het vooral aan uw directeur uitleggen? U zult zien dat hij overtuigd raakt.'

'Die Ildefons Cerdà is gek,' zei de heer Rovira y Trias, die als een op hol geslagen paard de tot op dat moment rustige redactie van *El Brusi* binnenstoof. 'Luister goed, heren verslaggevers, weldenkende burgers met liefde voor hun stad. De heer Ildefons Cerdà, wiens plan mede mogelijk gemaakt wordt door Madrid en indruist tegen de legitieme wensen van Barcelona, heeft niets minder gezegd dan: "Er zal niemand in de stad te vinden zijn die niet zo'n voertuig ter vrije beschikking zou willen hebben en zichzelf er niet al in ziet rijden door het centrum van de stad, door alle straten heen, tot voor zijn huis."'

'U van de *Diario de Barcelona*, u kent Barcelona,' voegde de heer Rovira y Trias eraan toe. 'Stelt u zich eens voor wat de heer Cerdà bedacht heeft. Gedreven door het idee dat iedereen in de stad een eigen voertuig tot zijn beschikking moet hebben, heeft hij een straat bedacht, de Calle de Aragón, van niet minder dan vijftig meter breed, waar al die voertuigen over kunnen rijden... Vijftig meter breed! En dit wordt niet door ons in Barcelona besloten, dit gaat ons allemaal opgelegd worden vanuit Madrid.'

Wij redacteuren waren gestopt met ons werk om aandachtig naar deze patriciër te luisteren. De heer Rovira had samen met de heer Molina de wedstrijd gewonnen die door de gemeente was uitgeschreven om het beste project te kiezen voor de uitbreidingswijk Ensanche, een wedstrijd die vanaf 27 oktober 1859 openstond voor het publiek. Maar het leek of die prijsvraag zinloos was. Madrid wilde de stad het project opleggen van Cerdà, met wie ik kort tevoren op de berg Montjuïc gesproken had.

Grote delen van de bevolking beschouwden het als onrechtvaardig en als een aanslag op de gevoelens van de Barcelonezen, maar ik wist dat er eigenlijk nog iets meespeelde. De grondeigenaren van het toekomstige Ensanche zagen hun belangen geschaad.

'Maar vijftig procent van de grond bebouwen en de andere helft versmaden...!'

'Dat zal allemaal goed uitgelegd moeten worden,' beval de hoofdredacteur. 'We hebben in de krant ruimte geboden aan andere meningen en dus moeten we hieraan ook ruimte geven.'

Wij redacteuren zaten allemaal aan een grote tafel te werken, bijna elleboog aan elleboog. De tafel werd verlicht door twee lampen en gewoonlijk hoorde je op de redactie, die tempel van de waarheid, alleen het geluid van ons gekuch en het gekras van onze pennen, want nog nooit hadden we onze stem verheven om een hoger loon te vragen. Maar die avond waren de redacteuren bij binnenkomst van de heer Rovira opstandig geworden en er bestonden serieuze redenen om te denken dat dat het begin was van de sociale ontbinding die de stad bedreigde. Een van hen, de heer Pedemonte, die nog nooit een vin had verroerd (onder meer omdat hij dan iemand had kunnen verwonden), waagde te zeggen: 'Om een aantal bestuurlijke redenen is verdraaid wat onze gemeenteraadsleden wilden, meneer Rovira, en wat ooit de heilige stem van het volk was, is daardoor geweld aangedaan. De gemeente vindt terecht dat heel het gebied dat zich buiten de stadsmuren uitstrekt, in principe alle grond tot aan Gracia en Rieva de Malla, bij Barcelona hoort en niet bij het militaire gezag. Wie kan dan beter dan de gemeente Barcelona de plannen ontwerpen voor een nieuwbouwwijk, Ensanche, die de buitenwereld versteld doet staan?'

'Juist daarom is er een ontwerpwedstrijd uitgeschreven,' riep de heer Rovira uit, 'waarvan de heer Molina en ik de bescheiden winnaars zijn.'

Een andere redacteur, Recolons genaamd, wiens naam uiterst zorgvuldig geschreven moest worden, omdat één letter verschil er een grove vloek van maakte, zei: 'Waar het om gaat, is dat hier een historische vergissing is begaan, die ongetwijfeld in de komende eeuwen gewroken zal worden. De heer Pedemonte, voor wie ik grote achting heb, heeft de spijker op de kop geslagen. De militairen denken dat het gebied waar Ensanche moet komen van hen is en zij hebben hun gezag overgedragen aan het ministerie van Economische Zaken, dat kennelijk op centralistische wijze het plan van de heer Cerdà, een wegenbouwkundig ingenieur, heeft aangenomen. Met andere woorden: wat wij Catalanen ook willen, het wordt gerealiseerd door een Madrileen, hoewel het in dit geval tevens een Catalaan is. Met al onze kracht moeten we ons verzetten tegen dit project dat ons buitenspel zet.

'We moeten ons eindelijk eens teweerstellen tegen dat klotecentralisme.'

Na deze briljante betogen te hebben aangehoord, richtte de hoofdredacteur zich tot mij: 'Schrijf dat allemaal op, zodat het volk het te weten komt en zich een oordeel kan vormen.'

'Ook dat van dat klotecentralisme?'

'Ja, nou ja, kijk, dat van dat klotecentralisme, zet dat er maar niet in.'

'Nee, meneer.'

Ik begon te schrijven, maar de heer Recolons wilde opnieuw blijk geven van zijn welsprekendheid: 'Heren, en wat te zeggen van de medische problemen die ongetwijfeld door het plan van meneer Cerdà zullen opdoemen? Ja, beste vrienden, ik zei "medische problemen" en die uitdrukking was nooit beter op haar plaats. De heer Cerdà, een wegenbouwkundige, heeft in Ensanche geen straten, maar brede wegen gepland. Lange, rechte lijnen die andere lange, rechte lijnen kruisen, waardoor stormwinden worden opgewekt die zich net als in een tunnel over de hele lengte voortzetten zonder enige belemmering of begrenzing. Als hij geen enkele belemmering, van welke aard dan ook, tegenkomt, zal die stormwind op zijn weg voorbijgangers, zonneschermen en rijtuigen wegvagen. Zelfs begrafenisvoertuigen zullen in het stof duiken. Ik verzeker u, heren, dat Barcelona met dit plan een speelbal van de elementen zal worden.'

De heer Pedemonte wilde, enthousiast over dit betoog, de heer Recolons omhelzen, maar die wist tijdig een frontale botsing te vermijden. Op dat moment kwam de administrateur binnen, die tevens aandeelhouder van de krant was en bovendien eigenaar van grote stukken land in de buurt van Gracia. 'Omdat het gebied niet van meneer Cerdà is,' riep hij, 'stelt hij nota bene voor om maar de helft van elk blok te bebouwen en de andere helft vrij te houden voor vertier voor de massa. Alsof we in deze stad nog niet wisten dat massavermaak altijd eindigt in arbeiderssamenscholingen, sabotagepogingen en zelfs in zwangerschappen die niemand had voorzien. Daarmee is, dat is wel duidelijk, voor geen enkel publiek voordeel te behalen.'

Hij laste een theatrale pauze in en voegde er, in zijn hoedanigheid van eigenaar, aan toe: 'Als daarentegen de blokken langs alle vier de kanten bebouwd worden, in hun totaliteit dus, zal dat vier voordelen opleveren. Ten eerste zal de eigenaar van het oorspronkelijke terrein twee keer zoveel winst opstrijken, wat toch veel billijker is. Ten tweede zullen er veel meer gezinnen kunnen wonen, dus zal er ook meer huuropbrengst zijn. Ten derde zullen de bouwvakkers precies het dubbele aan werk en loon hebben. En wat dacht u ten slotte van de benedenverdiepingen van die huizenblokken? De heer Cerdà, gewend aan de Madrileense geldverspilling, stelt voor dat vijftig procent van de grond openbaar wordt en weet niet dat als het gehele blok bebouwd is, zich in de benedenverdiepingen gemakkelijk textielzaken kunnen vestigen, groothandels en detailwinkels, comestibleswinkels en werkplaatsen, die voor de hoofdstad behoorlijk wat nut kunnen opleveren, heren. Men zou kunnen denken aan het bouwen van ondergrondse verdiepingen om de door stoom, alcohol of wie weet wat voor stof voortbewogen voertuigen te parkeren. En die ondergrondse terreinen zouden aan het publiek verkocht kunnen worden door de eigenaren. Want laten we eens kijken: waarom moeten die voertuigen in hemelsnaam de straten in bezit nemen? Zijn de straten niet van de gemeente? En zou de gemeente dan niet het wettelijke recht hebben een heffing op te leggen voor parkeren en rijden?'

De heer Pedemonte, die in zijn enthousiasme begreep dat dat de toekomst was, knikte een paar keer in een aanval van hartelijkheid, hoewel hij gelukkig niemand onverhoeds raakte. En de hoofdredacteur gaf mij nogmaals de opdracht: 'Schrijf op.'

Ik moet hier nog enkele details aan toevoegen, aangezien ik het allemaal heb meegemaakt.

In de eerste plaats was het afgelopen met de heer Ponte, bankier, hoewel het me later goed zou uitkomen hem weer tot leven te wekken. Nu was ik meneer Temple, van Britse nationaliteit en gepromoveerd in Oxford, hoewel ik mijn documentatie gestolen had van een echte Engelsman die aan de kust verdronken was en wiens lichaam een week later onherkenbaar verminkt aan land kwam. De heer Temple was gescheiden en zijn ex-echtgenote deed nooit enige navraag naar hem.

In de tweede plaats had ik redenen om aan te nemen dat het eerste gebouw dat in Ensanche gebouwd zou worden Casa Gilbert was, op de hoek van de Puerta del Ángel en de rommelige Plaza de Cataluña, waarin beslist niet was voorzien in het plan van Cerdà. De eerste steen van dat huis werd gelegd door koningin Isabella I in de herfst van 1860, toen zij een bezoek bracht aan de stad. Met die koninklijke handeling werd Ensanche ingewijd. Kort daarna werd aan de overkant van het plein het huis Estruch gebouwd als tweede gebouw van de stadsuitbreiding.

Hoewel ik door de jaren heen bij gelegenheid ook met andere versies heb kennisgemaakt: bijvoorbeeld dat het eerste gebouw van Ensanche, buiten de stadsmuren, gelegen was aan de Ronda de San Pedro op nummer drie, dat met zijn fraaie natuurstenen gevel standhield tot in de jaren veertig van de twintigste eeuw. Merkwaardig genoeg had Cerdà de primeur met deze gebouwen, als directeur van de onderneming Bevordering van Ensanche in Barcelona. Op het kruispunt van de straten Roger de Llúria en Consejo de Ciento werd een plein naar Cerdà genoemd, dat echter niet lang bestond, in tegenstelling tot de naar de heren Trias en Molina genoemde pleinen.

Barcelona is over het algemeen geen dankbare stad, hoewel men daar op het gemeentehuis anders over denkt.

Maar eerst doemde er een vraagstuk op waarover ik niemand iets vertelde.

Er dook iemand op die iets in de gaten kreeg, hoewel ik alle mogelijke voorzorgsmaatregelen had getroffen; die persoon had door dat er nooit iets in mijn leeftijd of uiterlijk veranderde. Dat ik me onder verschillende namen door de stad bewogen had. En dat ik een oncontroleerbaar nachtleven leidde, dat in sommige gevallen in verband kon worden gebracht met mensen die verdwenen waren.

Dat gaf aanleiding om te denken dat ik me op duister terrein bewoog.

En dat was waar.

Iemand die dat allemaal wist, oefende druk op me uit. Die persoon zei me dat ik aan een onderzoek kon worden onderworpen en dat daaruit dingen naar voren zouden komen die die persoon zelf niet eens begreep: 'Er dolen in de riolen van Barcelona te veel schaduwen rond.'

En ik maakte daar deel van uit.

Om te zorgen dat niemand zich met me bemoeide, hoefde ik slechts twee dingen te doen. Ten eerste moest ik voor valse documenten zorgen voor een beroepsmoordenaar die naar de stad zou komen om een moord te plegen. Ten tweede moest ik de moordenaar minstens een week in mijn huis verbergen, totdat hij het land kon verlaten. Het was mogelijk dat de publieke opinie in beroering zou komen bij de begrafenis van het slachtoffer, maar dat zou maar kortstondig zijn. Uiteindelijk was het slachtoffer niet zo belangrijk.

De persoon die moest sterven was een wegenbouwkundige, genaamd Ildefons Cerdà.

De stad, zo werd me met een zekere plechtigheid meegedeeld, had zijn eliminatie nodig, want degenen die de macht hadden in de stad waren verontwaardigd over hem. Vooral omdat als zijn plan geaccepteerd werd in plaats van dat van de heren Molina en Trias, de grond tussen de stad en Gracia veel waard zou worden en die aan de andere kant, in westelijke richting, aanzienlijk minder. Er stonden grote belangen op het spel. Maar zelfs als men voor lief nam dat het plan van Cerdà werd aangenomen, wat stelde dat idee voor om slechts de helft van de blokken te bebouwen? 'In deze stad,' zei mijn gesprekspartner, 'kan met alles gespeeld worden, zelfs met patriottisme, maar met grondprijzen wordt niet gespeeld.'

Al met al, als de heer Cerdà zou sterven, zouden alle problemen opgelost zijn.

Later, misschien niet eens zoveel later, zou de tijd me leren dat er misdaden zijn die nooit opgelost worden. Zo weet men nog steeds niet wie er achter de moord op generaal Prim zat, wie er achter de dynamietpatronen in het jachtgeweer van Franco zat of wie het complot tegen Kennedy leidde. De tijd leerde me dat alles, maar er zijn waarheden die je niet hoeft te leren. Dit was een politiek misdrijf en niets anders, een eenvoudig politiek misdrijf om geld.

Mijn gesprekspartner was een tussenpersoon die een fortuin zou verdienen met die moord; ik kreeg natuurlijk niet te horen wie erachter zat, maar dat was heel gemakkelijk te raden. De grote landeigenaren zaten erachter, de exploitanten van stukken land, zij die het aanzien van een stad met een kwitantieboekje en een glimlach veranderen.

Er bleef me niets anders over dan te accepteren, en niet alleen omdat er zoveel druk op me werd uitgeoefend. Er bleef me niets anders over omdat mijn gesprekspartner een vrouw was en vrouwen zijn als ze dreigen veel gevaarlijker en subtieler dan mannen. Bovendien was zij de minnares van een bankier.

Ze heette Serena. Het was de knapste, slimste en meest ambitieuze van alle concubines in de stad. Om respect af te dwingen hield ze in haar huis in de Calle Canuda een literaire kring. Ze sprak Castiliaans, Catalaans en Frans; niet alleen kende ze enkele oude verzen van François Villon uit haar hoofd, maar ook een paar zinnen van Rabelais, een citaat van Ramon Llull en een paar woorden van de aartspriester van Hita uit de veertiende eeuw. Dat wist ze allemaal te combineren met diepe decolletés en bewonderenswaardige benen, waarvan ze ondanks haar lange rokken anderen altijd een glimp liet opvangen.

Concubines zijn altijd slimmer dan de mannen die hen onderhouden.

Ik kwam erachter dat ze een enorme som geld zou verdienen met haar aandeel, dat slechts daaruit bestond de moordenaar een vrije aftocht te bezorgen, en dat ze bovendien het fortuin bewaarde dat aan de dader van het misdrijf betaald moest worden. De enige die niets verdiende, was ik.

Goed, ik hield me rustig en vermeed te worden ontdekt door De Ander. Ik had hem al vele jaren niet gezien. Hij was ongetwijfeld in het buitenland, maar hij bestond nog, vast en zeker. De Ander was de enige die in staat was met mij af te rekenen.

Dus gaf ik toe.

Er gingen vele maanden voorbij en de moordenaar kwam maar niet. Serena praatte niet meer met me, misschien omdat ze steeds rijker en invloedrijker werd. Maar wij tweeën deelden een geheim dat ons allebei te gronde kon richten, dus ik ging bij haar op bezoek.

Ondanks mijn werk als redacteur van de *Diario de Barcelona* wist ik nog niet veel van die vrouw en dat kwam doordat het echte geld discreet is, een waarde die geen woorden nodig heeft. Ik wist alleen dat Serena met de bankier, haar beschermheer, gebroken had en dat ze nu niemands minnares was. Ze gaf nog steeds feesten in haar salons, maar haar zaken handelde ze zelf af.

Met welk geld? En wat moest er van mij worden en van de taak die ze me had opgedragen? Wat wij beiden wisten, hoe kon dat uitgesteld worden?

Dat vroeg ik haar. En zij barstte in schaterlachen uit.

'Maak je geen zorgen,' antwoordde ze, 'dat was geen grap.'

'Hoe gaat het dan verder?'

'Ik weet niet precies wie u bent, maar ik word een beetje bang van u. Wij vrouwen voelen altijd enige angst tegenover mannen die we niet kunnen veroveren. Als u tenminste een man bent, natuurlijk...'

Ik huiverde. Ze was veel slimmer dan ze leek.

'Vergeet dat ik ooit bij u langs ben geweest,' zei Serena alweer glimlachend, 'en vergeet vooral ons gesprek. U ziet dat Cerdà nog steeds in leven is en ik verzeker u dat hij geen gevaar zal lopen. Alles wat ik u gezegd heb, heeft geen enkel belang meer.'

'Maar toen wel,' sprak ik zacht.

'Ja natuurlijk, toen wel. Het plan van die parvenu zou aangenomen worden en betekende een wezenlijk gevaar voor de belangen van de stad.'

'De belangen van sommige landeigenaren,' verduidelijkte ik.

'Natuurlijk. En bestaat er iets wat meer legitiem is dan belangen? Wat is er legitiemer? Vlaggen? Veel landeigenaren schrokken omdat hun grond, als het plan van Cerdà werd uitgevoerd, veel minder waard zou zijn dan ze dachten. En u kunt zich wel voorstellen dat sommigen, denkend aan de nieuwe gebouwen, al krediet hadden aangevraagd.'

'Ik ga al heel wat jaren mee en intussen ken ik het zakenleven wel,' mompelde ik. 'Ja, misschien te veel jaren.'

'Dan zult u begrijpen dat sommige mensen schrokken,' verduidelijkte ze, 'onder wie het voorname heerschap dat zijn aandacht over mij en zijn vrouw verdeelde. U kunt zich vast niet voorstellen hoe dodelijk saai hij in bed was en hoeveel fantasie ik moest aanwenden om het enigszins de moeite waard te maken. Ik was het die hem moest zeggen dat hij het probleem uit de weg moest ruimen en ik moest voor hem de benodigde stappen zetten, zodat zijn goede naam veilig bleef. Ik zou alles op me nemen, maar dat betekende dat ik een aardige som geld in handen kreeg. Of drie aardige sommetjes: het bedrag dat hij u zou betalen (hoewel ik er niet over peinsde u iets te betalen), wat ik met mijn werk als tussenpersoon zou verdienen en wat ik aan de moordenaar zou moeten overhandigen. Nu ik er zo over zit te praten, ik dacht toch beslist dat u er destijds iets van snapte.'

'Wat viel er dan te snappen?'

'Er was geen moordenaar.'

Ondanks mijn ervaring was ik ademloos. Het was de eerste keer dat een vrouw me iets leerde.

'Maar dan…' mompelde ik.

'Dan, dan... Het is eigenlijk heel eenvoudig en het verbaast me dat u het niet eerder begrepen hebt. Beste vriend, misschien moet je veel mannen boven op je verdragen om te begrijpen wat geld waard is en ik heb er nogal wat verdragen. Bij mij is er geen enkele twijfel gerezen dat het geld zou prevaleren boven het plan van Cerdà en dat uiteindelijk de stukken grond intensief bebouwd zouden worden. En zo is het ook gegaan. Die vervelende man die het allemaal financiert, heeft de winst opgestreken, maar het geld dat hij mij heeft gegeven, heeft hij nooit teruggezien. Daarmee heb ik investeringen gedaan.'

'Waarin?'

'In de bouwmaatschappij van Ensanche die in handen is van de heer Cerdà.'

En weer schonk ze me een charmante glimlach.

'Het mooie van deze stad, beste vriend,' voegde ze eraan toe, 'is dat het hier niet nodig is iemand te doden om zaken te doen.'

31

Met excuses aan de overledene

Het stoffelijk overschot lag in het mortuarium en er was zelfs geen laken overheen gelegd. De patholoog-anatoom, merkwaardig genoeg een levendige, knappe jonge vrouw, bekeek het aandachtig. Er waren merktekens op dat lichaam die ze absoluut niet kon thuisbrengen, hoewel ze na de autopsie aanvankelijk gedacht had dat wel te kunnen.

De vader van de overledene stond ook bij het stoffelijk overschot, maar ondersteund door twee verplegers. Hij kon niet overeind blijven. Het was een oude man en bij het zien van het lichaam was hij helemaal ingestort; hij vertrouwde zelfs niet meer op zijn herinneringen, zijn woorden of zijn geest, die plotseling door een sluier bedekt was. Daarom was hij samen met zijn advocaat gekomen, voor als er vragen beantwoord moesten worden.

De advocaat was Marcos Solana.

Die dacht – met zijn ogen half dicht – terug aan de nacht waarin hij op dezelfde plaats gewaakt had bij het lichaam van Guillermo Clavé, een lichaam waarin geen druppel bloed meer aanwezig leek te zijn. Nu zag alles er heel anders uit, ondanks de geringe tijd die sindsdien verstreken was. In het Academisch Ziekenhuis waren ze aan het renoveren; er bleef steeds minder in het duister gehuld en de oude foto's van de dode dokters waren weggehaald van de muur.

'Dat van die merktekens op de huid begrijp ik niet,' zei de jonge patholoog-anatoom, 'maar ze moeten toch wel een betekenis hebben. Het lijkt op een ritueel. Pardon, maar weet u of uw zoon toen hij nog leefde van die tatoeages had? Of hij ze om een bepaalde reden had laten aanbrengen?'

'Het zijn geen tatoeages,' antwoordde Solana in plaats van zijn cliënt, 'en deze merktekens zijn beslist na zijn dood aangebracht.'

De jonge patholoog-anatoom keek hem met een ijzige blik aan.

'Ik vroeg het aan de vader.'

'Pardon,' prevelde Solana.

'Nee,' zei de oude man, 'mijn zoon had geen enkel merkteken op zijn lichaam.' Toen was hij tegen de vlakte gegaan.

En daaraan moest Marcos Solana denken in zijn kantoor, gezeten voor het raam waardoor het oude gedeelte van de stad te zien was.

'Marta, geloof jij in de eeuwigheid?' vroeg hij aan zijn stagiaire.

'De eeuwigheid ligt misschien in bibliotheken bewaard,' antwoordde ze, 'want er zal altijd iemand zijn die een naam aan de vergetelheid ontrukt. Bibliotheken bestaan echter niet eeuwig en mensen evenmin. Misschien zit de eeuwigheid in onze genen: die brengen wij van de ene generatie op de volgende over en zij vormen de essentie van ons leven. Ja, misschien vormen de genen de eeuwigheid: als wij mensen ooit verdwenen zijn, zal er uit onze genen weer iets nieuws voortkomen, maar ze blijven leven.'

'Zonder herinnering aan het verleden...'

'Zonder herinnering aan het verleden...'

'Misschien brengen we daarom de eeuwigheid in verband met God, omdat hij het allemaal nog weet. Geloof jij in God, Marta?'

'Als er in het hiernamaals niets meer was, zou alle rijkdom van het leven me grotesk lijken. Dat kan een reden zijn om in God te geloven.'

'En de duivel? Geloof je in de duivel?'

Aan de kant van de zee werd de stad geleidelijk donkerder. Uit het oosten kwam een storm opzetten, waardoor weldra de torens van de kathedraal zouden oplichten, de Vía Layetana vol weerspiegelingen kwam en in de nauwe straatjes alleen nog maar het geluid van de druppels te horen zou zijn.

Marta Vives was niet verbaasd over de vraag. Het leek alsof ze daar al lange tijd over nadacht. 'In de heilige boeken wordt veel over God gesproken, maar er wordt niet opgehelderd wie hij is en al helemaal niet wie de duivel is, die slechts zijdelings lijkt te worden aangehaald en in verschillende gedaanten. De Bijbel vertelt niet dat de duivel in opstand kwam tegen God, er staat alleen dat hij het probeerde. Als er gezegd wordt dat God overal is, zou de duivel ook overal moeten zijn, maar in het hiernamaals kan ik hem niet onderscheiden. Wat ik vreemd genoeg wel geloof, is dat de duivel menselijker is dan God. Maar waarom vraag je dat?'

'Een van mijn cliënten heeft zijn zoon verloren. Hij is vermoord en daarom is er een kort bericht over in de krant verschenen; in grote steden wordt bijna dagelijks wel iemand vermoord. Maar in dit geval waren er merktekens op het lichaam aangebracht. Het deed allemaal denken aan een ritueel.'

'Een duivels ritueel?'

'Dat is wat ik me afvraag, maar tegelijk vraag ik me af waarom we alles duivels noemen wat vreemd is. Misschien omdat we het kwaad een gezicht willen geven. Als pater Olavide hier was, zou ik het hem vragen.'

'Hij laat er zich niet op voorstaan, maar hij is doctor aan verschillende universiteiten.' In Marta's stem klonk bewondering door.

'Daardoor heeft hij ook op veel plaatsen gewoond. Maar na wat ik vandaag gezien heb, weet ik niet wat ik ervan moet denken. Wat er op het lichaam was aangebracht, waren cijfers. Het ging om iets als kabbalistiek. Ik kan bijna niet geloven dat in deze eeuw van gestage vooruitgang en materialisme nog overtuigingen bestaan die uit de diepte van de tijd komen. Of misschien is het juist wel logisch: hoe meer techniek en materialisme voortschrijden, hoe meer we beseffen dat er iets is wat we achter ons hebben gelaten zonder het te begrijpen. Dat we dingen achter ons gelaten hebben die we niet gezien hebben, maar waardoor we getekend worden. Ik bedoel te zeggen dat de diepte van de tijd bestaat.'

Hij zag de vonk van intelligentie in haar ogen. Marta had belangstelling voor dit onderwerp, en niet alleen hiervoor, maar ook voor archeologie, stedenbouw, geschiedenis, rechten... Marta Vives, dacht de advocaat bitter, was niet zoals zijn vrouw, die alleen belangstelling had voor geld, luxe en de voorstellingen in het Liceutheater. Bij haar besefte Marcos Solana dat zijn bestaan absoluut zinloos was, dat het alleen maar draaide om debet en credit, maar bij Marta leek het leven weer zin te hebben.

Niet alleen om haar benen, ook om haar mond, en het soepele, harde lichaam dat schuilging onder haar goedkope kleren.

Wat hij in Marta bewonderde, waren haar nieuwsgierige houding, haar zucht om alles te begrijpen, een soort perfectie die hij zelfs in een twinkeling in haar ogen meende te zien.

Maar hij probeerde die gedachten van zich af te zetten. Hij zou haar, een eenvoudige stagiaire, nooit een reden geven om te denken dat hij misbruik maakte van zijn machtspositie.

32

De beul van Barcelona

Vanzelfsprekend moest ik *El Brusi* verlaten, waar ik een zekere algemene bekendheid had verworven. Ik dook onder in een andere wereld, die tot dan toe niet de mijne geweest was. Het was noodgedwongen. Ik dacht er zelfs over naar een andere stad te verhuizen, naar Madrid bijvoorbeeld, maar Barcelona was mijn stad en ik voelde me eraan verbonden door mijn eigen geheimen. Hoewel mijn gezicht me steeds weer verraadde, besloot ik dat het kiezen van een heel ander milieu, waar niemand me zou zoeken, zou volstaan om volledig onopgemerkt te blijven. Daarom verhuisde ik van de Calle Fernando, waar ik met de gegoede burgerij was omgegaan, naar de Brecha de San Pablo, waar ik me onder de verschoppelingen begaf.

Het was voldoende om de Ramblas over te steken en onder te duiken in de straten van Raval, de wijk die ik zo goed kende. De fysieke afstand tussen beide werelden was heel klein; maar met deze verhuizing leek het alsof ik op een andere planeet terecht was gekomen.

Ensanche bleef groeien om alle Barcelonezen te huisvesten die tevoren aan de voet van de stadsmuren hadden gewoond. Terwijl Barcelona in 1818, na de oorlogen met Frankrijk, slechts 83.000 inwoners telde, waren het er in 1821, dankzij de vrede en welvaart die er heersten, al 140.000 en in 1850 zelfs 187.000. De omtrek van de stadsmuur mat in 1719, na de bezetting door Filips V, 6.051 meter en het gebied daarbinnen moest 860 inwoners per hectare huisvesten, hetgeen betekent dat er per inwoner slechts 11,44 vierkante meter ter beschikking was, een kwart van wat nodig is voor een betrekkelijk waardig leven. Het sterftecijfer lag hoger dan in Parijs en was ongeveer gelijk aan dat van het armzalige Londen uit die tijd, en de levensverwachting van de Barcelonezen bleef steken op zesendertig jaar voor een rijk man en drieëntwintig voor een dagloner.

Wanneer ik daaraan terugdenk, lijkt het nog steeds niet waar te zijn. Maar ik heb het zelf meegemaakt.

De bevolkingsdichtheid, die die van de armoedigste Aziatische steden evenaarde, werd niet alleen bepaald door de geringe omtrek van Barcelona, maar ook door de wijze waarop de ruimte gebruikt werd. Binnen de ommuurde ruimte waren veertig kloosters, zevenentwintig kerken en verder een groot aantal openbare gebouwen, elf ziekenhuizen en liefdadigheidsinstellingen en zeven kazernen. Hoewel er niet de minste ruimte over was om nog woonhuizen te bouwen, speelde men het in de stad klaar om steeds meer lege plekken vol te bouwen. Toen alle binnenplaatsen en tuinen volgebouwd waren met huizen en de kamers niet kleiner konden, begon men bogen over de straten aan te leggen om daarbovenop te bouwen. Sommige straten in Barcelona werden tunnels.

Het was dan ook niet zo vreemd dat ik door eenvoudigweg naar een andere wijk te verhuizen me in een andere wereld begaf, waar niemand me zou herkennen. Bovendien had ik daar geen documenten nodig, een willekeurige naam of bijnaam was voldoende.

Voorlopig was mijn toevluchtsoord café Het Centrum.

Dit was, in de woorden van een geschiedschrijver, 'het laatste bolwerk van de ontgoochelde, trieste bohemiens van Barcelona'. Merkwaardig genoeg lag het dicht bij de plaats die ik ontvlucht was, maar ik blijf erbij dat het een andere wereld was. Een rivier van armoede, mysterie, argwaan en gevaar scheidde de twee steden.

De lokaliteit lag op nummer 12 aan de Ramblas, tussen de Calle

Unión en de Calle de San Pablo, bijna naast het portiershokje waarlangs de artiesten het toneel van het Liceutheater bereikten. Misschien kwam het daardoor dat in het café een ontzettend literaire, zorgeloze atmosfeer hing; ik denk dat om die reden niemand zich bekommerde om comfort.

De houten tafels en stoelen wiebelden; de tegels en spiegels waren smerig, de flessen op de schappen overdekt met stof. Achter de toog was een achterkamertje van bescheiden afmetingen, waar een speeltafel stond. De tafel, waaraan kleine fortuinen rondgingen, werd 'het veld' genoemd.

De eigenaar van het café heette Esteve.

Hij was een vrouwengek.

Ik niet.

Maar we werden vrienden.

Ik kende de wijk heel goed, omdat het vroeger mijn koninkrijk was geweest. Maar sinds de tijd van de carassa was er veel veranderd.

Of het ten goede was, weet ik niet.

Nog steeds was het er barstensvol; de normen van Cerdà met zijn Ensanche zouden er nooit toegepast worden. Het wemelde er van de armoedige bars, kamers als cellen in een gevangenis en goedkope hoeren, zoals eertijds toen mijn moeder nog leefde. Met de jaren was er een soort jargon ontstaan van de specialismen die er in een bordeel beoefend werden. Een daarvan heette *mamada*, pijpen.

Door de industrialisatie en het uitbreidende proletariaat was het er vergeven van oude, arme drommels, ellendige nietsnutten en gauwdieven van goeden huize die immuun waren voor de tegenslagen in het leven. Er leek geen toekomstverwachting meer te zijn op de plek waar ik na zoveel jaren was teruggekeerd.

Sommige dingen bleken bij mijn terugkomst in negatieve zin veranderd te zijn. Zoals de gevangenis, die me indertijd voor de eeuwigheid gebouwd leek, maar die ik in 1936 vernietigd zag worden door Barcelonese revolutionairen. Bij de Brecha de San Pablo, op de Patio de los Cordeleros, concentreerde zich de verschrikkelijkste ellende van Europa. De enorme gevangenis leek de straten eromheen weg te drukken. Altijd liep je er weer tegen aan.

Ik had vele openbare terechtstellingen meegemaakt maar daar, bij de Patio de los Cordeleros, maakte ik de laatste mee. Die plek kreeg daardoor een deels fascinerende, deels naargeestige reputatie. Uit alle hoeken en gaten van de stad kwamen mensen erheen als de beul er zo nu en dan optrad. Het was het centrum van de dood.

Ouders namen hun kinderen er mee naartoe om hun een levensles te leren en meer dan eens heb ik gezien dat een kind een oorvijg kreeg voor het schavot, om het voor altijd in te prenten waar misdaad toe leidt. Sommige gevoelige mensen vielen flauw, maar andere ervoeren een soort erotische prikkeling of een vorm van extase. Ondanks het vroege tijdstip vulden de bordelen in de buurt zich dan met klanten.

Op die plaats, die later door Barcelona vergeten zou worden en waar nu een kaal plein ligt (vlakbij waren enkele openbare badhuizen en een goedkope dansgelegenheid, waar meisjes uit kwamen die al zes maanden zwanger waren), hebben zich vreselijke tonelen afgespeeld. In de vuile cafés in de wijk werd gesproken over een openbare, meervoudige terechtstelling wegens een misdaad die in Vilafranca del Panadés gepleegd was. Een groepje mensen van het platteland, onder wie een vrouw, had een roofmoord gepleegd op een priester. De ter dood veroordeelde mannen werden naar Barcelona vervoerd, naar de Patio de los Cordeleros, vanwaar ze naar het schavot er vlakbij werden gebracht om rustig te sterven. Maar de vrouw, een dikke, doodsbange analfabete, werd helemaal naar de galg gesleept terwijl ze almaar brulde: 'Genade, genade!' En getuigen verklaarden dat ze tot het laatste moment bleef brullen. Soms stroomde er bloed uit de mond van de veroordeelde, verzekerden deskundigen. Na afloop ging men ontbijten, de taveernes liepen vol, het licht van de nieuwe dag gleed door de straten en straalde in de ogen van de vrouwen alsof het een van hun geheimen was.

Het was een plek die gebukt ging onder de last der eeuwen en die zich bovendien in de schaduw bevond van de laatste stukken stadsmuur; ik kan alleen maar zeggen dat de buurt me tegelijkertijd afstootte en aantrok. Aan de andere kant van de gevangenis waren volksstraten, flatgebouwen met alleen op de trap een plee, werkplaatsen waar de arbeiders naar lucht hapten en cafés waar al jarenlang alle revoluties van Barcelona werden uitgebroed. Af en toe drong de cavalerie in die straten door, buurtbewoners schoten vanaf de daken op de troepen, op de hoeken bulderden enkele kanonnen en de volgende dag werden de lijken van de arbeiders weggesleept en kleedde een aantal leeftijdloze vrouwen zich in het zwart.

Maar ook was het, net als eeuwen geleden, de plaats van de braspartijen, dat wil zeggen van heimelijk verdriet, gesmoord in een schaterlach. Er waren nog steeds feestkramen, stalletjes met oude boeken, tingeltangelcafés en etages waar kamers werden verhuurd aan paartjes. Op straat klopte een taai, warm, openhartig leven. De goedkoopste seksuele bedrijvigheid van Barcelona had daar ook haar wereld van dromen en stank gevestigd. Het enige nieuwe ten opzichte van vroeger waren de bars waar anarchisten droomden van de revolutie en hun aanslagen voorbereidden. In een van die bars, vlak bij waar ik woonde, knutselden anarchisten bommen in elkaar. Merkwaardig genoeg heette die bar De Rust.

Ik had vrijwel geen geld nodig om van te leven: ik at nauwelijks, hoewel de zwervers die op straat sliepen, me af en toe vrijwillig aan mijn onmisbare portie bloed hielpen. Ik ging echter gebukt onder andere beperkingen, die kenmerkend waren voor mijn bestaan: ik kon niet leven in promiscuïteit, ik kon niet tegen fel licht, ik kon geen stompzinnige onwetendheid verdragen. Omdat ik al had besloten geruime tijd in die wijk onder te duiken, moest ik dus iets anders vinden. En ik vond het op de dag dat ik Nicomedes Méndez leerde kennen.

Nicomedes Méndez was de beul van Barcelona. Net als alle beulen had hij een sinistere reputatie. Bovendien had hij de wurgpaal geperfectioneerd.

Maar Méndez, die ver uit de buurt wilde wonen, ergens waar niemand hem kende, was een heel eind weg gehuisvest in de fraaie wijk La Salud, toen bestaande uit moestuinen en vrijstaande huizen, waar de eigenaren konijnen fokten en niet over hun vrouwen praatten maar over het jachtinstinct van hun hond. Naar Brecha de Sant Pablo komen, waar ik woonde, betekende voor de beul dat hij de hele stad moest doorkruisen, maar het behoorde ook tot zijn verplichtingen de gevangenis te bezoeken, vooral als hij een blik moest werpen op een terdoodveroordeelde. 'Iemand doden is veel moeilijker dan het lijkt,' zei hij altijd, 'het is een kunst.'

Als hij zijn werkronde maakte, lette niemand op hem. De beul van Barcelona was klein van stuk, met een tenger voorkomen, en als hij naar een café ging, was hij een vriendelijke klant die eruitzag als een kleine rentenier. Niemand lette eigenlijk op hem en ook niemand herkende hem, want bij terechtstellingen droeg hij een hoed en bovendien was hij dan alleen uit de verte te zien.

Op een avond zat ik in een café in Rondas te praten over vroegere terechtstellingen die ik bijgewoond had, waarvan sommige zo verfijnd dat de ledematen van de veroordeelde werden uitgerukt met een tang. De beul kwam naar me toe en vroeg toestemming om naast me te komen zitten. Hij leek in de ban van wat hij zojuist gehoord had. Nicomedes Méndez keek me in de ogen en dronk mijn woorden letterlijk in.

Hij vermoedde dat er iets bijzonders was aan mijn manier van vertellen over die gruwelen.

'Het lijkt wel of u het allemaal zelf gezien hebt,' zei hij ineens.

'Natuurlijk niet,' riep ik uit, en ik besefte dat ik een vergissing gemaakt had. 'Uit mijn leeftijd kunt u afleiden dat ik dat onmogelijk meegemaakt kan hebben.'

'Goed, goed, u kunt niet veel ouder zijn dan veertig jaar... maar u praat er zo realistisch over dat het lijkt of u ooggetuige bent geweest.'

'Let er maar niet op. Het zijn verhalen die ik gelezen heb; ik ben namelijk een boekenwurm en heb de ervaringen van veel mensen in mijn hoofd opgeslagen.'

'Help me even op weg, want ik kan me niet herinneren dat er boeken over dat onderwerp zijn, tenminste niet in deze stad.'

'Misschien heb ik iets in een of andere oude uitgave gelezen. Interesseert het onderwerp u?'

'In zekere zin, ja, maar alleen om... beroepsredenen. Ik probeer mijn werk goed te doen, maar dat kunnen mensen zich niet voorstellen. Hoor eens, wat doet u voor de kost?'

'Op het moment niets. Ik heb nog wat spaargeld en daarvan leef ik nu.'

'Zoekt u werk?'

'Ik weet niet hoe ik het moet zeggen... Ik zou wel graag willen werken, maar bij voorkeur 's nachts.'

Er kwam een vreemde schittering in zijn ogen. Die zal ik nooit vergeten. Hij legde een hand op de mijne als blijk van hartelijkheid, maar die hand leek koud en knokig, en hij vroeg zonder omhaal: 'Ik ben de beul van Barcelona. Wilt u me helpen een man te executeren?'

Ik keek vol verbazing naar Nicomedes Méndez. Het drong tot me door, als ik dat niet al eerder gemerkt had, dat het een man met een tenger postuur en zachtaardige omgangsvormen was, welopgevoed, maar met een grote kracht in zijn handen en een vreemde fonkeling in zijn ogen. Ik voelde me ongemakkelijk tegenover hem, ondanks mijn ervaring met de dood, een ervaring die uitsteeg boven de zijne, boven die van ieder ander levend wezen. Maar tegelijkertijd had die man iets wat me onweerstaanbaar aantrok, me bijna fascineerde.

'Ik hou er niet van de aandacht te trekken of dat mensen me herkennen en daarom kom ik bijna nooit in cafés,' fluisterde de beul. 'Ook ga ik de gevangenis zo onopvallend mogelijk binnen, want de aanwezigheid van de beul is altijd duidelijk en zorgt voor extra afgrijzen bij de terdoodveroordeelden. Zelfs de ambtenaren zien me niet graag. Het is echter mijn plicht en die vervul ik nauwgezet, waarbij ik elk zinloos lijden vermijd.'

'Dat weet ik,' mompelde ik. 'Ik heb vroeger gewerkt in een... nou ja, ik bedoel dat ik veel vrienden heb bij de krant en die hebben me verteld over de beul van Barcelona.'

'Iets anders wat ik u moet zeggen, opdat u het werk dat ik u aanbied op waarde schat, is dat ik in Spanje de man ben die het beste leven heeft.'

'U maakt zeker een grapje.'

'Natuurlijk niet. Het assistentschap dat ik u aanbied is een buitenkansje, maar mijn vaste baan is helemaal een lot uit de loterij. In Frankrijk wordt de beul "de uitvoerder van hoogstaand werk" genoemd als blijk van respect. Elke maand ontvang ik mijn salaris, maar ik hoef absoluut niets uit te voeren. Af en toe moet ik naar de gevangenis, want mijn beroepseer verplicht me een blik te werpen op de tot de galg veroordeelden. Afhankelijk van de maat van zijn hals vergt iedereen een andere dood, een dood op maat, om het zo maar te zeggen, en het is mijn ambtelijke taak hun die te bezorgen... Ik heb een nieuw ringsysteem bedacht waardoor de wurgpaal veel doeltreffender, sneller en comfortabeler is geworden.'

'Comfortabeler?'

'Ja, ik zal het u uitleggen. Dat komt allemaal doordat ik een beul ben die zich over anderen bekommert en ervoor zorgt dat de dood aan de wurgpaal precies lang genoeg duurt. Denk niet dat iedereen dat voor elkaar krijgt, want als je de ring niet goed aanbrengt, laat je de veroordeelde langzaam stikken.'

Hij gaf me een zachte por en voegde eraan toe: 'Kijk, alle veroordeelden bij wie ik tot nu toe op het oog de maat genomen heb, hebben op het laatste moment gratie gekregen, zodat ik ondanks mijn sinistere reputatie nog nooit een veroordeelde gedood heb. Het is nu 1892 en sinds 1875 is in Barcelona niemand meer terechtgesteld. U ziet dus: rust en vrede voor de geest. Vroeger had ik een helper, want voor één man is het onmogelijk een terechtstelling te voltrekken, behalve als hij het erg snel doet, maar die helper is aan een beroerte overleden want hij was te zwaar.'

'En nu... hebt u een nieuwe nodig,' fluisterde ik.

'Precies,' antwoordde de beul, 'want het ziet ernaar uit dat er na zo'n lange rustperiode een flinke periode van normaal burgerschap komt. Er zijn verschillende processen in gang gezet, die wel, nou ja... Er komt veel werk aan en ik heb iemand nodig die hem op de beslissende momenten niet knijpt, want het is heel verantwoordelijk werk. Ik zal u bekennen dat u iets hebt wat mijn aandacht heeft getrokken en wat ik zal samenvatten in een betekenisloze zin: u lijkt me van voorbij de dood te komen. Ik kan niet zeggen of het uw huidskleur is, zo bleek, of het onrustige licht in uw ogen. Al zou ik zeggen dat het uw glimlach is... Wees niet beledigd, mijn beste, maar u hebt iets waarvan je bloed bevriest.'

Ik voelde me niet beledigd. Ik wist dat mensen het doorhadden.

'We zullen wat kleine formaliteiten moeten afwikkelen voor het werk,' zei Nicomedes Méndez, 'want het valt grotendeels onder het ministerie van Justitie. In de eerste plaats: hoe heet u?'

'Blay,' zei ik, de eerste naam die me op dat ogenblik inviel.

'Hebt u papieren?'

'Ik ben bang van niet. U weet toch dat de mensen die in deze cafés komen geen belang hechten aan papieren.'

'Dat is waar. Alleen de rijken schaffen zich een persoonsbewijs aan, want daar moet flink geld voor betaald worden. Het is uiteindelijk in wezen een soort verkapte belasting geworden... Maar maakt u zich geen zorgen. Ik ben zoiets als een buitengewoon ambtenaar en ik kan voor u garant staan als het nodig is. Ik neem aan dat het u wel interesseert te weten wie we moeten terechtstellen, want het vonnis is al bekrachtigd.'

'Ik denk dat het Isidro Mompart is,' antwoordde ik. 'Ik lees de kranten en ik hoor wat er in de cafés gezegd wordt.'

'Inderdaad,' mompelde de beul met zijn ogen dicht. 'Die zal geen genade krijgen, dus ik zal hem moeten doden. Hij is net tweeëntwintig geworden, maar hij heeft een slechte inborst, heel slecht; die zal nooit vrijgelaten worden. De mensen denken: die gevaarlijke man moet dood, die moet dood. U weet waarschijnlijk wel wat Mompart gedaan heeft.'

Ik knikte.

'Hij heeft een weerloze vrouw verkracht en vermoord,' verklaarde de beul, hoewel ik dat niet nogmaals hoefde te horen, 'daarvoor alleen al dient hij de wurgpaal te leren kennen. Maar Mompart is niet alleen daarvoor veroordeeld, ook omdat hij op rooftocht een bedrijf in de buurt van de Carretera de Mataró is binnengedrongen en er en passant een kind van vijf en een kindermeisje heeft vermoord. Voor mij was het al vanaf het begin van het proces duidelijk: die zullen ze in een isoleercel stoppen en op de deur van zijn cel zullen ze de rampzalige letters EAD schrijven, die staan voor "eis aanklager doodstraf". Mompart wordt in zijn eentje gelucht en mag met niemand praten. Toen hij een keer gelucht werd, heb ik een blik op hem geworpen, laten we zeggen beroepsmatig.'

'U houdt van uw vak,' zei ik zonder enige bedoeling hem te prijzen.

'Nee, ik hou er niet van, maar ik probeer het goed te doen. Een man mag dan terechtgesteld worden, hij hoeft niet per se gemarteld te worden. Heb ik u al verteld dat ik een systeem heb ontwikkeld om de wurgpaal sneller te laten werken?'

'Ja, dat hebt u me verteld, hoewel ik waarschijnlijk niet weet hoe dat systeem werkt.'

'Nou, het is heel eenvoudig. De wurgpaal bestaat uit een vrij dikke, rechtopstaande paal, want die moet veel gewicht dragen, en een stoel, een willekeurige stoel die soms bij de barbier vandaan naar de gevangenis wordt gebracht. Of soms uit de kapel gehaald wordt, wat mij een gotspe lijkt. Aan die paal wordt aan de achterkant het apparaat vastgemaakt, precies ter hoogte van de halswervels van de veroordeelde. Daar valt niet mee te spotten, want de positie van die wervels, beste vriend, is heel belangrijk. En waaruit bestaat het apparaat? Nou? Waaruit bestaat dat?' Nicomedes Méndez stak een vinger op, als een docent tijdens de les. 'Wel, de basis is een ring aan de voorkant die om de hals gesloten wordt van de terdoodveroordeelde. Die ring wordt bevestigd aan twee geleiders die hem naar achteren trekken, waardoor de hals wordt samengedrukt. En hoe wordt de ring naar achteren getrokken? Door middel van een heel snel draaiende wormschroef, die achter de paal zit zodat de veroordeelde hem niet ziet. En de beul zet die schroef in werking door enkele slagen van een groot wiel, want als het wiel kleiner was, zou het een eindeloze marteling worden. Maar waarom heb ik het over "slagen"? In de praktijk is minder dan één slag voldoende, mijn beste, of soms een kwartslag, afhankelijk van hoe goed de beul de kunst verstaat. Sommige beulen verstaan namelijk de kunst niet.'

Ik deed of ik verbaasd was. Ik had al zoveel beulen gezien die de kunst niet verstonden.

'Nee maar,' mompelde ik.

'Echt waar, er zijn er die de kunst niet verstaan. Want de ring drukt de hals van de veroordeelde tegen de paal achter hem. En wat gebeurt er dan? Dan wordt hij gewurgd. Een waardige manier van sterven. Was het daarom nodig iets uit te vinden wat beter was dan de galg? Nee, mijn vriend. Daarom heb ik een achterstuk bedacht dat aan het apparaat vastzit en dat goed om de nek van de veroordeelde moet passen zodat de ring de hals niet tegen de paal drukt, maar tegen dat achterstuk, dat ervoor zorgt dat de wervels in een vloek en een zucht breken. De pijn die men voelt, is dan een kwestie van seconden, durf ik te stellen. Maar er blijft iets van leven over, iets blijft er nog over.'

Ik huiverde.

'Hoe weet u dat?'

'Doordat het hart nog even blijft kloppen. Dat heb ik van artsen gehoord die de dood moesten vaststellen. En die vertelden me ook over beulen zonder liefde voor hun vak, die wel een halfuur nodig hadden om iemand te doden. Dat moeten wel grote klootzakken zijn.'

We zaten zacht te praten, zonder iemands aandacht te trekken, terwijl we door de beslagen ramen naar het leven keken dat door de stegen voorbijtrok, het leven dat eeuwig voortging. Al wist ik niet wat dat was, dat voortgaan van het leven. Ik wist alleen wat het heengaan betekende van mannen en vrouwen die ik had gekend. Soldaten keerden sjokkend terug naar de kazerne in Atarazanas, balletjeballetjespelers trokken naar de vlooienmarkt, proletarische stelletjes kwamen gearmd in de deuropening en zwoeren elkaar geluk voor acht stuivers per maand. Er waren ook wanhopige nichten, die zich op dat uur van de dag naar een paar gelegenheden begaven in de Calle de San Pablo in de hoop dat iemand zou ontdekken dat ze een hart hadden als van een eenzame vrouw. Dat deel van Barcelona was een schreeuw, een lied, een traan, het was de grote leugen waar de waarheid op straat ligt. Ik wist nu dat ik altijd zou blijven houden van die straat, dat ik zijn goedkope klatergoud nodig had, zijn deugdzaamheid die elke nacht verkocht werd en zijn schaterlach van overledenen.

Het verbaasde me dat ik gedurende enige tijd alleen maar dikwijls in het uitdijende Ensanche geweest was, zonder behoefte aan meer, intussen redacteur van een respectabele krant werd en strijder voor de belangen van de bovenlaag van de bevolking. Misschien was het meer de behoefte om terug te keren naar mijn oude buurt die me had gedreven dan strijdlust.

Omdat ik werk nodig had en Nicomedes Méndez me dat aanbood, begreep ik dat dit de toegang tot een boeiende wereld betekende, maar wel een wereld vol schaduwen.

'Weet u zeker dat u me kunt gebruiken?' vroeg ik. 'Weet u zeker dat de terechtstelling doorgaat?'

'Maar natuurlijk. Mompart is al een poos geleden in het gerechtsgebouw in de Calle de San Honorato veroordeeld en het staat vast dat de koning hem geen gratie zal verlenen.'

'Waar wordt het schavot opgesteld?'

'Bij de Patio de los Cordeleros natuurlijk. Dat is een centrale, goed bewaakte plaats met uitstekende sanitaire voorzieningen. Deze stad heeft niet altijd over plaatsen beschikt die zo goed ingesteld waren op fatsoenlijk werk. Vroeger vonden veel terechtstellingen plaats op de... de...'

'De Plaza del Rey,' onderbrak ik hem, 'de gevangenis maakte deel uit van het oude paleis.'

Nicomedes Méndez keek me argwanend aan.

'Dat weet niemand,' mompelde hij. 'Niemand leest erover en de herinneringen van de mensen gaan niet zo ver terug.'

'Ik... ik weet het van horen zeggen.'

'Later ging men mensen terechtstellen op de Boqueríavlakte.'

Even trok er een waas voor mijn ogen. 'Dat weet ik ook van horen zeggen.'

'De wet moet strikt worden toegepast,' zei de beul met echte beroepstrots. 'Er zijn ook terechtstellingen geweest op het Bedekte Kruis, maar dat weten nog minder mensen. Ik ken de naam van de laatste die daar terechtgesteld is.'

'Ik ook. Hij heette José Escolà,' zei ik snel.

'Jezus! En weet je wat zijn bijnaam was?'

'Sang i Fetge.'

De bewondering van Nicomedes Méndez stond op zijn gezicht te lezen.

Hij was beslist nog nooit iemand zoals ik tegengekomen. Bijna opgetogen sloeg hij me op de rug.

'Jij wordt de beste helper die ik me kon dromen,' zei hij, 'en ik ben de enige die je regelrecht naar het rattennest van de gevangenis kan brengen. Ik wil je vanavond nog laten kennismaken met de ter-doodveroordeelde.'

'Ik weet dat de veroordeelde vóór de terechtstelling door een dokter bezocht wordt,' voegde hij eraan toe. 'Ik heb gehoord dat de laatste keer dat een dokter de beul ontmoette, hij zijn hand naar hem uitstak en hem groette met de woorden: "Hoe is het, amice?"'

Zo kreeg ik aan de hand van Nicomedes Méndez zijdelings te maken met de geheimenissen van de dood. Het eerste wat me op-viel, was dat men bij de ophanden zijnde terechtstelling enorm graag wilde weten wie de beul van Barcelona was. Hoe zou hij er-uitzien? Zou hij wel op een menselijk wezen lijken? Maar niemand kende Nicomedes Méndez werkelijk, behalve de ambtenaar van 's rijks schatkist die hem zijn loon uitbetaalde. Die nieuwsgierig-heid onder de bevolking was de reden dat een krant, de *Noticiero Universal*, zijn lezers tevreden wilde stellen en een tekening van zijn gezicht publiceerde. Maar de tekenaar vergiste zich. Het was een onvergeeflijke fout, die voor altijd bij de pers in de herinnering gegrift staat. In plaats van het gezicht van de beul beeldde hij nota bene dat van de beroemde auteur Narcís Oller af, die bovendien zojuist de Floralia had gewonnen, de jaarlijkse poëzieprijs van Bar-celona. Het gevloek van Oller en zijn aanroepingen van 'God Al-machtig' en 'Heer der Heerscharen' vulden wekenlang de cafés, eettafels en banken van lening in onze illustere stad.

Maar ik blijf erbij dat Nicomedes Méndez me de kans gaf in de geheimenissen van de dood door te dringen. Hoewel de beul zich nooit aan de veroordeelde vertoonde, zag ik door het kijkgaatje in de celdeur het gezicht van Isidro Mompart, waarop drie dingen te lezen waren: stompzinnigheid, hoop en angst. Mompart geloofde nergens in, behalve in zijn eigen leven en zijn eigen lichaam, voor hem het begin en einde van alles, en dus wilde hij hoe dan ook in leven blijven, liefst zo lang mogelijk. Wat indruk op mij maakte waren de woorden van de beul: 'Hij heeft een sterke hals. Ook als we de wormschroef goed smeren, zal er toch wel een hele slinger aan het wiel nodig zijn.'

Ik heb de beul bij die terechtstelling geholpen en dus ken ik alle bijzonderheden daarvan van a tot z. Mompart was de eerste veroordeelde die vroegtijdig het tijdstip van zijn terechtstelling te horen kreeg: ongeveer twaalf uur van tevoren. Bij andere gevallen had men – misschien uit menselijkheid – de veroordeelde minder tijd gegeven om over zijn einde na te denken, maar Mompart kreeg die extra beproeving te verduren. Ik moet wel zeggen dat hij in elk geval geen moment alleen gelaten werd en hem troost geboden werd.

De broeders van vrede en liefdadigheid hielden een veroordeelde in zijn laatste uren gezelschap, probeerden aan zijn kleine wensen tegemoet te komen en riepen als het nodig was de notaris erbij, zodat de veroordeelde zijn testament kon opmaken als hij nog iets anders naliet dan zijn stoffelijk overschot. Maar zelfs bij die laatste daad van liefdadigheid deden zich in de gemeenschap tal van akelige gebeurtenissen voor: er waren verslaggevers die ervoor betaalden te infiltreren bij de broeders om zo uit de eerste hand te kunnen berichten over de laatste uren van de veroordeelde. Of probeerden ze misschien juist hun taak goed uit te voeren? Ik weet het niet. Wat ik wel kan zeggen is dat Isidro Mompart werd omringd en opgejaagd en hem geen moment gegund werd om zijn leven te overdenken. Hij kreeg ook een vrij dure laatste maaltijd met koffie, drank, rookwaar en andere spullen die op de lange duur slecht zijn voor de gezondheid. Er stonden in de cel slechts een tafel en een stoel en de veroordeelde bleef afwezig zitten staren, alsof hij dacht dat hij elk moment gratie kon krijgen.

De hele nacht werd er vanuit het hoofdkantoor gebeld met Madrid. Eerst elk halfuur, daarna elk kwartier en ten slotte elke vijf minuten. De boodschap bevatte slechts één vraag: 'Krijgt hij gratie?' Dat was niet het geval, zoals Nicomedes Méndez met zijn fijne neus al geraden had. Toen de rechters, de patholoog-anatoom en de bewakers binnenkwamen, samen met een verdediger die volgens de regels aanwezig moest zijn om de identiteit van de veroordeelde vast te stellen, viel Mompart flauw. We moesten hem naar het schavot slepen nadat we hem wat bizarre kleren hadden aangetrokken, als een clowneske bespotting van zijn laatste restant menselijke waardigheid. En zo kwamen we bij het schavot aan. Op het plein was slechts het afwachtende geroezemoes van de menigte te horen en het schuren van Momparts voeten terwijl hij de treden op gesleept werd. Verder niets. Geen zuchtje wind. Die stilte was huiveringwekkend en ondraaglijk.

En dan opeens het geschreeuw, de beschimpingen die uit alle hoeken van de stad leken te komen: 'Verdiende loon, hufter!' 'Dat zal je leren, klootzak!' De lucht was gevuld met geschreeuw, gescheld en geroep: 'Dood moet hij.'

Ik, de onsterfelijke, plaatste de veroordeelde tegen de paal, terwijl Nicomedes Méndez handig de ring aanlegde. Ik trok de zwarte doek over het hoofd van de veroordeelde zodat zijn laatste, verschrikkelijke grimas niet te zien zou zijn. De beul zei geen woord gedurende de ceremonie, die nog geen minuut duurde. Zoals hij gezegd had, zou hij een man doden, maar hem niet méér martelen dan strikt nodig was.

Nicomedes Méndez gaf een hele draai aan het wiel, precies zoals hij voorzien had toen hij de veroordeelde zag, en dat deed hij met de precisie van een horlogemaker. Ik hoorde een gerochel als van een leeglopende ballon en daarna het gekraak van botten. Zijn hals moest zo plat als een munt geworden zijn. Door het laatste gereutel van de veroordeelde trilde de doek op zijn gezicht, maar dat kon het publiek niet zien.

Het lichaam van Mompart leek naar voren te willen schieten. Zijn handen openden en sloten zich tweemaal spastisch.

Minder dan vijf tellen.

Het drong tot me door dat de beul, hoewel het zijn eerste keer was, zich nergens in vergist had.

Zelfs ik had het goed gedaan.

Maar mij wachtte nog het onaangenaamste. De beul, op de achtergrond, was een heer. Ik was niet meer dan een ordinaire helper en daarom moest ik dat doen.

'Nu zijn tong in zijn mond rollen,' beval hij droog.

33

De ontmoeting

Marta Vives kwam daar vaak langs.

De plaats waar eens de gevangenis gestaan had waarin belangrijke terechtstellingen werden voltrokken, was inmiddels veranderd in een groot plein, ontstaan in de revolutionaire dagen van 1936. Destijds vonden in de oude gevangenis al geen terechtstellingen meer plaats, maar werden mensen in het kasteel van Montjuïc opgehangen of aan de wurgpaal gedood op een binnenplaats van de nieuwe modelgevangenis. De oude gevangenis deed nog slechts dienst als vrouwengevangenis. De herinneringen onder de bevolking waren echter nog zo levendig en bitter, dat er besloten werd van het oude gebouw geen steen op de andere te laten.

Marta Vives, die de historie van de stad zo goed kende, dwaalde erdoorheen, waarbij de geschiedenis door haar hoofd speelde. Vlak naast de gevangenis had het Olympisch Stadion gelegen, misschien wel het grootste van Europa, later gesloopt voor de bouw van woningen waar kraak noch smaak aan was, waar kinderen de wereld leerden kennen via de televisie en echtparen in dezelfde monotonie waarmee ze zegeltjes plakten op zaterdagavond een wip maakten. Op nog geen honderd meter daarvandaan was het theater El Molino in bedrijf geweest en hadden de concertzaal Bataclán, Bar Sevilla, het Spaans Theater en het Nieuwe Theater gelegen, een wereld op zich, nu ten dele bouwterrein, ten dele bebouwd met goedkope hotels voor immigranten en tweederangs toeristen. Marta zou de geschiedenis van elk stuk grond kunnen schrijven, van elke etalage die verdwenen was, van iedere vrouw die er haar laatste hoop te koop had aangeboden.

Ze nam alle externe formaliteiten van het kantoor op zich – en dat waren er heel wat – om niet opgesloten te zitten met Marcos Solana. Hoewel ze meer gericht was op het verleden dan op het heden, had ze wel gemerkt dat Solana haar aardig vond en dat hij niet gelukkig was met zijn vrouw, een vrouw die slechts aandacht had voor vriendinnenkransjes, premières, televisieseries en modeshows. Marcos Solana werkte onafgebroken en verdiende veel geld, maar het was Marta duidelijk dat hij er volledig aan onderdoor zou gaan als hij zo doorging.

Ze wist ook dat hij haar bewonderde, de zwijgzame, ontwikkelde vrouw die van alles wist en met wie hij blikken van verstandhouding kon uitwisselen. Ze wilde echter het misschien onvermijdelijke moment niet uitlokken waarop de eenzaamheid hen zou insluiten, gedachten schade konden aanrichten en hij zijn lippen naar haar mond zou brengen.

Deze gedachten brachten haar in verwarring en gaven haar gezicht een melancholieke uitdrukking die mannen interessant vonden, alsof er verdorvenheid achter zat. Ze had ook andere, meer bewuste gedachten, die haar pijn deden, bijvoorbeeld aan de geheimzinnige achtergrond van haar familie, gehuld in een duister verleden. Marta Vives wist dat ze die nooit helemaal zou kunnen achterhalen, want die geschiedenis leek slechts op begraafplaatsen te vinden.

Daarom besloot ze in haar eentje weer naar het huis aan de Calle Baja de San Pedro te gaan, waar misschien het lijk van een bisschop verborgen was, al had pater Olavide haar gevraagd er nooit meer alleen naar binnen te gaan. Misschien zou ze er niets vinden, net als de eerste keer, maar het huis fascineerde haar.

Op een middag toog ze weer die kant op, na de laatste kantoorzaken te hebben afgehandeld. Ze wist al hoe ze er binnen moest komen

– het was haar al een keer eerder gelukt – dus stortte ze zich opnieuw in die wereld van schaduwen, met die trap die schijnbaar nergens heen leidde.

Met knikkende knieën ging ze naar binnen, vol angst en emotie, alsof ze een Egyptische graftombe schond. Haar verstand zei haar dat ze er niemand zou aantreffen, maar haar intuïtie dreef haar om in die wereld van schaduwen te gaan rondkijken. Per slot van rekening was hij al de hare.

Ze onderscheidde de restanten van het oude meubilair: de mahoniehouten tafel, de Isabellastoelen, het katafalkbed, de vitrages die niet meer waren dan de herinnering aan spinrag.

De vochtplekken op de muren.

De avond die als een hand over de binnenplaats achter het huis schoof.

En het gezicht.

Merkwaardig genoeg joeg het gezicht haar geen angst aan. Ze had het eigenaardige gevoel dat het leefde, dat het daar altijd geweest was en deel had uitgemaakt van het huis. Instinctief sloeg ze een hand voor haar mond, maar ze gilde niet.

Het lichaam bleef onzichtbaar. Ze zag alleen het gezicht. En op dat moment, in die stilte, besefte ze dat het gezicht toebehoorde aan een leeftijdloze man. Zijn gezicht was spierwit, met heel dunne lippen. Niets aan die man was erg opvallend, alleen de ogen, grote, starre ogen waarin de diepte van de tijd leek te rusten, de lokroep van het eeuwige leven.

Ze dacht terug aan de ontmoeting met pater Olavide.

Blijkbaar was dit huis helemaal niet zo verlaten als ze gedacht had. 'Wie bent u?' vroeg ze.

Het lichaam van de man was in schaduw gehuld en leek daar deel van uit te maken, maar Marta begon te wennen aan het halfduister en ze merkte op dat de onbekende een normaal postuur had met brede, sterke schouders die desondanks een zekere elegantie hadden.

Omdat het stil bleef, herhaalde Marta de vraag.

'Wie bent u?'

'Wees niet bang,' antwoordde de stem in het Oudgrieks, een taal die Marta prima verstond.

'Ik ben niet bang,' antwoordde ze in het Spaans.

'Laten we zeggen,' zei de stem zacht, 'dat ik onderzoeker ben.' Ook hij sprak nu Spaans.

'Waar komt u vandaan?'

'Ik behoor tot een onderzoeksgroep van de universiteit van Athene. We doen onderzoek naar de klassieken.'

'Het verbaast me dat u hier bent, want dit heeft niets te maken met de klassieke wereld. Hoe moet ik weten dat u de waarheid spreekt?'

'U kunt me Temple noemen,' zei de stem, 'en wees niet verbaasd dat ik hier ben: Barcelona heeft gedurende vele eeuwen tot de klassieke wereld behoord, vooral tot de Latijnse. Griekenland en Rome waren de bronnen der wijsheid.'

Nu voelde Marta Vives toch angst opkomen, niet voor de man zelf, maar voor het onbegrijpelijke. Plotseling kwam het haar voor alsof de tijd zijn betekenis verloren had, alsof de tijd zelfs nooit bestaan had.

'Wat zoekt u in dit huis?' stamelde ze.

'Hetzelfde als u, denk ik: het verleden. In oude huizen zoals dit schuilen vele geheimenissen en herinneringen aan de overledenen. Het lijkt zelfs wel alsof ons van alle kanten ogen aanstaren. Maar vergeet dat ik dit heb gezegd. Ik vertel u dit allemaal omdat ik geloof dat u en ik in wezen uit hetzelfde hout gesneden zijn en dat we daarom hier zijn.'

De man kwam naar haar toe en trad helemaal uit de schaduw; hij leek inderdaad leeftijdloos. Zijn huid was blank, zijn handen waren smal en het enige wat schrik aanjoeg – dacht Marta weer – waren zijn ogen.

'Ik moet bekennen dat ik hier clandestien binnen ben gekomen,' zei ze zacht. 'Ik kan maar beter weggaan.'

Temple – als dat tenminste zijn naam was – glimlachte. Een glimlach die vriendelijk probeerde te zijn, maar die even verontrustend was als zijn ogen.

'Waarom zou u weggaan? Er heeft hier niemand last van u en u doet niets illegaals. Dit huis is van de gemeente, geloof ik, maar die maakt er geen gebruik van, zodat het mij gerechtvaardigd lijkt het vanbinnen te onderzoeken. Ik ben trouwens zeer onder de indruk van uw vermogen mijn Oudgrieks te verstaan.'

'Ik heb klassieke talen gestudeerd,' antwoordde ze.

'Ik heb ook aanleg voor talen,' zei Temple, 'maar dat is helemaal geen verdienste van me; het is alsof iemand me voorzegt wat ik moet lezen of zeggen. Wel... ik ben blij u te hebben ontmoet, want een van mijn kwalen is eenzaamheid. Ik doorkruis de hele stad, allerlei herinneringen komen bij me boven, maar ik kan er niemand iets over vertellen. Ik ken veel feiten die ik graag met historici zou willen delen, maar ik vrees dat ze me niet zouden geloven. Daarom zal ik u ook niets vertellen, hoewel ik blij ben met uw gezelschap. U bent historica, neem ik aan?'

'Ja, en ik schrijf zelfs boeken die ik nooit afmaak. Ik ben een eenvoudige hobbyiste, die daar nooit van zal kunnen leven.'

'Wat voor werk doet u dan?'

'Momenteel ben ik stagiaire van een advocaat, want ik heb ook rechten gestudeerd. U ziet, ik ben als een encyclopedie op afbetaling, een nutteloze encyclopedie. Maar het is een vaste baan en ik voel me er goed bij.'

'Bij welke advocaat? Wie is uw baas?'

'Hij heet Marcos Solana, en hij is specialist op het gebied van erfrecht. Ik geloof dat hij alle oude families in de stad kent. Ik heb hun geschiedenissen ook bestudeerd en daarom kan ik hem van nut zijn.'

'Ik ken Solana wel.'

'Werkelijk? Ik heb u nog nooit gezien op kantoor.'

'U zou verbaasd zijn over het aantal mensen dat ik ken, hoewel ik niet zoveel met hen omga. U hebt me trouwens niet verteld hoe u heet.'

'Marta Vives.'

'Er bestaan veel oude families met die achternaam,' zei Temple zacht, 'met veel oude verhalen.'

Hij ging een beetje dichter bij het raam staan, waarmee hij weer in de schaduw kwam. Het viel Marta op dat zijn voetstappen niet te horen waren, en hij leek geen licht nodig te hebben en zich instinctief te bewegen. Dat alles maakte haar nog steeds niet bang, evenmin als het feit dat ze hem daar zo onverwacht ontmoet had.

'Het gaat u goed af,' sprak Temple, alsof hij haar gevoelens raadde, 'oude, verlaten huizen jagen mensen meestal angst aan met hun on-bekende geschiedenis, maar de angst verdwijnt als men er wat meer van weet. Mag ik u vragen: bestaat er enig verband tussen dit huis en uw familie?'

'Dat weet ik nog niet.'

'Ik neem aan dat u daarom hier bent: om daar achter te komen. Wie heeft u op het spoor gezet?'

'Masdéu, een juwelier. Of beter gezegd, een sieradenontwerper.'

'Die ken ik ook.'

'Kent u iedereen?'

Alleen de leden van sommige oude families... dat is niet zo'n ver-dienste, geloof me. In Barcelona hebben in de loop der eeuwen vele mensen geleefd zonder een spoor na te laten. Neem me niet kwalijk... Eigenlijk geloof ik daar niet in. Iedereen, hoe onbetekenend ook, laat sporen na. Voor mij is Barcelona een stad vol geestverschijningen, vol mensen die na hun dood voortleven.'

'Het is merkwaardig dat u me dat vertelt.'

'Waarom?'

'Soms denk ik dat ook,' bekende Marta.

Ze leek opgelucht. Ineens voelde ze zich op haar gemak. Ze had het gevoel dat haar niets ergs kon overkomen met deze man in de buurt. En dat ze misschien zelfs de geheimen van het huis zou kunnen ontdekken.

'Misschien kan ik u helpen,' zei hij, 'maar dan moet u me wel vertellen wat u zoekt.'

'Een lichaam,' antwoordde ze, verbaasd over haar eigen openheid. 'Ik moet toegeven dat het absurd klinkt, maar ik zoek een lichaam. Een lid van de familie Masdéu was een geestelijke, wiens lichaam na zijn overlijden nooit uit dit huis is weggehaald.'

Temple keek haar van opzij aan. Zijn ogen stonden koud en star.

'Ik kan u wel helpen,' zei hij met een ijzige stem, 'ik weet waar het lichaam van die geestelijke is.'

Marta dacht dat haar benen het elk moment konden begeven. Verbaasd opende ze haar mond.

'Hoe weet u dat?' stamelde ze.

'Ik heb hem namelijk gedood,' zei de man met dezelfde ijskoude stem.

34

Het feest bij het schavot

Ik moet bekennen dat ik als assistent van de beul mijn taak zo goed en zo kwaad als het ging afmaakte, want ook al had ik al menige dode gezien, ik walgde van die opgezwollen tong. Daarna reikte Nicomedes Méndez, zorgzamer dan menigeen zou zijn, me een doek aan die met alcohol was doordrenkt om mijn handen schoon te vegen. Vervolgens maakte hij een gebaar dat we het schavot af moesten en hij sprak daarbij de gevleugelde woorden van alle werklieden in de stad als de zaterdag net begonnen is: 'En nu ons loon opstrijken.'

'Krijgen we extra loon?'

'Natuurlijk krijgen we een toeslag. Wat dacht jij dan? Dat er elke dag mensen worden terechtgesteld? Het loon van een beul is laag, dus moet er een stimulans gezocht worden. Voor iedere dode worden er honderd peseta's extra uitbetaald.'

In die tijd waren honderd peseta's een klein fortuin. Zo werden de beul en ik volledig meegezogen in het kapitalistische systeem.

We daalden het schavot af tussen het publiek, dat ons kennelijk bewonderde. Het was ongelooflijk, maar het publiek wilde ons... aanraken! Toen besefte ik, als ik het al niet wist, dat de onnozelheid van het publiek van alle tijden is. Ik geloof dat het niet veel scheelde of de beul en ik werden op dat moment toegejuicht.

Maar we moesten terug naar de gevangenis, want zo stond het in de wet. Om het openbare geweten schoon te wissen moest de beul, die tenslotte een menselijk wezen had gedood, één hele nacht in hechtenis doorbrengen. En ik zou die nacht bij hem blijven.

Nicomedes Méndez had onmiddellijk in de gaten dat ik onder de indruk was van hetgeen ik zojuist gedaan had. Aan een terechtstelling deelnemen is namelijk iets anders dan er een bijwonen. Hij dacht dat ik hem alleen zou laten en begon een enthousiast verhaal, alsof ze ons tot burgemeester van Barcelona gingen benoemen.

'Deze stad gaat een periode van grote glorie tegemoet, dat wil zeggen, van welvaart en eerbied voor de wet. Er is sprake van dat Barcelona nieuwe tentoonstellingen gaat organiseren, grote bedrijven gaat aantrekken, in omvang zal toenemen en niet minder dan het centrum van de wereld wordt, hoewel daardoor logischerwijs ook de misdaad zal toenemen: gokspel alom, internationale bordelen en brede lanen waarover rijen koetsen vol uitdagende vrouwen zullen rijden.'

Klaarblijkelijk dacht Nicomedes Méndez er al niet meer aan dat we van een terechtstelling kwamen. 'Er komen natuurlijk bankschandalen,' vervolgde hij, 'zo groot dat ze misschien uitlopen op een genadeslag voor de raden van bestuur. Er zullen roofovervallen gepleegd worden en andere misdrijven, en ten gevolge daarvan zullen er belangrijke rechtszaken komen en terechtstellingen, en elke keer ontvangen wij extra loon. Je kunt me nu niet in de steek laten, m'n beste Blay, nu er belangrijke figuren naar het schavot zullen gaan. Wie weet of we met een beetje geluk niet de burgemeester zullen terechtstellen.'

Zover kwam het niet, maar er waren kort daarna zoveel doden in Barcelona dat het niet veel scheelde.

Ik weet niet hoe Nicomedes Méndez erin slaagde me te overtuigen, maar het kwam erop neer dat ik bleef. Misschien was het van invloed dat hij me toestemming gaf in zijn huis te slapen in de verafgelegen wijk La Salud, waar niemand me kende. Het huis van de beul was prettig en rustig, en bovendien was het omringd door een moestuin. De buurtgenoten waren vriendelijke, zwijgzame mensen. De wijk was zo vredig dat je 's nachts alleen honden hoorde janken.

Nicomedes Méndez wilde niet zomaar een beul zijn: zijn streven was de geschiedenis in te gaan als uitvinder van een nieuw systeem voor de wurgpaal, en nog wel met een presentatie in het openbaar in de Uitvinderssalon in Genève. Of misschien in Parijs, dat weet ik niet meer precies. In elk geval wilde hij geen onopvallende man blijven.

Bovendien bleek de ellendeling een vooruitziende blik te hebben. Hij kreeg gelijk met de groei van de stad, zijn welvaart en zijn misdaden. Na zoveel jaren waarin er niemand terechtgesteld was, hadden we het volgende jaar Aniceto Peinador aan de wurgpaal, een moordenaar die zeer waardig en vastberaden te werk ging. Ondanks alles, en hoewel de terechtstelling niet al te luguber was, was de situatie voor mij onverdraaglijk. Het was de tweede tong die ik in een mond moest rollen: de beul was een heer, maar ik leek wel een slager.

Ik nam afscheid van Nicomedes Méndez.

Doordat ik me tijdig terugtrok, bleef het me bespaard deel te nemen aan een andere terechtstelling, die me definitief getekend zou hebben. Ik doel op die van Silvestre Luis, die ter dood veroordeeld werd om de beruchte moordpartij in de Calle Parlamento, waarbij hij volgens het vonnis zijn vrouw en twee dochters ombracht. Maar Silvestre Luis bleef tot het laatste toe beweren dat hij onschuldig was.

Het onbegrijpelijke van het geval was dat hij zonder enig bewijs of getuigenverklaring werd veroordeeld, waarbij het oordeel uitsluitend werd gebaseerd op de volkomen onwettige verklaring van zijn zoontje van twee jaar oud, dat nog nauwelijks kon praten. Dat was de enige overlevende van de moordpartij en hij brabbelde het zinnetje 'Papa mama nee', wat geïnterpreteerd werd als: papa heeft mama gesneden. De jury besliste dat een kind van die leeftijd niet liegt.

Des te beter dat de terechtstelling spoedig erna plaatsvond.

Nicomedes Méndez kreeg ook gelijk met zijn bewering over de onstuitbare groei van Barcelona. De stad was al radicaal veranderd in de jaren van de Wereldtentoonstelling, met het park van de citadel (waar vroeger het gehate fort had gedomineerd), de Arco de Triunfo en de brede avenue die daarlangs liep. Maar bovendien ontstonden er terreinen vol bedrijven, zoals Pueblo Nuevo, letterlijk overdekt met schoorstenen. Of El Clot, nog zo'n wijk van berustende arbeiders, ploegbazen en 's morgens vroeg de fabriekssirene. En aan de voet van de berg strekten zich wijken als Pueblo Seco uit, waar het vroeger verboden was te bouwen in verband met de ravijnen van de Montjuïc. Ondertussen was de nieuwe naam voor Raval de Chinese Wijk geworden, omdat bij het volk het idee had postgevat dat de Filippino's die naar Barcelona gevlucht waren na de laatste koloniale oorlog Chinezen waren.

En het bleef me ook bespaard aan de terechtstelling van Santiago Salvador deel te nemen, een solitaire anarchist in een stad waar anarchisten zich plachten te verenigen om niet zo solitair te zijn. Santiago Salvador wierp vanaf de hoogste verdieping van het Liceutheater (het schellinkje voor de armoedzaaiers, vanwaar je nauwelijks iets kon zien, maar waar de echte liefhebbers zaten) twee bommen de zaal in, waardoor er twintig doden vielen. En misschien waren dat er eens zo veel geweest als de tweede bom ook was ontploft, maar die kwam zacht terecht in de rok van een vrouw. Na zijn daad liep Santiago Salvador doodleuk weg, want geen van zijn buren op het schellinkje had iets gemerkt.

Naderhand had hij er plezier in de plechtige uitvaart van zijn slachtoffers gade te slaan vanaf de hoogste plek in de stad, het nieuwe monument voor Christoffel Columbus. Toen ik hem kort daarna in de gevangenis ontmoette – want door mijn relaties had ik nog steeds toestemming daar binnen te lopen – legde hij me kalmpjes uit: 'Ik heb een grote kans verspeeld. Helaas.'

'Hoezo helaas?'

'Omdat ik niet nog een bom had. Daar beneden zaten alle autoriteiten, de hele aristocratie, de fabrikanten, al het geboefte, en met nog één bom had ik met hen allemaal kunnen afrekenen. Dat was een magnifiek slot geweest.'

Ik had in mijn leven al zoveel gekken gezien, dat ik tot de conclusie kwam dat Santiago Salvador er ook een was, maar wel een gek uit één stuk.

Die tragische gebeurtenissen in Barcelona (de opera *Wilhelm Tell*, die op die bewuste avond in het Liceutheater werd opgevoerd, zou er een eeuw lang niet meer vertoond worden) stonden niet op zichzelf. Barcelona bleef een revolutionaire stad waar alles mogelijk leek en ik bevond me ongewild in het oog van de orkaan, aangezien ik inmiddels als privédetective werkte voor een Engels agentschap, en dat agentschap onderzocht in opdracht van de stad de kwestie van de bommen waardoor veel onschuldige mensen gedood waren, onder wie bloemenverkoopsters op de Ramblas. Er gingen geruchten, iedereen werd verdacht en er werden zoals gewoonlijk anarchisten gearresteerd, maar mijn gedachten gingen in een andere richting.

Ik, de detective zonder naam, had in verschillende vermommingen deelgenomen aan bijeenkomsten van anarchisten in de wijken Paralelo en Raval. Ik herinnerde me een vent die, terwijl de anderen over vrijheid spraken, alleen maar over geld sprak. Die vent... heette hij niet Rull? Was dat niet de jongste op die bijeenkomsten?

Achter hem zou ik aan gaan, maar dan moest ik hem eerst zien te vinden. Want Rull verdween geregeld. Maar ik vond hem, zij het op de laatste plaats op aarde waar ik verwacht had hem te treffen: in het kantoor van de gouverneur van Barcelona.

35

Het gesprek

'Ik heb hem gedood,' zei de man met de levenloze ogen op sombere toon.

'Lang geleden,' voegde hij eraan toe, met zijn gezicht afgewend naar het schemerduister.

Marta Vives merkte dat ze ademloos en vol spanning stond te luisteren. Alles droeg bij aan die nachtmerrieachtige toestand waarin ze nu was ondergedompeld: het vertrek waarvan ze de contouren nauwelijks kon onderscheiden, het spierwitte gezicht van de geestverschijning, zijn stem die van buiten de tijd leek te komen.

Bovendien had Marta, niet meer dan stagiaire van een advocaat, nog nooit zo'n bekentenis te horen gekregen.

Het meest ongelooflijke was nog wel dat de man bleef glimlachen. Het was geen cynische glimlach, zoals zou passen bij een misdadiger die weet dat zijn misdrijf allang verjaard is. Het was een vage, bijna droevige grijns.

'Geschrokken?' vroeg de stem.

'Nee,' zei ze, terwijl ze zich groter voordeed dan ze zich voelde. 'Als u me kwaad had willen doen, had u dat al gedaan. Laat ik het erop houden dat ik verbaasd ben en het niet kan geloven.'

'Waarom niet?'

Een korte pauze volgde, waarna de stem overtuigend en vriendelijk zei: 'Niemand bekent dat hij een moord gepleegd heeft en het lichaam verborgen heeft. Ik bedoel dat niemand dat... vrijwillig doet. En waarom niet? Besef wel dat er sinds de moord die ik pleegde veel, zeer veel jaren verstreken zijn. Geen enkele rechtbank zou me er nog voor kunnen veroordelen.'

'Maar waarom vertelt u dit aan mij?'

'Ten eerste omdat ik weet dat jij me zult begrijpen. Jij weet hoe het zit met verjaring van delicten en dergelijke details. Ten tweede omdat je me je naam genoemd hebt.'

Marta Vives' verbazing groeide, de adem stokte in haar keel. Wat ze voelde was echter geen angst maar verbijstering; bij elke seconde die verstreek, verminderde haar angst en nam haar verwarring toe. 'Wat is er aan de hand met mijn naam?'

'Je hebt een heel mooie naam en je voornaam is... opmerkelijk. Er zijn en waren heiligen met die naam. Deze naam is niet alledaags als vele andere; ik zou zelfs zeggen dat het een achtenswaardige naam is. Maar vat dat niet op als eerbetoon; ik constateer slechts een feit, aangezien ik alle voornamen in Catalonië ken.'

'En wat dan nog?'

'Ik bedoel dat er een familierelatie is. Elke voornaam, zelfs de meest gewone, heeft een familiegeschiedenis. En in jouw familie komt een lijn van rusteloze personen voor, die meer nadachten dan anderen. Personen die zich bezighielden met de zin van het leven. Dat is niet verstandig en wordt soms afgestraft.'

Marta deed haar mond open, maar wist niet wat ze moest zeggen. De angst keerde terug als een koude hand om haar keel, want wat de man tegen haar zei, was iets wat ze zelf al talloze malen gedacht had.

'Uiteraard hoeft afstamming niet altijd hetzelfde op te leveren,' ging de stem verder. 'Kinderen lijken niet altijd per se op hun ouders, hoewel er soms morele verplichtingen bestaan. Voor een vader die bijvoorbeeld rechter is of militair, is het prettig als zijn zoon hem in dezelfde functie opvolgt. Maar in jouw geval ligt het anders: het gaat hier om een endogame lijn, waarin mannen uit de lijn Vives zich verenigden met vrouwen met diezelfde naam; soms moesten ze daarbij grote obstakels overwinnen. Op die manier ontstaat een gesloten afstammingslijn waarin ideeën van de ene generatie overgedragen worden op de volgende, op dezelfde manier als genen worden overgedragen, en waardoor een soort lotsbestemming kan ontstaan of zelfs een religie. Ik weet niet of het je is opgevallen, maar daar ben je door getekend.'

Marta had het gevoel dat ze steeds minder zag. Het leek wel of haar hele wereld alleen bestond uit dat bleke gezicht. 'Ja, dat is me opgevallen,' fluisterde ze.

'Dat is logisch, want jij hebt veel gestudeerd en je ook verdiept in mensen die vroeger geleefd hebben.'

'Toch begrijp ik niet...'

'Wat begrijp je niet?'

'Bijvoorbeeld hoe u dat allemaal weet. Ik heb mijn voorgeslacht bestudeerd omdat het met mezelf te maken heeft, maar u... waarom?'

'Vanwege de tijd.'

'Hoe bedoelt u?'

'Laten we zeggen dat ik heel oud ben – maar vergeet dat ook onmiddellijk weer. Laten we zeggen dat ik de geschiedenis van deze stad en de mensen erin beter ken dan jij. En ik weet dat leden van jouw familie al lang geleden, laten we zeggen vanaf de middeleeuwen, door twijfel werden bevangen.'

'Twijfel waaraan?'

'Laten we het breder bekijken,' zei de man op dezelfde kalme toon. 'Ze werden niet door één twijfel bevangen, maar door meerdere twijfels: religie, de betekenis van de eeuwigheid, de goedheid van God, die soms onvindbaar is, of het bestaan van de duivel.'

De glimlach van de man met de starre ogen werd geruststellender, ondanks het feit dat hij over de duivel sprak. Marta Vives had het gevoel dat haar nieuwsgierigheid – of was het haar zucht naar sensatie?

– voorgoed haar angst had overwonnen. En zonder dat ze een vin verroerde, luisterde ze naar hem: 'Eeuwenlang werden mannen en vrouwen naar de brandstapel gestuurd omdat ze vragen stelden zoals jouw
voorouders. Er hebben vreselijke godsdienstoorlogen gewoed op
grond van dergelijke vragen. Dit soort zaken betreffende jouw voorgeslacht, Marta Vives, staan beslist niet op zichzelf.'

Marta sloot haar ogen. Er spookten veel herinneringen door haar
hoofd, te veel.

De vernieling van een graf in Sant Pau del Camp. Het bronzen kruis.
De in de loop der tijd vermoorde vrouwen, alsof ze door een duivelse
macht waren bezeten. Die vrouwelijke voorouder die niet meer in haar
graf lag op het kerkhof van Pueblo Nuevo, hoewel iemand ervoor had
betaald.

'Ik vermoed dat er dingen door je hoofd spoken die je angst hebben
aangejaagd?'

Ze knikte. Plotseling verbaasde het haar niet meer dat die onbekende dit allemaal wist.

'Ik weet niet of je in staat bent verder te luisteren,' zei hij, 'misschien
vermoei ik je of druk ik me niet begrijpelijk uit. En misschien wil je hier
niet langer blijven. In dat geval zal ik je naar de deur brengen, zodat
je in het donker nergens tegenaan botst.'

'Ik... het gaat wel.'

'Sta me dan toe je een vraag te stellen die veel van je voorouders beslist gesteld hebben, in het bijzonder de vrouwen – die naar ik veronderstel het gevoeligst waren – en dus slachtoffer werden.'

'Ga... ga uw gang.'

'Je zult wel eens aan de duivel gedacht hebben.'

Marta's vingers, waarmee ze krampachtig de tafelrand vasthield, deden pijn.

'Ja, vanzelfsprekend...'

'Zeg niet vanzelfsprekend, want zo vanzelfsprekend is dat niet. Er
zijn veel mensen die soms wel eens aan God denken, maar aan de dui-

vel denkt bijna nooit iemand. Dat is irritant en nogal bizar in deze tijd waarin de mens een betrekkelijk goed leven kan leiden, na eeuwen slechter behandeld te zijn dan dieren. Er is tegenwoordig veel bittere ellende verdwenen die mensen er vroeger toe bracht God als laatste strohalm aan te roepen. Ook nu nog roepen onderdrukte of misleide volkeren God aan en worden ze zijn fanatieke aanhangers, omdat ze niets anders hebben. Maar jij hebt andere mogelijkheden.'

Marta knikte, zonder te weten wat ze ervan moest denken.

'Een van die mogelijkheden is een zekere sociale rechtvaardigheid, tot op zekere hoogte, als je wilt, maar vroeger een volslagen onmogelijkheid. Om die sociale rechtvaardigheid te bereiken zijn in de loop der eeuwen straten gevuld met het bloed van mensen aan wie geen enkele herinnering bewaard gebleven is. Vandaag de dag biedt het leven betrekkelijk acceptabele voorwaarden en koesteren zelfs de armsten hoop, want het kapitalistische systeem heeft het wonder der wonderen uitgevonden. Dat wonder heet krediet. Dankzij het kredietsysteem kunnen mensen een flat huren of kopen, een fraaie keuken aanschaffen of een auto bezitten. Mensen in de westerse wereld, die de grondslag vormt van de christelijke beschaving, begrijpen dat ze vandaag iets kunnen bezitten wat ze morgen betalen en bijgevolg is er in deze wereld even veel hoop als er schulden zijn. Men leeft te midden van tastbare, aantoonbare zekerheden en daarom is het niet nodig aan God te denken zoals in voorbije tijden. God is doodgegaan tussen hypotheken en bankkredieten, en natuurlijk is de duivel nog meer doodgegaan.'

De stem zweeg, maar het ontging Marta Vives hoe lang, omdat ze alle begrip van tijd kwijt was. Het viel haar op dat het bijna volkomen donker was, maar nog steeds zag ze dat witte gezicht, waarvan de huid zelf leek te stralen, duidelijk voor zich.

'Misschien vermoei ik je,' zei de man, 'en in dat geval sta ik erop je naar de deur te brengen. Hoewel ik denk dat wat ik nu ga zeggen, je wel zal interesseren.'

'Waarom?'

'Omdat het gaat over iets waar je zelf al geruime tijd naar op zoek bent.'

Opnieuw viel er een beladen stilte. 'Ik heb je verteld dat ik heel oud ben,' ging de man verder, 'dat stelt me in staat feiten te kennen die anderen zich niet meer herinneren. Ik heb je verteld dat ik de man gedood heb die in dit huis woonde, en ik weet waar zijn lichaam is, iets wat niemand anders weet. Maar misschien is het zinloos dat te vertellen als ik niet begin bij het begin, want in dit geval is er een begin in een ver verleden.'

Marta Vives knikte instemmend. Haar mond werd steeds droger. 'Wat is dat begin?' vroeg ze.

'Laat ik zeggen dat het begin ligt bij de grote onbekenden van de huidige tijd, God en natuurlijk de duivel.'

'Waarom noemt u hen onbekenden?'

'Omdat tegenwoordig niemand in de wereld waarbinnen jij en ik ons bewegen aan hen hoeft te denken. Ik heb tijden gekend waarin God het enige was wat de mensen hadden. En misschien ook de duivel. Nu hebben we andere mogelijkheden en daarom doen we geen moeite hen te leren kennen.'

'Alleen daarom?'

'Ook om de duisternis waarmee zij zich omringen. God heeft nooit verteld hoe hij eruitziet. Hij heeft ons nooit zijn aangezicht willen tonen. Of liever gezegd, om onze verwarring te vergroten laat hij ons drie gezichten zien. In de nevelen waarin hij zich hult, neemt ook de duivel een plaats in, en van hem weten we nog minder. De Bijbel openbaart ons niet hoe hij is, noch wat hij denkt, hoewel er in de patristiek en door de christelijke denkers om het mysterie heen gedraaid is. Eigenlijk weet men niets met zekerheid. Het leven is één groot raadsel.'

Marta Vives voelde nog steeds pijn in haar vingers omdat ze de tafelrand zo krampachtig vasthield. Misschien was dat het enige wat het haar mogelijk maakte overeind te blijven, al was ze er niet zeker van.

'Jij hebt veel gestudeerd,' zei de stem, die steeds zachtmoediger klonk, 'daarom zal ik je de details besparen en ga ik meteen door naar wat voor jou het belangrijkste is. En dat dat zo is, weet ik omdat veel generaties in jouw familie dat dachten.'

'Gaat u alstublieft door.'

'Sta me dan toe dat ik praat over de Bijbelse geschiedenis die je als kind hebt geleerd, maar die tegenwoordig aan praktisch niemand meer wordt onderwezen, behalve tijdens het godsdienstonderwijs. Daar spreekt men over de schepping van de kosmos.'

'Daar hebben ze mij over verteld,' zei Marta, 'en u wilt me toch niet zeggen dat dat nu niet meer gebeurt.'

'Niet zo vaak als vroeger, Marta, niet zo vaak als vroeger. Maar het doet er niet toe. Ze hebben je verteld over een strijd tussen de Schepper en een paar kwaadaardige engelen die verzet tegen hem boden. Eén zogenaamde engel van het kwaad komt in opstand tegen de Schepper, en wel direct vanaf het begin, een engel die ook door hem geschapen was. Als je beweert dat de engel van het kwaad een schepping van God is, geloof ik niet dat iemand je dat zal betwisten.'

Marta knikte ter bevestiging.

'Daarover spreekt de Bijbel niet,' fluisterde de stem. 'Eeuwen later waren het de grote denkers die daarover spraken. Alles werd vereenvoudigd tot twee tegengestelde polen, goed en kwaad. In oosterse filosofieën zijn die twee tegengestelden wellicht beter gedefinieerd dan in de onze, maar samenvattend wil ik je iets zeggen wat je eigenlijk al weet: de zogenaamde engel van het kwaad kwam in opstand tegen de Schepper en er ontstond tussen beiden een bloedige strijd, zeg maar gerust een oorlog.'

'Dat weten we allemaal.'

'En we weten ook – want dat hebben ze ons verteld – dat de Schepper die oorlog gewonnen heeft en dat Lucifer, de gevallen engel of hoe je hem ook wilt noemen, voor altijd naar de hel en de duisternis werd verbannen. Met andere woorden: wij leven in het koninkrijk Gods.'

Marta Vives beet op haar onderlip. Ze wist dat er vrouwen in haar familie waren geweest – allang overleden – die eerder dan zijzelf door diezelfde gedachte waren gekweld.

'Maar als...'

'Geloof je dat?'

'Iemand die denkt, is iemand die twijfelt.'

'Sta me dan toe dat ik, bij al je twijfels, je eenvoudig de grote waarheid vertel. En de grote waarheid is dat die oorlog door Lucifer gewonnen is, wat altijd voor ons verborgen gehouden is.'

Marta Vives voelde zweet op haar voorhoofd. De ogen van de voorafgaande generaties, de ogen van de overledenen, kwamen haar allemaal levendig voor de geest.

'Je wilt me toch niet vertellen dat je dat nooit zelf bedacht hebt,' fluisterde de stem.

'Natuurlijk wel. Maar tegelijkertijd denk ik dat de Schepper zijn nederlaag wel had uitgelegd.'

'Het is verleidelijk te zeggen, Marta, dat hij dat niet kan. De overwonnenen zijn niet degenen die spreken, hoewel dat in dit geval niet zo is. De Schepper is het die, door middel van de christelijke religies, ons openlijk laat zien dat hij het is die de strijd verloor.'

'Hoe maakte hij dat dan duidelijk?'

'Marta, kijk alsjeblieft eens aandachtig naar de symbolen. Ten eerste vertoont God de Schepper zich met drie gezichten, waarvan geen enkel hem helemaal omvat. Het lukt mij niet om in te zien wat voor logische relatie er bestaat tussen een wrede, wraakzuchtige vader en een lijdzame, gemartelde zoon. Noch welke relatie zij beiden hebben met een Heilige Geest van wie niemand iets weet en die zich voordoet als een mysterie. Met een beetje menselijke logica denk je toch dat een overwinnaar zich niet zou verbergen, maar zich overduidelijk zou manifesteren. Deze drie personages hebben echter een symbool geschapen dat voor ons iets kan ophelderen.'

'Wat dan?'

'Ik bedoel de drie-eenheid waarmee de Schepper zich voordoet, en die hem omsluit. Die kan veel interpretaties inhouden, maar één daarvan, voor mij heel helder, is dat hij ons wil laten begrijpen dat hij een gevangene is.'

'De meeste mensen besteden daar geen aandacht aan, maar ik wel,' zei Marta.

'En in jouw familie hebben meer vrouwen daar aandacht aan besteed.'

'Ik neem aan... van wel.'

'In veel gevallen heeft dat op tragische wijze hun lot bepaald.'

Marta Vives boog haar hoofd.

'Ik neem aan dat je dat op zijn minst een redelijke interpretatie vindt.'

'Inderdaad, ja.'

'Maar er is meer.'

'Wat dan?'

'Marta, vertel me niet dat je dat zelf niet bedacht hebt. Ik doel op de marteldood op Golgotha; als je niet denkt dat de drie-eenheid kan betekenen dat de Schepper een gevangene is, zul je toch op zijn minst denken aan de gekruisigde Christus die je voortdurend ziet. Als Christus zich voordoet als de zoon van God en zo zijn verhaal geloofwaardig maakt, moet je des te sterker geloven in de rest van dat verhaal. En wat zegt dat ons? Wel, dat hij veroordeeld werd, gegeseld, bespot en uiteindelijk aan een kruis genageld. De hele reeks beelden is duidelijk.'

'Ik geloof tenminste dat we dat allemaal goed gezien hebben.'

'En is dát dan wat met overwinnaars gebeurt? Worden overwinnaars veroordeeld, gemarteld en geofferd? Nee, Marta, dat gebeurt niet met degenen die overwinnen, maar met degenen die verliezen. De kruisiging is het duidelijkste symbool dat de Schepper ons heeft nagelaten om ons erop te wijzen dat hij de strijd verloren heeft.'

'Maar...'

'Als je na een gevecht een vuile, gewonde gevangene ziet en naast hem een goedgeklede soldaat die hem met zijn wapen bewaakt, wie zou dan de strijd hebben gewonnen?'

'Degene met het wapen natuurlijk,' fluisterde Marta, 'maar is dat niet de interpretatie die wij eraan geven.'

'Het is in elk geval niet de interpretatie die de Kerk eraan geeft. Er is ons altijd verteld over de verlossing, maar nooit over de nederlaag.'

De stilte in de kamer, die nu volledig in het duister was gehuld, was drukkender, intenser en zwaarder geworden. Marta merkte opnieuw dat ze nauwelijks lucht kreeg.

'Dat is het duidelijkste teken dat de Schepper ons kon nalaten,' besloot de stem, 'het teken dat die strijd door de duivel gewonnen is.'

Marta Vives trachtte haar gedachten te ordenen. Daar was ze altijd goed in geweest en met haar systematische geest kreeg ze alles altijd helder voor ogen, maar ditmaal lukte het haar niet. Het duizelde haar, alsof ze vele vrouwen met haar eigen naam had gezien, die haar nu misschien allemaal van daarboven aankeken.

'U spreekt over de christelijke religie, maar er bestaan ook andere godsdiensten en ze hebben niet allemaal dezelfde boodschap.'

'Natuurlijk,' erkende het wezen aan de andere kant van de tafel, 'natuurlijk zijn er andere godsdiensten, maar richt je op de religies die het meest de schepping nabij komen en die waarin de christelijke overtuigingen hun oorsprong vinden. Concentreer je bijvoorbeeld eens op de andere grote monotheïstische religie, de joodse geloofsleer.'

'Wat is er met de joodse geloofsleer aan de hand?'

'Daar komt ook een duivel in voor, in dit geval een vrouwelijke; ze heet Lilith. Lilith zou de echtgenote worden van Adam, maar ze werd door Eva verdrongen, die haar plaats innam. Ergo: de oermoeder van de mensheid is niet Eva, zoals wij geloven, maar een andere vrouw. We moeten aannemen dat er een strijd geweest is tussen beide vrouwen, tussen de duivelin Lilith (aan wie de joden nog steeds kwade krachten toeschrijven) en Eva, van wie men veronderstelt dat zij de gunstelinge van de Schepper was.'

'Dat lijkt er wel op, maar hier gaat de theorie mank, want Eva heeft gewonnen.'

De man schudde zijn witte gezicht.

'Je vergist je, m'n beste: Eva werd bestraft. In feite was zij de eerste persoon in de schepping die dat overkwam en die bovendien de wreedste en zwaarste straf kreeg opgelegd: aan Eva wordt het verlies van het paradijs toegeschreven, het verraad, de leugen en zelfs de domheid. Zo'n zware straf heeft nooit meer een denkend wezen getroffen, want hij treft bovendien al haar nakomelingen, dat wil zeggen, alle vrouwen. Die arme Eva kreeg de erfzonde te dragen, verdoemd tot in eeuwigheid. En vertel me nu nog dat ik moet geloven dat Eva, de oogappel van de Heer, de strijd heeft gewonnen.'

Marta Vives begreep er helemaal niets meer van. Misschien was het de duisternis die haar liet duizelen.

'De strijd tussen die twee, want zo moeten we het zien als twee vrouwen wedijveren om een man, is door Lilith gewonnen.'

Plotseling kwam het vertrek Marta als immens groot voor, misschien omdat ze de begrenzingen ervan niet kon zien.

'Er is nog meer.' De stem klonk uitdagend.

'Nog meer?'

'Goed... de Schepper, als we hem zo willen blijven noemen, trachtte een daad te stellen. Alle overwonnenen die opnieuw aan de macht proberen te komen, stellen een manifest op: de Schepper vaardigde de tafelen der wet uit op de berg Sinaï. Hij wilde laten zien dat hij niet dood was, zelfs niet helemaal verslagen, en kwam met een geloofsleer. Hij koos een man uit, Mozes, en een volk, het Joodse volk, om die geloofsleer te verbreiden over de hele wereld. Misschien zei hij bij zichzelf – een hypothese die uit mijn eigen wantrouwige geest voortkomt – dat de toorn van de duivel niets zou kunnen uitrichten tegen een heel volk.'

'Het ging in feite om een heel klein volk,' zei Marta. 'Het heeft me altijd verbaasd dat God juist het Joodse volk uitkoos.'

'Daar kunnen wij niet over oordelen. Het Joodse volk was misschien het ontvankelijkst van alle volkeren. In elk geval werden aan dit volk de tafelen der wet overhandigd.'

'Dat wordt door niemand betwist.'

'Inderdaad, daarom zeg ik het ook. Ik heb het over feiten die door niemand betwist worden, niet over vermoedens. Welnu, daarover wil ik twee dingen zeggen.'

'Ga uw gang.'

'Ten eerste: je kunt je geen volk voorstellen dat zo'n hoge prijs betaald heeft. Niemand is ooit zo geteisterd door de overwinnaar, de duivel in dit geval, als het Joodse volk. Niemand heeft zo geleden onder het aanvaarden van het testament van de verliezer, geen enkel volk heeft zozeer geleden in de loop van zijn geschiedenis. En niet alleen van de zijde van de overwinnaar, maar ook van de kant van de verliezer, want het Joodse volk maakte veel later de fout de boodschapper te vermoorden.'

Marta Vives bleef zwijgen. Het kostte haar geen moeite de woorden van haar gesprekspartner te volgen, maar over deze materie had ze nooit eerder nagedacht.

'Maar dat is nog niet alles,' vervolgde de stem, 'ik zei dat er twee dingen waren en dus kom ik nu met het tweede. In de tafelen der wet worden tien geboden opgesomd die een weerslag zijn van de geloofsleer van de Schepper: gij zult niet doden, gij zult niet liegen, gij zult geen ontucht plegen, eert uw vader en uw moeder.'

'Op dat niveau zit ik ook wel, geloof ik,' zei Marta enigszins beledigd, 'de tien geboden ken ik wel.'

'Stel je nu eens voor wat de duivel op de tafelen der wet geschreven zou hebben.'

'Nou...'

'Zeg het maar.'

'Gij zult doden, liegen, ontucht plegen, uw vader en moeder niet eren.'

'Precies.'

'Maar wat wil dat zeggen? Verklaart u het zelf maar.'

'Ik vraag je alleen maar om de wereld om ons heen onpartijdig te bekijken. We hebben geen eind gemaakt aan oorlogen of aan de mens als beul voor de medemens. Het gebod "gij zult niet doden" wordt nergens nagevolgd. Integendeel, het voltrekken van de dood schijnt ons steeds logischer en redelijker.'

'Inderdaad... Dat kan niemand loochenen.'

'Je gebruikt daar het woord "loochenen". Laat ik het verwante woord "liegen" gebruiken.'

Marta knikte.

'De leugen is de spil van het zakenleven,' vervolgde de stem, 'van internationale betrekkingen – door Machiavelli zo ongeveer tot het niveau van heiligheid verheven –, beheerst huwelijksrelaties, handelsbetrekkingen, vriendschapsbanden en zelfs geloofsrelaties. De leugen brengt verlichting, de waarheid niet. De leugen wordt niet alleen beschouwd als een ware maatschappelijke noodzaak, maar staat symbool voor de hele samenleving. Zonder leugen – reclame is ook een en al leugen – zou je geen zaken kunnen doen. Zonder de mogelijkheid te liegen zou niemand zich kandidaat stellen bij politieke verkiezingen. Jij werkt bij een advocatenkantoor; vertel me eens hoe vaak het noodzakelijk is te liegen voor de rechtbank.'

Marta Vives knikte weer, maar deze keer uit gêne.

'En laten we eens kijken naar het "gij zult geen ontucht plegen",' vervolgde de stem. 'Dat is, Marta, het meest overtreden gebod uit de tien geboden, en we beschouwen het zelfs algemeen als het meest dwaze gebod. In de eerste plaats plegen alle levende wezens ontucht. Waarom menselijke wezens dan niet? Zonder ontucht is er niet eens nageslacht. Zonder ontucht is er geen verklaring voor het bestaan der beide seksen en is er zelfs geen relatie tussen beide mogelijk. En zonder relatie tussen man en vrouw kun je zelfs de wereld niet begrijpen. Om maar niet te spreken over de emotionele en zelfs maatschappelijke gevolgen die erin besloten liggen.'

Met een sombere stem voegde hij eraan toe: 'Zonder seks zijn de meest diepgaande menselijke gevoelens niet verklaarbaar.'

'Dan hebben de tien geboden nooit veel zin gehad,' zei Marta, en ze beet op haar lip.

'Laten we zeggen dat de geboden die de duivel zou hebben geschreven, verstandiger zouden zijn, die uiteindelijk toch zijn maatstaf aan de wereld heeft opgelegd.'

Er viel weer een stilte in het vertrek, waarin voor Marta Vives nu nauwelijks meer iets zichtbaar was.

'Ik zal niet alle geboden gaan behandelen,' sprak de stem van de andere kant van de tafel, 'want daar zou je bij in slaap vallen, Marta, maar laat me er nog één aanhalen, bijvoorbeeld "gij zult geen andere goden voor mijn aangezicht hebben". De mensheid heeft zich zoveel goden gemaakt dat ze niet meer te tellen zijn: succes, werk, geld, gezin, gezag, zelfs de nationale vlag. De mensheid heeft zich een gouden kalf gemaakt. Maar succes, werk, geld, gezag, gezin en de vlag die je verdedigt, zijn volkomen legitieme zaken, die het hout vormen waaruit grote figuren gesneden zijn. En nergens is een overwinning van de tien geboden te zien.'

'Mag ik overgaan naar het "eert uw vader en uw moeder"?' vervolgde hij. 'Vertel me maar eens of de tegenwoordige maatschappij daar rekening mee houdt, hoewel ik moet erkennen dat juist dat gebod pas later door de duivel is opgelegd. Want vroeger bestonden er nog de raden van ouderen, de autoriteit van de pater familias en andere tekenen van respect. Vooral van belang was de traditionele kernfamilie, waarbij verschillende generaties onder één dak samenwoonden, onder gezag van de oudste. Maar nu? Vader en moeder zijn gewone, ouderwetse figuren, die men uiteraard niet eert, maar van wie men in elk geval gebruikmaakt. En het ergste is dat die onbeduidende personages aan het eind van hun leven voor overlast zorgen. De maatschappij is zo georganiseerd en de geaccepteerde moraal zo ingericht dat zij in speciale tehuizen worden gestopt, in de wachtkamers van de autopsielaboratoria, waar zij tenminste geen last meer veroorzaken. En zijzelf aanvaarden die maatschappelijke uitsluiting en die voortijdige dood, omdat ze denken – of beweren te denken – dat hun lichaam het daar langer volhoudt. Verlenging van het leven interesseert hun meer dan het leven op zich.'

Het spierwitte gezicht bewoog naar de andere kant van de tafel. Het was het enige wat Marta nog kon onderscheiden: de helderheid van zijn huid met die fosforachtige weerschijn.

Ze wist niet wat ze moest antwoorden.

En de stem ging door, nog altijd met die kalmte die zich buiten de tijd leek te bevinden. 'Je ziet dus wel, geleerde en verstandige vrouw, wie de beslissende strijd heeft gewonnen en wie heden ten dage de wereld beheerst. En dan heb ik het over de meest recente geloofsleer, bijna van deze tijd, de christelijke leer, die de officiële opvattingen in Europa heeft gevormd. Als je een blik op het verleden werpt – en ik twijfel er niet aan dat je dat gedaan hebt – is de situatie nog duidelijker. Denk maar aan de leer van Zarathoestra, die ongeveer zevenhonderd jaar voor Christus werd uitgewerkt en waarin al sprake is van twee godheden die het goede en het kwade representeren, met die bijzonderheid dat, in overeenstemming met de geloofsleer waarin men ons heeft onderwezen, het goede de schepper van de wereld is. De god van het goede. Maar zijn tweelingbroer verzette zich tegen hem en naar ik begrijp, won hij de strijd of verloor hij die tenminste niet. Bedenk daarbij dat de leer van Zarathoestra er een is van magiërs, en die hebben vermogens die niemand anders heeft. Maar ik denk, Marta Vives, dat ik je afmat met mijn woorden, of misschien vervul ik je met angst en wanhoop. In dat geval moet je beide, wanhoop en angst, van je afzetten. Bedenk dat de duivel, als alle overwinnaars, duurzame vrede wil. En wie geen duurzame vrede wil,' voegde hij eraan toe, 'die is de verliezer, want om te overleven moet hij doorvechten. De overwinnaar niet.'

Ze schudde het hoofd met een uitdrukking van onbegrip. 'Ik ben bang dat ik u niet meer volg.'

'Maar natuurlijk wel, Marta. Ik denk dat ik wel te volgen ben. De duivel trachtte met de Schepper een compromis te bereiken waarin zoiets als een rustig voortbestaan van de wereld gewaarborgd zou zijn. Hij probeerde een verdrag te sluiten met de Schepper.'

'Wat voor verdrag?'

'Dat is zo duidelijk dat het zelfs in de christelijke geloofsleer voorkomt. Daar heeft het als naam gekregen "de verzoekingen in de woestijn". Gedurende niet minder dan veertig dagen en nachten probeerde de duivel de Schepper iets te geven om er zelf iets voor terug te krijgen, om hem tenminste een soort schikking te laten accepteren. Ik weet niet wat daaruit is voortgekomen, maar het is de duivel niet gelukt. Er kwam geen schikking tot stand en ook geen overeenkomst, zodat de Schepper zijn strijd moest voortzetten, ik stel me voor met steeds minder hoop, hoewel hij steunde op de christelijke Kerk en op een sterke religieuze organisatie. De duivel baseert zich daarentegen niet op een geloofsleer die buiten het menszijn ligt en erboven uit stijgt. Ik heb het gevoel dat hij dat niet nodig heeft. Me dunkt dat je angst nu verdwenen is.'

'Ja...'

'Maar ik heb je wel afgemat.'

'Helemaal niet, vergeet niet dat ik die materie bestudeerd heb en dat er al een familietraditie bestond, een traditie die grote offers heeft gevergd. Daar kom ik uit voort.'

'Daarom vond ik het ook zinnig om met jou te praten, nu ik het geluk had je in dit huis te ontmoeten.'

'Waar ik om een bepaalde reden naartoe gekomen ben.' Ze probeerde te kalmeren.

'Dat weet ik. Mag ik je de meest belangeloze raad van de wereld geven?'

'Graag.'

'Je moet je niet schamen voor je schoonheid. Verberg die niet. Lilith mag dan de vrouwelijke duivel zijn, ze vertegenwoordigt tevens het feminisme. En misschien was ze de eerste die daarvoor gestreden heeft. Verhul niet wat bij jouw wezen hoort, Marta.'

Ze probeerde te lachen.

'Dat lijkt op een advies van de duivel,' zei ze zacht, 'dat regelrecht tot zonde leidt.'

Van de overkant van de tafel klonk ook een lachje op. 'Misschien is het wel zo dat ik het kwaad vertegenwoordig.'

De figuur stond op. Door het halfdonker was hij vrijwel niet te onderscheiden, maar het was duidelijk dat hij leeftijdloos was. Marta voelde weer iets van angst, want wat ze nu voor zich had, was geen stem, maar een figuur die zich bewoog, een figuur die de duisternis leek te vullen.

Maar plotseling was er weer alleen de stem, de stem die haar kalmeerde, omdat hij diep uit haarzelf scheen te komen, of misschien uit de diepte der tijd: 'Je bent gekomen omdat je al jarenlang iets over je verleden te weten probeert te komen, over je familie, en ten slotte heb je kennelijk in de duisternis van dit huis een spoor gevonden. Er kan hier een lichaam liggen dat nooit tussen deze muren vandaan gehaald is, iemand die een hoge kerkelijke rang bereikt had, hoewel hij nooit de bestuurder van dit diocees geweest is. Hij behoorde tot de familie Masdéu, dezelfde die, om redenen die jij niet kent, betaalde voor het graf van een van jouw vrouwelijke voorouders.'

Marta's keel kneep zich samen. 'Daarvoor ben ik gekomen,' fluisterde ze, 'om door te dringen tot de kern van iets wat ik niet weet.'

'Ik heb al gezegd dat ik je zou kunnen helpen en dat zal ik doen. Je hoeft me alleen maar te volgen als je de deur naar het mysterie wilt openen. Kom dus maar mee.'

36

Het huis van de verdwenen meisjes

Ik, de man zonder leeftijd, scheen ongevoelig voor verbazing, maar deze keer voelde ik die toch, want ik leerde Juan Rull op de meest onverdachte en blijkbaar meest bizarre plaats op aarde kennen: het kantoor van de gouverneur. De gouverneur van Barcelona was toen de heer Ossorio y Gallardo, een beminnelijk, beschaafd man, deskundig in politiek en burgerlijk recht. Ik weet niet of hij ook deskundig was op het gecompliceerde terrein van vrouwen, maar er werd gezegd dat hij door vele vrouwen bewonderd werd. De heer Ossorio y Gallardo had beloofd een einde te maken aan de bommen die van Barcelona de eerste stad ter wereld maakten die terrorisme moest verduren. Tegenwoordig delen vele steden die twijfelachtige eer, maar ik kan ervan getuigen dat Barcelona de eerste was.

Toen ik ermee te maken kreeg, via een Engels agentschap – niemand leek Spaanse politici te vertrouwen – was er juist een bom ontploft: het was in de Calle Boquería, waarbij een bloemenverkoopster van de Ramblas gedood werd en andere vrouwen gewond; de hele bevolking was erdoor in beroering. De dood van een markiezin in het Liceutheater zou men namelijk na een poosje wel vergeten, maar niet de dood van een bloemenverkoopster van de Ramblas, een plaats waar iedereen kwam.

Ikzelf kwam onder de naam Temple in contact met de buurtafvaardiging. Ik beschikte over de Engelse nationaliteit, een vlekke-loos accent, maatkleding en identiteitspapieren die zo goed vervalst waren dat ik nooit ontmaskerd zou worden. Bovendien zou nie-mand onderzoek doen naar een detective met de Britse nationaliteit.

Ossorio y Gallardo hield – dat weet ik nog precies – een gerust-stellende toespraak, op de wijze zoals geruststellende toespraken al-tijd geweest zijn: het vaderland was in gevaar, maar de vijanden zou-den het nooit te gronde richten. Daartoe dienden de wetten, die onverbiddelijk moesten worden toegepast, en ook beschikte Cata-lonië over een geheim wapen om verdorven misdadigers te arresteren en berechten. Kortom, een toespraak die nog een eeuw lang her-haald zou kunnen worden zonder dat er iets gebeurde.

Later kwam ik erachter dat het geheime wapen van de gouver-neur een persoon genaamd Juan Rull was.

Dat zei de heer Ossorio y Gallardo natuurlijk niet. Hij beëin-digde zijn toespraak met de woorden: 'Ik ben ervan overtuigd dat de Staat bij de hem toebedeelde taken nagaat of die in gebreke blijft als het gaat om vrijheid, rust en eer van de burgers, daaraan kan die zich niet onttrekken. Elk denkbaar onderzoeksbureau, databank of archief, ik zal ze met al mijn kracht steunen en tevens het speciale politieproject voortzetten, dat weliswaar niet nieuw is maar uitste-kend werk verricht. Mijne heren, ik heb gezegd.'

Wel, eigenlijk had hij niets gezegd, maar daar is men wel aan ge-wend.

Juan Rull was onder de aanwezigen en ik vestigde bij het vertrek die blik op hem waarvan me is gezegd dat hij aan het eeuwige leven deed denken. Hij merkte het niet eens.

Ik nam me voor de sporen van die merkwaardige man tot het einde toe te volgen, uitgaande van wat ik al had achterhaald. En dat heb ik ook gedaan.

Zo kwam het dat ik in de hel terechtkwam.

Ik wist dat Juan Rull informant was van de gouverneur en daarvoor betaald werd, zoals vele anderen. Betaling van spionnen-informanten en lokagenten is zo gebruikelijk dat er bij de ministeries zelfs een post voor is gemaakt, namelijk 'gereserveerde fondsen'. Maar het geld dat die man opstreek, kwam niet overeen met zijn levenswijze.

Rull gaf veel, zeer veel geld uit in La Criolla, een tussenvorm van een dancing en een cabaret, gelegen in het hart van de Chinese Wijk, waar ik al eeuwenlang bekend was. Natuurlijk was de straat waarin het etablissement zich bevond, in feite nieuw voor mij. La Criolla lag in de Cid op nummer 10, in een pand waarin vroeger een textielwinkel was gevestigd. Daarom was er nog steeds een constructie van ijzeren balken met palmboomornamenten. Aan de wanden waren grote spiegels bevestigd, die door de sigarettenrook niets doorlieten of weerspiegelden. Vrijwel al die rook kwam voort uit de mond van homo's, die de vrouwen daar van hun werkplek hadden verdreven. Daar gaf Rull elke nacht veel geld uit.

Maar omdat men een man gaat verdenken die geld uitgeeft maar niet werkt (hoewel daarvoor in de huidige maatschappij veel verklaringen mogelijk zijn), werd Rull behoedzamer en verplaatste hij zijn ontspanning naar een bordeel in de Calle Roca, links om de hoek, vrijwel in de schaduw van de kerk van El Pino.

Ik zal dat bordeel nauwkeurig beschrijven, want ik leerde het heel goed kennen.

Als je binnenkwam, zag je vrijwel recht tegenover de buitendeur een salon met een balkon aan de straatzijde (altijd afgeschermd door zonwering), waar de vrouwen zaten te wachten. Ze zaten uitgestald op een grote, bruine bank langs de muur en daar gingen ook de potentiële klanten zitten. Als je die salon door liep, zag je iets naar rechts een gang die naar de kamers voerde. Ik herinner me dat het er vier waren, waarvan één met een balkon aan de straat. Maar daar kwam nooit zon binnen en er waren heel donkere schaduwen.

Ik geloof dat die schaduwen ademden, dat ze de vrouwen kenden en grappen maakten over hun gefingeerde kreunen van genot. Natuurlijk dreven ze ook de spot met het gevloek van sommige klanten. Ik herinner me dat die plek een van de levendigste was die ik ooit gezien had, behalve het bordeel waarin ik geboren ben.

In dat huis organiseerde Juan Rull feesten met vrouwen en wijn, en dat nog wel in de vastentijd. Hij liet uit een nabijgelegen restaurant bladen vol eten brengen, gaf de hoeren de opdracht zich uit te kleden en zo ging het dan verder. Ik was er af en toe in geslaagd me te verstoppen in het huis, want ik kon me als een schaduw gedragen. Meer dan eens raakte een vrouw me in het voorbijgaan aan zonder ook maar iets te merken van mijn aanwezigheid.

En ik hoorde daar opmerkingen waardoor ik alles op een rij kon zetten, want ik was niet voor niets de enige die alle Barcelonezen kende, te beginnen met de doden.

Daar kwam ik te weten dat Rull een pervers dubbelspel speelde, even gewaagd als afschuwelijk en macaber. Hij werd betaald om ervoor te zorgen dat er geen bommen geplaatst werden, maar als niemand meer bommen plaatste en er rust heerste, zouden ze hem niet meer betalen of hem zelfs ontslaan. En dus plaatste hij zelf bommen. Op zijn manier was hij een zakenman, een ondernemer.

Het spoor werd ook gevolgd door een eenvoudige maar sluwe politieman, Tressols genaamd. In een nogal doodse taveerne in de Calle Guardia vertelde hij me dat hij zich niet door Rull om de tuin liet leiden, hoewel niemand geloofde dat hij hem zou proberen te arresteren.

Tressols en ik waren echter niet de enigen die verdenkingen hadden. In café Español op de Paralelo, op een steenworp afstand van de wijk Atarazanas, maakte ik kennis met Alejandro Lerroux, die toen in opzwepende betogen het volk voorhield de kloosters te bezetten en de nonnen te verkrachten, hoeveel werk dat ook zou betekenen. Welnu, deze Lerroux, die destijds 'de keizer van de Paralelo' werd genoemd, vertrouwde me op een regenachtige avond met glimmende straatstenen zijn gedachten toe. Hij vertelde me dat alle bommen geplaatst waren binnen een straal van honderd meter van de Ramblas. Vanaf een urinoir op de Ramblas waar er een afging tot een kapperszaak een eind verderop, eveneens aan de Ramblas, waar ook een bom ontplofte, was het nog geen honderd meter, met eromheen een web van steegjes. Hoe was het mogelijk dat de autoriteiten dat gebied niet goed onder controle hielden, tenzij de bewakers zelf de bommen plaatsten?

Een van die bewakers was Juan Rull.

Door zijn spoor te volgen leerde ik hoeken en gaten kennen die er vroeger niet geweest waren in dat smartelijke en tegelijk wonderbaarlijke Barcelona dat in korte tijd de hoop verloren leek te hebben. De gemoederen gistten, de maatschappelijke ongelijkheid nam toe en de sfeer leek af te stevenen op wat later de Tragische Week genoemd zou worden. Rull, zo kwam ik te weten, werd goed bewaakt, want hij speelde op meerdere borden tegelijk. Hij kende veel rijke kooplieden, aan wie hij geheime informatie doorgaf, want hij was echt van alles op de hoogte. Toen hij een van hen probeerde af te persen, kwam hij erachter dat die koopman de centrale figuur was in een netwerk van ontucht met minderjarige meisjes, in een van de ontoegankelijkste uithoeken van de stad, de Calle Alphons XII, met een eerbare weduwe, mevrouw Blajot, aan de leiding. Uit angst dat hij dit gegeven zou gebruiken, durfden veel rijke mensen hem niet openlijk aan te vallen.

En zo kreeg Rull steeds meer macht.

Natuurlijk was de man zelf ook klant in het huis waarvan hij de geheimen zo op zijn duimpje kende. Ik achtervolgde hem daarheen en zelfs glipte ik op een keer naar binnen, gebruikmakend van mijn voorrecht te zijn wat ik altijd geweest was: een schaduw.

Er waren daar kamers die uitkeken op een sombere tuin. Gangen met rode gordijnen en hagelwitte deuren. Twee kooien met twee vogels die elkaar op afstand het hof maakten. Een paar meisjes die bij de matglazen ramen zaten te huilen. Een van hen kende ik, Anita. Ze zat, als niemand haar bewaakte, in een binnentuin waar niets anders te horen was dan het geluid van een fontein en het lichte geruis van de wilgenbladeren.

Anita vertelde me dat ze daar met medeweten van haar ouders was, omdat die wilden dat zij genoeg zou verdienen om de vrijlating van haar broer te bekostigen. Vrijlating betekende niet hem uit de gevangenis krijgen, maar hem vrijkopen uit de kazerne.

In ons egalitaire land konden de rijken zich namelijk vrijkopen van de militaire dienstplicht – en daarmee buiten de oorlog blijven – door de staat een vastgesteld bedrag te betalen. Veel ouders spaarden daar hun hele leven voor, opdat hun zonen niet zouden sterven, en er waren zelfs verzekeringsmaatschappijen die daar speciale polissen voor hadden opgesteld. Die berekenden de premie plus een opslag, hun winst, maar als een zoon vóór de dienstplichtige leeftijd stierf, betaalden ze de inleg terug. Kortom, in de glorieuze koloniale oorlogen van Spanje hebben alleen de armen gevochten.

Dit verbaasde me niet, want dat had ik eeuwenlang zien gebeuren: de hogere klassen stelden troepen samen uit hun knechten en stuurden hen de dood in. Als er een overwinning behaald werd, was het de overwinning van de hogere klassen. Als er een nederlaag werd geleden, kwam dat doordat de knechten niet goed gevochten hadden. En als de dood kwam, werden de knechten tot stof op de wegen.

Dat was niet het enige wat ik zag. In de maatschappij die me omringde, was de zoon de enige zekerheid voor het levensonderhoud van zijn ouders op hun oude dag en vrouwen telden vrijwel niet mee. Het merkwaardige was dat de arme Anita geld verdiende, terwijl haar broer niets uitvoerde, maar ik geloof niet dat het meisje – dat van de rode gordijnen en de hagelwitte deuren – daar enige dankbaarheid voor ontving.

Welnu, daar in dat huis van verboden liefde sloeg het laatste uur voor Juan Rull. Ik was hem opnieuw gevolgd en stond verborgen op een aangrenzende binnenplaats. Het was een rustige, serene avond, gewijd aan dromen die ons ver weg voeren, een van die avonden die de dichter Joan Maragall, die in de buurt woonde, wijdde aan het schrijven van zijn verzen.

Het was die avond dat de bom ontplofte.

Door de ontploffing stond het huis te trillen. Ruiten braken, muren wankelden en deuren sloegen open. Naakte, geschrokken meisjes riepen om hun moeder en naakte, verstandige heren om hun advocaat. Mevrouw Blajot begon te gillen.

En tot mijn verbazing – hoewel? – zag ik dat een van de mannen die probeerden te vluchten, Juan Rull was.

Juan Rull die bommen plaatste.

Maar deze kon hij niet geplaatst hebben, want dan had hij zelf een van de slachtoffers kunnen zijn, en bovendien had ik hem het huis binnen zien gaan zonder enige verdachte bobbel. Het was een van de aanslagen waarover in de pers van Barcelona het minste gezegd werd. En dat was vanzelfsprekend, want er waren te veel belangen en geld in het spel.

Dat was de reden dat ik pas later de waarheid te weten kwam. Een van de meisjes van plezier in de Calle Roca was hopeloos verliefd op hem geworden, op Rull, zozeer zelfs dat ze zijn handlangster werd en zijn bommen bewaarde. En die vrouw was met een daarvan naar het bordeel in San Gervasio gegaan, omdat ze niet kon verdragen dat Rull avontuurtjes had met andere vrouwen. Maar de bom die ze naar de misdadiger had willen gooien, explodeerde in haar handen.

De lichaamsdelen van de vrouw, haar bloed, haar ingewanden, haar teloorgegane gedachten, bedekten de wanden van dat vervloekte huis. En Anita viel op haar knieën op de drempel; Anita, die al een prooi was van de stad, sloot haar ogen en begon te bidden in de hoop dat iemand haar in het hiernamaals zou horen.

En misschien hoorde iemand haar, want het betekende het einde van Juan Rull. Alles werd ontdekt, alles kwam ter sprake in de rechtbank (behalve natuurlijk de kwestie van de verdwenen meisjes) en de gouverneur en de politie zetten zich ervoor in de openbare aanklager te laten vragen wat vanzelfsprekend was: de doodstraf.

Deze keer was het enige wat ik betreurde dat ik geen helper van de beul meer was.

Het gerechtshof van Barcelona was indertijd gevestigd in het provinciehuis, dat later het gebouw van de Generalitat van Catalonië zou worden. Beide instellingen, het gerechtshof en het provinciebestuur, deelden het gebouw.

Het provinciehuis kwam men binnen via de hoofdingang, aan de Plaza de San Jaime, en het gerechtshof via de ingangen aan de Calle del Obispo en de San Honorato, aan de andere kant. Daarlangs bereikte men ook de prachtige gotische binnenplaats.

In de periode waarin dit allemaal gebeurde, in het Barcelona van de bommen, bestond het gerechtshof uit slechts twee afdelingen, waarvan nummer twee de kleinste was. Dat leverde geen problemen op wanneer bij de tweede afdeling omvangrijke processen zouden plaatsvinden, zoals dat van Rull, processen waar de hele pers op afkwam en massa's mensen op straat moesten wachten, want dan werden de zalen gewisseld.

Alles daar was oud, zelfs antiek, in die ruimten met roodgestoffeerde meubelen, met door de tijd versleten fluweel, vaal en vuil, en wanden behangen met tapijten die – dat dan weer wel – kostbaar waren en later naar het paleis van justitie overgingen. Misschien verleende juist de ouderdom van de ambiance justitie een masker dat tegelijk angst en respect afdwong.

De voorzitterstafel stond, ter meerdere luister van wat er plaatsvond, onder een baldakijn. Van de magistraten waren alleen de hoofden te zien, want hun zetels waren ingezakt. Het licht dat binnenviel door de vensters was loodgrijs, doods, gedempt door de stegen van Barcelona.

Juan Rull werd natuurlijk tot de doodstraf veroordeeld. Er was geen discussie.

Hij kreeg de wurgpaal, een wijze van doden waarin ik inmiddels deskundig was, hoewel niemand daarvan in die tijd een vermoeden had. Maar de terechtstelling vond niet in het openbaar plaats, want de autoriteiten vonden dergelijke spektakels te macaber. Terechtstellingen werden niet meer uitgevoerd in aanwezigheid van een mensenmenigte, zoals ik enige tijd had meegemaakt. Het was afgelopen met de Patio de los Cordeleros, met de tentoonstelling van het lichaam, en ook met de schilderijen van Ramón Casas.

Juan Rull was de eerste man die terechtgesteld werd op een binnenplaats van de modelgevangenis, de nieuwe gevangenis in de Calle Entenza, die toen pas in gebruik genomen was en er om zo te zeggen piekfijn uitzag, maar die in de loop der jaren een smerig oord werd. Met de laatste bomontploffing en de dood van Rull kwam tevens een eind aan een van de perioden van het Barcelona van mijn geheimen.

Voor mij betekende dit het einde van een afschuwelijke periode, het einde van alle overrompelende gebeurtenissen die tijdens mijn leven hadden plaatsgevonden en waarover ik met niemand kon praten.

Het was echter geen einde, maar een begin.

Maar dat wist ik nog niet.

37

De bekentenis

'Kom maar mee.'

Het was geen bevel, het was een uitnodiging die van alle kanten leek te komen, als een zacht briesje. Marta Vives stond op en liet de mahoniehouten tafel los. Op dat moment voelde ze zich eenzaam en verlaten, alsof ze buiten de wereld was terechtgekomen.

Het bleke gezicht was nu verdwenen, ze zag helemaal niets.

'Volg me maar en hou een hand aan de muur,' zei de stem. 'Beneden krijgen we licht.'

'Beneden.'

Hoewel ze al in veel verborgen hoeken en gaten geweest was, voelde Marta Vives nu een gespannenheid die toenam.

'De plattegronden van het huis bevinden zich in het gemeentehuis,' zei de stem vóór haar, 'en daarom denkt men daar dat die correct zijn. Maar als je weet hoe oude steden in elkaar zitten, begrijp je dat dat een vergissing is.'

'Wat bedoelt u?'

'Dat zich onder dit huis een ander bevindt, waar niet meer dan een ruïne van over is. Je weet even goed als ik dat levende steden gebouwd worden boven op dode steden. Straks komen we bij een tussenwand bij de voordeur en dan zul je het zien.'

Inderdaad was in het laatste licht vanaf de binnenplaats een tussen-

wand te zien, met behang erop volgens de smaak van negentig jaar geleden, hoewel er daarvan alleen wat flarden over waren. Marta had
geen aandacht besteed aan de wand, dat was niet in haar opgekomen.
Het leek een gewone muur. Maar de handen van haar begeleider stre-
ken eroverheen.

'Het is een nepmuur,' zei de stem, 'hij werd lang geleden opgetrokken om het huis af te schermen van een zijtak van het riool waarin het
wemelde van de ratten. Die zijtak hoorde niet bij dit huis, maar bij het
huis dat vroeger op deze plaats stond en dat nu onder onze voeten ligt.
Ik hoop dat niemand het hoort als we een beetje lawaai maken.'

Hij keek om zich heen en vond toen een roestige ijzeren staaf. Het
huis lag vol met zulk soort troep, waarmee de gemeente had geprobeerd te voorkomen dat het zou instorten.

Maar Marta liet hem niet direct zijn gang gaan. Er brandde een vraag
op haar lippen.

'Hoe weet u dat allemaal?'

'Omdat ik in dit huis geweest ben voordat deze scheidingsmuur gebouwd werd.'

Vol onbegrip trok ze haar schouders op.

'Maar...'

'Vraag me alsjeblieft niet meer.'

Hij beukte twee keer op de tussenmuur. De kracht van de man was
enorm en met gemak vond hij het zwakste punt van de muur. Het lawaai moest in de twee buurhuizen te horen zijn, maar er kwam geen
reactie, er waren ook al zo vaak technici van de gemeente bezig geweest.

Hoewel Marta vrijwel niets kon zien, zag ze nu een gat in de muur.
Het was niet erg groot, maar er kon wel een lichaam doorheen. Flarden behang wapperden in de lucht.

'Als je door het gat bent gekropen,' fluisterde de stem, 'steek dan je
handen uit; dan voel je een muur ertegenover. Vlak daarbij ligt een stenen trap van tien treden, die ongetwijfeld glibberig zijn. Wees voor-

zichtig en let niet op de ratten. De zijtak van het riool is lang geleden afgesloten.'

Marta volgde zijn aanwijzingen en trad binnen in een wereld die nu alleen nog maar uit duisternis bestond. Ze stak haar handen uit en stuitte op een glibberige muur. Ze zette een voet naar rechts, vocht even om haar evenwicht te bewaren, en vond de eerste trede.

'Zet telkens twee voeten op een tree,' instrueerde de stem, 'en ga heel langzaam naar beneden. Het zijn tien treden. Ik wacht beneden op je, waar je steun kunt vinden aan mijn rug.'

Marta Vives deed zoals haar gezegd was. Er liep een koude rilling over haar rug. Daar kwam de laatste tree. Ze vond de rug van de man en leunde er met beide handen tegenaan . Ze was niet bang, maar er ging wel een lichte huiver door haar heen toen ze hem aanraakte.

'Nu kun je doorlopen naar het eind. Er zijn verder geen obstakels. Als je wilt, kun je mijn rug blijven vasthouden.'

Het was geen grote afstand, maar het kwam haar voor alsof er geen eind aan kwam. Zelfs een archeologe als zij had het gevoel dat ze hier nooit meer uit zou komen. Aan het eind hoorde ze een zacht gekabbel, waarschijnlijk in de zijtak van het riool.

'Wees niet verbaasd,' zei de man geruststellend. 'Onder het huidige Barcelona liggen verschillende Barcelona's die dood zijn en waar niemand naar omkijkt. Ze gaan geen straat vol buurtbewoners slopen om een oude kerk te vinden. Zo ligt er ook onder het Vaticaan dat de gelovigen kennen een ander Vaticaan, dat alleen de pausen kennen.'

Eindelijk kwamen ze bij iets wat Marta nog nooit gezien had, maar de ander wel. Ze hoorde het geluid van een lucifer en er lichtte een vlammetje op. Vlak naast haar werden twee toortsen zichtbaar. De spierwitte handen – die uit het niets leken op te duiken – grepen een ervan, die eruitzagen alsof ze al honderd jaar niet gebrand hadden.

Marta Vives sloeg een hand voor haar mond om het niet uit te schreeuwen. Ze zag dat ze zich in een klein stenen vertrek bevond, een soort mortuarium. Op de grond lag puin.

'Vroeger was dit vertrek verzegeld,' zei de stem, 'maar het muurtje moet ingestort zijn toen ernaast een nieuw riool werd aangelegd. Toen het huis bewoond was, dachten de buren dat er niets achter die muur zat.'

Marta luisterde niet naar de uitleg. Die deed er even niet toe. Ze keek in stomme verbazing naar wat een katafalk van vermolmd hout leek, die zo vol gaten zat dat het een wonder was dat hij niet uit elkaar was gevallen. Er lag een lichaam op, of liever gezegd, iets wat eens een lichaam geweest moest zijn.

Er was niet veel van over, behalve wat flarden van een priesterlijk misgewaad dat letterlijk opgevreten was door ratten, waarvan de kleine skeletten de vloer bedekten. Die moesten aan hun eind zijn gekomen toen de zijtak van het riool vele jaren geleden afgesloten werd en de openingen die naar dat geheime vertrek leidden, werden verzegeld.

Marta had er nauwelijks oog voor. Ze staarde naar het skelet onder de resten stof. Zelfs de botten waren door de ratten aangevreten. Er vielen nog slecht een paar vage vormen te onderscheiden, resten van iets wat ooit mooi geweest was, holten die vensters naar het niets leken, een paar tanden, gebogen in wat leek op...

'Een glimlach?'

De man met het bleke gezicht vertrok geen spier, hij leek zich op vertrouwd terrein te bevinden. Hij deed een stapje opzij om Marta de kans te geven het tafereel beter te aanschouwen.

'Mag ik je voorstellen: bisschop Masdéu. Hij heeft nooit het gezag over Barcelona of een ander diocees gekregen, maar hij ging over een van die erebisdommen die uit het begin van de Kerk stammen: steden in het Midden-Oosten waar alleen ruïnes van over zijn. In feite was bisschop Masdéu heel eenzaam. Men beschouwde hem als een dwaas of zelfs als een ketter. Maar dan een ketter die door niemand begrepen werd.'

'Wat bedoelt u daarmee?'

'Hij doolde over straat in zijn lange priestergewaad, mengde zich onder de armelui. Hij bezocht begraafplaatsen en verdween soms een jaar of meer. Daarom dachten zijn superieuren na zijn dood dat hij nog steeds ergens rond moest dolen. Maar in werkelijkheid is hij altijd hier geweest, zelfs vlak bij de kathedraal, in het huis waar hij wilde sterven.'

Marta dacht dat ze het niet goed had verstaan.

'Wilde sterven...?'

'Ja.'

'Maar u hebt hem gedood...'

'Ja.'

'Hoe is het mogelijk dat u dat hebt gedaan... zoveel jaar geleden? Dat is zo lang geleden, dat... dat...'

Het gezicht leek steeds bleker.

'Ik heb je gezegd me dat vooral niet te vragen.'

Marta voelde haar knieën beven. Het licht van het vlammetje leek het hele vertrek rond te draaien. Ook haar hoofd leek te tollen en ze had het gevoel dat ze haar evenwicht ging verliezen.

'Leun maar tegen de wand,' raadde de stem haar aan, 'en wees vooral niet bang.'

'Dat ben ik ook niet.'

'Maar er speelt van alles door je hoofd, veel te veel.'

'Ja,' zei ze met moeite.

'Een van je vragen is natuurlijk hoe ik deze man zo lang geleden heb kunnen doden, langer dan een mensenleven geleden. Maar nogmaals, daarover moet je me geen vragen stellen. Waarschijnlijk zou je het niet begrijpen.'

De man zag dat Marta een lichte beweging met haar hoofd maakte.

'Je moet je niet op kalenders vastpinnen. Het leven heeft vele betekenissen, te veel voor ons om ze allemaal te doorgronden.'

'Maar u zei dat u bisschop Masdéu hebt gedood... Waarom?'

'Ik heb hem gedood omdat hij me dat vroeg. Bovendien ben ik in staat iemand zonder lijden te laten sterven.'

Marta vroeg niet wat hij daarmee bedoelde. Ze wilde het zich ook niet voorstellen.

'Waarom vroeg hij u dat?'

'Hij had zoveel berouw dat hij niet langer wilde leven, maar tot zelfdoding was hij niet in staat, hoewel hij door de buitenwereld gezien werd als een dwaas. Hij wilde zich liever laten doden.'

'Hebt u het over... euthanasie?'

'Zo kun je het noemen, ja. Ik geloof daarin en bisschop Masdéu geloofde ook.'

'Maar de katholieke Kerk niet.'

'De Kerk vergist zich, en zal dat uiteindelijk toegeven. Het voorgeborchte – zoals zij dat noemt – leek te bestaan maar bestaat niet meer. De verrijzenis des vlezes bestond en daarom was crematie verboden. Tegenwoordig is crematie algemeen geaccepteerd en wordt door veel mensen gezien als een symbolische – misschien zelfs poëtische – methode om het vleselijk lichaam te behouden. Op een dag zal de Kerk ook zwichten op het punt van de hel, waarnaar de verwijzingen overigens ook al niet al te overtuigend zijn. Ook de hel druist in tegen het gezond verstand en zelfs tegen de menselijke wraakzucht.'

Marta hield haar mond stijf dicht. Ze was geobsedeerd door die stem, maar vooral door die onwerkelijke, mysterieuze, onbekende, onderaardse wereld. Het leek haar ongelooflijk dat er onder de oude straten van Barcelona een andere werkelijkheid bestond.

Maar het bestaan daarvan kon ze nu niet meer ontkennen.

Bovendien kwam het idee van de hel overeen met het hare en dat bracht haar in verwarring. Het kwam haar onwezenlijk voor dat 'haar' waarheid zo helder uitgedrukt kon worden. Want van jongs af aan had ze haar eigen, ongetwijfeld ketterse, ideeën gehad over de hel, die tegenwoordig gemeengoed waren geworden. Haar vrouwelijke voorouders hadden er misschien net zo over gedacht, maar die had men het wel verboden. En te veel denken bekoopt men meestal met de dood.

Zo had voor haar altijd als een paal boven water gestaan dat zij, als ze de schoft in handen zou krijgen die bijvoorbeeld haar dochter verkracht en vermoord zou hebben, zij, Marta Vives, hem het eeuwige vuur in zou jagen. En de eerste twintig jaar zou ze, luisterend naar zijn schrille kreten, proosten op zijn gezondheid en hem aanmoedigen nog wat harder te jammeren. Maar na dertig jaar zou het dan voor haar genoeg zijn geweest. Na vijftig jaar zou in haar een zeker gevoel van mededogen groeien. En na zestig jaar zou het voor haar wel genoeg zijn en zou ze haar vijand uit de hel vrijlaten. Als zij, een menselijk wezen vol onvolkomenheden, er zo over dacht, hoe was het dan mogelijk dat God, die volmaakt was, er een ander gevoel bij had? Hoe kon hij een zonde in eeuwigheid bestraffen als die zonde in sommige gevallen niet meer was dan blasfemie of misverzuim?

Deze onbekende man dacht er hetzelfde over en deze onbekende man leek alles te weten.

Ze voelde bovendien zijn blik, waarvan ze vanaf het eerste ogenblik het gevoel had gehad dat die van buiten de tijd kwam.

'Waarom hebt u dit nu juist aan mij laten zien?' hakkelde ze.

'Omdat jij de laatste schakel bent van een lange keten. En ik heb gewacht tot ik je alleen zou treffen om met je te praten.'

'Dat begrijp ik niet.'

'Er zijn families met mensen die nadenken en daarvoor worden ze vervloekt. Sommige van die families hebben godsdienstoorlogen ontketend, kerkscheuringen, ketterij, twijfels die van vader op zoon overgingen. Ze hebben er allemaal zwaar voor geboet. En als ik spreek over dergelijke families, bedoel ik in het bijzonder de jouwe, die van het geslacht Vives.'

Marta stond met haar mond vol tanden.

'Jouw familie was ontwikkeld. Ik kan niet zeggen of dat goed was of slecht, maar het was een geslacht van mensen die nadachten. En bovendien hadden ze ook een bepaalde trots, zoals blijkt uit het feit dat

ze een soort gesloten, haast geheime kring vormden. Als huwelijks-
partner kozen ze bij voorkeur iemand uit de eigen familie.'

Marta maakte een vluchtig, bevestigend gebaar. Ze wist heel goed
dat dat waar was.

'Denk maar aan sommigen van die vrouwelijke voorouders van je,'
vervolgde de stem, 'kortgeleden kwam je in aanraking met iets wat van
een van hen was geweest.'

'Wat was dat dan?'

'Je zou het je moeten herinneren. Het was een bronzen kruis.'

'Ja...' mompelde ze.

'De vrouw bij wie het in het graf lag, werd in de middeleeuwen terechtgesteld wegens ketterij – die tijd zal je nu heel ver weg lijken,
maar ons leven wordt er nog steeds door bepaald – en omdat ze gelovig was, vroeg ze te worden begraven met een kruis op haar borst. Ze
weigerden haar het gebruikelijke kruis mee te geven, maar maakten er
een soort heidens onderscheidingsteken van. Je hebt het gezien: het
lijkt op wat Duitsers het ijzeren kruis noemden. Een paar rovers hebben dat graf geschonden. Het bevond zich niet op gewijde grond, hoewel het dicht bij een romaanse kerk lag: Sant Pau del Camp.'

Marta wist dat heel goed en dat besef was een van haar kwellingen.
Daarom beperkte ze zich tot knikken, terwijl de stem doorsprak: 'Volgens de oude verhalen werd de dochter van die vrouw vermoord. Ze
was een nog hardnekkiger ketter dan haar moeder, en bovendien werd
ze gedreven door wraakgevoelens. Ze had heel goed levend verbrand
kunnen worden, maar ze wist zich te bevrijden. Zij werd op een andere manier vermoord.'

'Door wie?'

'Ik weet het.'

'Zeg het me...'

'Waar zou dat goed voor zijn? Zou jij wraakgevoelens koesteren
voor iets wat zo lang geleden gebeurd is? Vraag me alsjeblieft daar ook
niets over.'

316

'Eens zult u me het antwoord moeten geven.'

'Misschien kom je er zelf achter. Maar ik zal, ondanks het feit dat ik de waarheid ken, niet degene zijn die het je vertelt. Bovendien dacht de persoon die het deed dat het zijn plicht was.'

'Geef me dan een naam, iets... Vergeet niet dat ik geschiedkundige ben.'

'Laten we zeggen dat jouw familie, je geslacht, Marta, duivelse rituelen beoefende. Duivelse rituelen zijn, net als goddelijke rituelen, oeroud en verdienen daarom ook respect. Sprekend op basis van mijn zeer lange ervaring zou ik je zelfs kunnen vertellen dat jouw geslacht contact had met de duivel.'

'U doelt misschien op hysterie en hallucinaties. Die zijn veelvuldig bestudeerd door de wetenschap,' protesteerde Marta.

'Misschien grenst elke hogere gedachte, vooral als het een religieuze gedachte is, aan hysterie of hallucinaties, maar zo'n gedachte benadert vaak het meest de waarheid. Je zou het ook met een andere, eveneens heel bekende term kunnen benoemen: intuïtie. Maar ik blijf erbij dat er in jouw geslacht contacten met de duivel waren, en dat daaruit de lange keten van moorden voortkomt, altijd uitgevoerd door iemand die meende een plicht te vervullen. Misschien geloof je me niet, maar ik heb je niet hierheen gebracht, naar dit einde der tijden, om tegen je te liegen. Bovendien heb je bewijs gekregen van die relaties met de duivel.'

Het duizelde Marta Vives. Dat laatste herinnerde ze zich niet en koppig schudde ze haar hoofd.

'Weet je dat dan niet meer?'

'Nee...'

'Een klein sieraad...? een ketting?'

Marta's mond viel open. Opeens begreep ze het.

'Dat kettinkje', stamelde ze, 'waarvan de familie Masdéu het spoor volgde.'

'Dat heb je gezien.'

'Ik heb er een... tekening van gezien.'

'Maar het kettinkje heeft bestaan. En het bestaat nog steeds.'

'Wát?'

'Het bestaat nog steeds.'

Marta Vives liet zich tegen een van de stenen muren in het vertrek zakken, want anders was ze misschien op het lichaam gevallen. Het idee alleen al vervulde haar met afgrijzen. Het vlammetje van de toorts dreigde te doven en hen opnieuw in duisternis te hullen.

'Het werd je getoond door een sieradenontwerper genaamd Masdéu. Ik hoef je toch niet te vertellen dat hij een afstammeling is van dit lijk waar je nu zo dicht bij staat, dat je kunt aanraken.'

Hoewel Marta dacht dat ze overal tegen kon, durfde ze nu niet naar het lichaam te kijken.

'Ik weet dat je me begrijpt, Marta. Masdéu, de ontwerper, had dat sieraad nooit gezien, maar hij wist dat er een traditie aan was verbonden en daarom heeft hij het overal gezocht. Jij ook, in zekere zin, want jij bent expert in sieraden die dames op oude schilderijen zo fraai staan. Sieraden dragen een historie met zich mee en krijgen vat op de huid van personen die niet meer bestaan. Jij zult nooit rijk worden, maar je houdt ervan. Je weet dat ze voor altijd stukjes leven bewaren.'

Marta sloot haar ogen, want hij had een van haar geheimen geraden.

Het was waar.

'Masdéu wist en weet dat dat fijne kettinkje in verband staat met de duivel.'

'Maar het is niet waardevol,' wierp ze tegen. 'In een juwelierswinkel zal er nauwelijks iemand aandacht aan besteden. Waarom interesseert het een zo belangrijk, professioneel juwelier als hij is dan wel?'

'Om twee redenen.'

'Vertelt u ze mij, alstublieft.'

'De eerste is het ontwerp: dat is een bijna onmogelijk ontwerp van schakels die elkaar geen steun geven. Ze zijn niet gesloten. Meer dan een sieraad zou je het een concept of een gedachte kunnen noemen. Natuurlijk zou Masdéu geprobeerd hebben het na te maken, als het hem gelukt was het ontwerp uit te voeren.'

'En…?'

'Het lukte hem niet. De schakels in de vorm van een zes gaven elkaar geen steun en zodra iemand zo'n kettinkje in handen nam, viel het uit elkaar. Er bestaat in werkelijkheid slechts één zo'n kettinkje en dat lijkt niet vervaardigd door mensenhanden. Dat vormde voor Masdéu, die de traditie van zijn familie kende en zich altijd heeft ingespannen het te vinden, een obsessie.'

Marta dacht terug aan haar bezoek aan Masdéu, het ontwerp dat hij getekend had, de vragen die hij haar gesteld had en die ze op dat moment niet begreep. Met een dun stemmetje vroeg ze: 'Was hij het die het portret van mijn moeder heeft gestolen?'

'Ja. In de hoop dat zij het daarop om haar hals droeg.'

'En wat voor belang hecht hij er dan aan?'

'Dat is de tweede van zijn redenen.'

'Vertel het me, alstublieft.'

'Ik hoef je niet te vertellen dat onder het vele bijgeloof dat om de duivel heen hangt, ook dat over het cijfer zes voorkomt. Eeuwenlang is de zes beschouwd als het cijfer van de duivel.'

'Dat is geen mysterie. Ik neem aan dat het deel uitmaakt van de ongefundeerde tradities, maar traditie bestaat nu eenmaal.'

'Maar jij hecht er geen belang aan.'

'Nee.'

'Misschien zou je dat wel doen, Marta, als je geobsedeerd was door de duivel. En misschien zou je dat moeten zijn, of misschien ben je dat diep vanbinnen wel, want je voorouders waren op de een of andere manier met hem verbonden. Op zijn minst geloofden ze in zijn macht of voelden ze voor hem een menselijke belangstelling. En daarom zijn er in de loop der jaren altijd slachtoffers geweest.'

Ze knikte alleen maar.

'Jouw familie, Marta, heeft altijd behoord tot de slachtoffers en jij-zelf kan dat op een willekeurig ogenblik ook worden. Stel je nu eens voor dat je, in plaats van te behoren tot de lijn van de slachtoffers, be-hoort tot de lijn van de beulen.'

'Dat begrijp ik niet.'

'Ik sprak toch heel duidelijk. De beulen! Als er leden van je familie, in het bijzonder vrouwen, vervolgd of gedood werden in de loop der eeuwen, moest er ook iemand zijn die hen vervolgde of doodde.'

'De familie Masdéu.'

Opnieuw wankelde Marta Vives, opnieuw kreeg ze het gevoel dat ze zou flauwvallen.

'Maar waarom dan?'

'De christenen geloven dat de duivel de absolute vijand van God is.'

'Dat weet ik, ja.'

'En sommigen van die christenen zijn fanatici en doden degenen van wie zij denken dat ze door de duivel bezeten zijn. Ik hoef je niet te vertellen dat dat zo gebruikelijk is dat het in de loop der geschiede-nis talloze malen gebeurd is. Wie niet aan God gehoorzaamde, moest uitgeroeid worden; daarmee zou ook de absolute vijand sterven. Als ik vervolgingen door de katholieke Kerk, brandstapels en de Inquisitie noem, zegt dat wel genoeg.'

Marta wist dat ze daartegen geen weerwoord had, maar ze was ademloos.

'U had het zojuist over de familie Masdéu...'

'Inderdaad. Die familie vormde en vormt nog steeds een familielijn die volkomen tegengesteld is aan die waartoe jij behoort: zij zijn altijd godsdienstfanatici geweest, die het als hun plicht beschouwden God een handje te helpen bij het uitroeien.'

'Maar waarom...?'

'Misschien omdat dat een familie was die niet zoveel nadacht als de jouwe, Marta. En ze zijn altijd fanatiek gebleven, gebaseerd op iets waarin ze blindelings geloofden.'

'En verder?'

'Ze geloofden in gehoorzaamheid. Als je dit woord ooit opschrijft, doe dat dan met een hoofdletter: Gehoorzaamheid.'

Marta probeerde na te denken, maar het lukte haar niet. Ze kon zich beter door de stem laten meeslepen. Toch gebaarde ze dat het haar niet lukte het te begrijpen.

'Veel dingen, de belangrijkste, zijn gebaseerd op Gehoorzaamheid, die bijna altijd irrationeel is. Omdat er geen discussie over mogelijk is. Zoals het leger. De geestelijkheid. God.'

'God?'

'De god die jij kent, is gebaseerd op Gehoorzaamheid. Je "moet" in hem geloven en hem respecteren. Hij biedt je mysteries en die "moet" je aanvaarden. Hij legt je een gebod op en dat "moet" je opvolgen. Wat we Bijbelse geschiedenis noemen, zit er vol mee: bijvoorbeeld het gebod van God aan een vader om zijn zoon te offeren. God legt je vooral Gehoorzaamheid op. De paus is onfeilbaar en daarover is geen discussie mogelijk. De hele katholieke religie zou kunnen worden samengevat in één enkel woord: Gehoorzaamheid.'

Nu bewoog de gestalte. Het vlammetje van de toorts dreigde uit te gaan, misschien omdat er niet genoeg zuurstof op die geïsoleerde plek kwam. Marta Vives huiverde van ontzetting bij de idee dat dat zou gebeuren.

'Katholieken zijn ofwel gehoorzaam ofwel ketters,' fluisterde de stem opnieuw. 'En absolute gelovigen kunnen ontaarden in fanatici die denken dat ze een heilige missie moeten volbrengen.'

'Doelt u nu weer op de familie Masdéu?'

'In dit geval wel, Marta. Een tak van de familie Masdéu heeft altijd een tak van de familie waartoe jij behoort, vervolgd. Eeuwenlang hebben ze hen vervolgd en vermoord in het geloof hun plicht te doen. Zij waren niet de enigen, maar ik wil je angst niet vergroten en je nu over iemand anders vertellen. Een van de vermoorde personen, een vrouw wier dood niet eens voorkomt in het register van de burgerlijke stand, was een niet zo verre voorouder van je. Ze kreeg een graf op de Nieuwe Begraafplaats, vlak bij het stinkende riool van Bogatell. Het meest romantische kerkhof van Barcelona.'

Marta zakte ineen. Ze herinnerde zich de naspeuringen die ze zelf had gedaan heel goed.

'Ze werd door een Masdéu gedood,' vervolgde de stem, 'en natuurlijk werd er een politieonderzoek gestart, maar zonder enig resultaat. Dat onderzoek was natuurlijk ook vanaf het eerste moment gedoemd te mislukken.'

Met een handgebaar beduidde Marta de ander door te gaan.

'Wil je weten waarom, Marta? Wel, omdat de politie, die van nu en zeker die van vroeger, zich niet bemoeit met kerkelijke aangelegenheden. In principe was een priester in het katholieke Spanje van toen jouw vrouwelijke voorouder overleed, geen verdachte. En de misdaad, hoewel hij die niet als zodanig beschouwde, werd gepleegd door een priester.'

Marta richtte haar blik op het lichaam en liet die rusten op wat ervan over was, op de holten, de paar nog gave tanden, die schaduw van een glimlach die uit een andere wereld kwam.

'En?'

Er verscheen een vaag bevestigend glimlachje op het bleke gezicht dat steeds verborgen bleef in de schaduwen.

'Ja, Marta, maar...'

'Wat maar?'

'Masdéu kreeg er spijt van. Masdéu wilde een goed mens zijn en later besefte hij wat hij gedaan had. Er ontstond een barst in zijn Gehoorzaamheid, of misschien drong er twijfel door in het leven dat hij tot dan toe geleid had. Het geval wilde dat hij, toen het onderzoek al afgesloten was, het lichaam ging opgraven, dat door de liefdadigheid dicht bij de gemeenschappelijke groeve begraven was. En je kunt me geloven of niet, maar ik heb gezien hoe ze dat deden, hoe het onherkenbare lichaam weer uit de aarde omhoogkwam.'

Marta kreeg even het gevoel dat ze gek werd. Ze kon de woorden horen en begrijpen, maar ze drongen niet echt tot haar door. Het was als een droom die nauwelijks in de buurt van de waarheid kwam. Iets in haar binnenste kwam in opstand en deed haar hoofd tollen, hoewel ze wel geloof aan de woorden moest hechten. Door wat ze hoorde, werd ze doodkalm, alsof ze zelf ook overleden was.

'Hebt u gezien hoe ze het deden?' stamelde ze.

'Natuurlijk. Ik was destijds een van de beheerders van de begraafplaats.'

'Ik geloof dat ik gek word.'

'Ik vertel alleen maar wat ik gezien heb. Het lichaam van die vrouw kwam uit de diepte van de tijd. Een priester die zich toen al begon te onderscheiden door zijn wijsheid, stond naast me. Ik zag tranen in zijn ogen.'

'Een priester?'

'Ja, een gewijde figuur die later bisschop zou worden, omdat iedereen zijn wijsheid, naastenliefde en plichtsgevoel erkende, hoewel hij nooit enige autoriteit kreeg. Dat heb ik je al verteld. Hij leidde zo'n buitenissig leven dat men hem voor gek aanzag, en daarom werd hij een soort levende dode. Maar hij had spijt en legde de vrouw die hij gedood had in een grafnis op het romantische kerkhof. Hij heeft er nooit bloemen heen gebracht, maar bij tijd en wijle ging hij bij de grafsteen bidden. Niemand begreep hem. En hij betaalde altijd voor die grafnis, als iemand die boete doet voor een zonde.'

'Later is hij daarmee gestopt...'

'Natuurlijk, toen hij stierf. Hij wilde sterven, want zijn smart oversteeg zijn leven.' De ogen in het gezicht sloten zich even. 'Hij had de grafnis willen kopen, maar dat kon hij niet, want het was hem verboden bezittingen te hebben en zijn superieuren zouden hem dan verplicht hebben de hele geschiedenis op te helderen. Het was voor hem eenvoudiger een bedrag vast te leggen zodat de huur van het graf voor bijna onbepaalde tijd verzekerd was. En zo zou het gegaan zijn, maar toen kwam de Burgeroorlog. Niemand herinnerde zich toen een bisschop, genaamd Masdéu, wiens lichaam nog altijd niet tevoorschijn was gekomen. Sommige graftomben werden geschonden, van andere raakten de papieren weg en vooral de gegevens over oude, vastgelegde geldbedragen. Er werden dagvaardingen naar dit huis, dat al afgesloten was, gestuurd om de documentatie weer in orde te brengen, maar die hebben nooit iemand bereikt. En toen, nadat vele jaren verstreken waren, werd de grafnis leeggehaald, net als vele andere. Daarom trof je geen spoor meer aan van je vrouwelijke voorouder.'

Marta Vives beet angstig op haar lippen. Ze wist het allemaal nog precies en alles klopte. Het drong allemaal niet meer zo goed tot haar door, maar het klopte allemaal precies.

'Dit moest ik je allemaal vertellen. Ik wilde je niet langer in twijfel laten.'

'Wilde u dat niet? Maar beseft u niet dat ik nu nog veel meer twijfels heb?'

'Nu heb je daar geen reden meer voor. Ik heb je alles uitgelegd. Rest me slechts je hier vandaan te brengen, van deze plek waar we beslist nooit zullen terugkeren, en je een laatste waarschuwing te geven. Luister goed.'

'Zegt u het maar.'

'Marta Vives, jij loopt groot gevaar. Nu je de dood ontmoet hebt, geloof je in de dood. Pas op voor degenen die generaties lang gedood hebben. Blijf uit de buurt van het gevaar en misschien is daar maar één oplossing voor.'

'Welke?'

'Marta, vergeet jezelf en de twijfels die in de loop der jaren op je zijn overgebracht. Denk er niet meer over na.'

Die raad had Marta Vives niet nodig. Ze was praktisch al gestopt met denken vanaf het moment dat ze in die onherkenbare wereld was doorgedrongen, in dat deel van de geheime stad. Maar toch vroeg ze: 'Moet ik oppassen voor de familie Masdéu?'

'Er is er nog maar één. En vraag me niet méér, want ik herhaal dat je me waarschijnlijk niet zou begrijpen.'

En van die spierwitte lippen klonk hetzelfde zinnetje als aan het begin van de afdaling: 'Kom maar mee.'

38

De werkers van God

Een van de eerste klanten van Antonio Gaudí was een rijke antiquair, Masdéu genaamd. De rijke antiquair Masdéu gaf de arme architect Gaudí de opdracht voor een rond gebouwtje in zijn tuin, op de plaats waar later de Avenida del Tibidabo zou komen. In het gebouwtje moesten porseleinen vogels komen, vluchtige sterren die een spoor achterlieten, bloemen in alle kleuren van de regenboog en wolken tegen een grijze achtergrond, als de kleur van de herfst; het gebouwtje moest in een hoek van de tuin komen, die de straat met bloemengeur vulde en waar niet meer geluid te horen was dan het klapwieken van vogels. Er kwam daar vrijwel nooit iemand voorbij: de Calle Balmes was nog niet klaar, er waren doorlopende rijen tuinomwallingen en langs de wegen lagen plantenkwekerijen. Masdéu hield van eenzaamheid en om helemaal alleen te zijn met God had hij een kapel laten bouwen.

Toen ik Gaudí leerde kennen, was hij oud en hield hij zich niet meer bezig met het ontwerpen van tuinkapellen, maar met echte kathedralen. Ik, de man met het eeuwige leven, zocht een nieuwe omgeving en een nieuwe identiteit, en de buurt van de Sagrada Familia boeide me onmiddellijk. Ik zag een half afgebouwde, wonderbaarlijke, getormenteerde tempel, zoals er beslist nergens anders ter wereld een bestond. Het was een ongerijmde, spookachtige tempel als uit een droom, maar tegelijkertijd zo solide alsof hij opgetrokken was uit zielen van steen.

Veel later kwam ik te weten dat het een tempel van boetedoening was, opdat God de zonden van de stad zou vergeven, die talrijk en uiteenlopend waren. En als men mij niet gelooft, laat mij dan alle zonden die ik gezien heb maar eens op een rij zetten... Maar direct daarna drong er nog iets tot me door: deze tempel drukte de meest geheime dromen van zijn bouwer uit, een van de ijverigste, eenzaamste en schuwste mensen die ik ooit in mijn leven gekend heb.

Hij ging nooit ergens heen en sliep bovendien in de tempel, als een gevangene. Zijn wereld bestond uit plattegronden, beitels, stenen en de nachtelijke stilte in de crypte. Ik vermoed dat de mensen die de waanzin begingen gotische kathedralen te bouwen, ook zo geleefd moeten hebben.

De tempel die in die afgelegen buurt zou verrijzen, werd de Sagrada Familia genoemd; de bouw vorderde zo langzaam dat men langzamerhand zei dat hij nooit af zou komen, hetgeen bewaarheid lijkt te worden. Als teken van de eeuwigheid van de Heer is hij bij uitstek geschikt.

Ik nam er mijn intrek in. Dat stond Gaudí toe.

Op een nacht had ik me verstopt in de crypte, op de vlucht voor een milde regen waardoor de contouren van de tempel vervaagden, en toen liet hij me blijven. Gaudí was een man die zich slecht kleedde, omging met de armen en geen belang hechtte aan alledaagse zaken, want het enige wat voor hem telde, was de eeuwigheid. En als de architect als een larve in het binnenste van de tempel woonde, waarom zou ik dat dan niet kunnen? Bovendien bestond wat later de wijk van de Sagrada Familia zou worden nog niet: er lagen stapels bouwmateriaal en bergen zand en er verrezen krotten met mannen en vrouwen die niet leken te weten waar ze heen moesten. De opvallendste constructie was misschien nog wel een pottenbakkerij, waar de eigenaren, de familie Vericat, tegels fabriceerden voor

Gaudí, maar alles – huizen, stenen, wegen en lucht – leek te worden verpletterd door de magnetische kracht van de tempel.

Gaudí had nog een reden om me te laten blijven: toen hij met me sprak, merkte hij dat ik verstand had van kunst, architectuur en geschiedenis. Dat leek hem ongelooflijk bij een vagebond als ik en hij zei zelfs uiteindelijk met een omfloerste stem: 'Het is alsof u het zelf allemaal hebt meegemaakt.'

Ik woonde verborgen in de kathedraal, ongeveer zoals de klokkenluider van de Notre-Dame in Parijs, en had geen last van het toenemende geweld in de stad; omdat ik me wilde schuilhouden, had ik nauwelijks weet van bloedige gebeurtenissen als in de Tragische Week. In juli 1909 verzette de bevolking van Barcelona zich ertegen dat duizenden reservisten die hun militaire dienstplicht al hadden voldaan, verscheept werden voor de oorlog in Marokko – dat wil zeggen, degenen die dat niet konden afkopen – mannen van wie de meesten al getrouwd waren en kinderen hadden. Daarop begon een volksopstand, het verbranden van kloosters en kerken, met bloed doordrenkte barricaden, het tentoonstellen van lijken op straat en daarna de wrede, gewapende onderdrukking, met de executies bij het kasteel van Montjuïc. Maar in de stilte van de tempel, die er volledig buiten bleef, leefde ik, de man met de blik der eeuwigheid, voort als een larve.

De bouw van de Sagrada Familia, die bestemd was om de toorn van God te doen bedaren, vorderde alleen op basis van aalmoezen. En een van de families die het meeste geld leverden, was die van Masdéu, die soms geld aan mij overhandigde om aan Gaudí te geven. De familie Masdéu geloofde, net als ik, in het eeuwige leven.

'Je lijkt wel bang, Marta.'

Marta Vives voelde zich onbehaaglijk onder de blik van haar chef, advocaat Marcos Solana. Die onbehaaglijkheid kroop omhoog langs haar benen, waarop hij waarschijnlijk al talloze malen zijn fantasie had losgelaten. Intuïtief klemde ze met een haast kuis gebaar haar benen tegen elkaar, terwijl tegelijk een vage gedachte haar zei dat ze haar leven verlummelde.

'Waarom zeg je dat?'

'Ik weet het niet... Het is een dwaze gedachte die ik niet kan uitleggen, maar waarvan ik toch weet dat ze op waarheid berust. Het lijkt alsof je net van een plek komt die je angst heeft aangejaagd. En wanneer je eraan terugdenkt, voel je je er nog door overmand.'

Ze probeerde te glimlachen.

'Nee, absoluut niet... Misschien zie ik er in jouw ogen zorgelijk uit, maar dat heeft een andere reden. Ik schiet niet op met mijn werk.'

'Maar je doet het allemaal uitstekend.'

'Ik zou willen dat ik dat ook kon geloven,' loog ze, 'maar ik bedoel een artikel dat ik voor een vakblad aan het schrijven ben. Ik zit tussen stapels papier en kom er niet doorheen.'

'Ik betwijfel of ik je kan helpen, maar als je ergens behoefte aan hebt, hoef je het maar te vragen.'

'Dat zal ik graag doen. Ik weet dat je me altijd zeer goedgezind bent.'

Marta keek in de documenten die op haar bureau lagen, die deze keer echter niets te maken hadden met een rechtszaak. Het waren rekeningen, die zij als een nijvere mier ordende en vervolgens nauwgezet in het kasboek sluitend maakte.

'Dit lijkt me privé,' zei ze, en ze legde er een apart.

'Welke rekening?'

'Die van de reis van uw vrouw.'

Solana sloot even zijn ogen.

'Ja, die is privé... Die moet je niet verwerken in de kantooruitgaven. Mijn vrouw maakt een trip naar twee operagebouwen: die in Venetië en de Scala in Milaan. Ze heeft zich door een stel vriendinnen laten meeslepen.'

Hij zweeg even: 'Ze zei dat ze nodig iets moest doen aan de verruiming van haar culturele bagage en eens van omgeving moest veranderen. Ik neem aan dat ze gelijk heeft, dat ze van mij niets meer kan leren en dat ik de saaiste man op aarde ben.'

Hij keek Marta weer aan. Er verscheen een uitdrukking in zijn ogen die leek op zelfbeklag. Daarna trachtte hij achteloos te zeggen: 'Gisteren, toen je bij de rechtbank was, belde er een man voor je. Het was me door het hoofd geschoten. Een sieradenontwerper die Masdéu heet. Hij zei dat hij je moest spreken.'

Ik blijf erbij dat ik in de kathedraal leefde als een larve. Aangezien ik nauwelijks iets nodig had, hielp ik Gaudí overdag en zwierf ik 's nachts eenzaam rond. Ik keek naar de maan, naar de naargeestige, kale vlakte waarop de tempel zich verhief, en was opgetogen over de vleermuizen, die bij tientallen aan de stenen bogen hingen. Hun geklapwiek was muziek voor me en sleepte me mee naar de diepte van de tijd, een tijd die alleen ik gekend had.

Antonio Gaudí en ik woonden in alle eenzaamheid in de crypte, te midden van stof en gereedschappen, en ik zou niet kunnen zeggen wie van ons beiden de voortvluchtige was en wie de armste. Gaudí zag er meer dan ooit uit als een zwerver: hij kleedde zich op een manier die door zijn houding respect afdwong, maar tevens iets van medelijden. Men merkte wel dat de architect een verlichte geest was; er klopte in hem een aardse kracht die van ergens uit het verleden en van een onbekende plaats op aarde kwam. Ik besefte dat hij eenvoudigweg één was met zijn tempel.

'Ik heb iets bedacht wat niet in me zou moeten opkomen,' zei hij op een nacht tegen me.

'Wat is dat dan?'

'Jij bent een vampier,' zei hij.

Ik ontkende het niet. Een leugen was nutteloos geweest tegenover een paar ogen die net als de mijne van voorbij de tijd leken te zien. 'En jij bent een kluizenaar,' antwoordde ik.

'Misschien is dat onvermijdelijk. Ik zou geen tempel als deze kunnen bouwen als ik me niet in mezelf opsloot, en dat houdt in dat ik me door het gebouw laat opslorpen.'

'Je bent toch niet bang voor me?'

'Waarom zou ik?'

'Nou, je hebt me zojuist voorgehouden dat ik een vampier ben.'

Hij maakte een gebaar dat op onverschilligheid leek.

'Ik geloof in vampiers, in krachten aan gene zijde van het leven, die uit een diepte komen waar we nog niet alles over weten. En wat er in de diepte van het leven verborgen ligt, maakt me niet bang. Slechts een beperkt aantal ingewijden durft daarin door te dringen.'

Zijn woorden hadden me nooit verbaasd; ook hierover was ik niet verwonderd. Gaudí was niet alleen een verlichte geest, maar ook een visionair, die zijn visioenen voedde met hallucinogene paddenstoelen waarvan alleen hij het bestaan leek te weten en die hem soms meevoerden naar een andere wereld. Dankzij die middelen leefde Gaudí in die andere wereld, maar er was nog iets meer: hij torste een aantal mysteries op zijn schouders, die ik misschien kon begrijpen omdat ze uit de diepte der eeuwen kwamen.

'Ik heb horen zeggen,' prevelde ik, 'dat je voorouders naar Catalonië gevlucht zijn omdat ze als tempeliers met hun geheime symboliek vervolgd werden.'

Hij keek me spottend aan.

'Net als jij,' zei hij, 'jij zit ook vol geheime symboliek. Legenden over vampiers zeggen dat die alles gezien hebben, net zoals kathedralen – die immers leeftijdloos zijn – alles gezien hebben. Daarom vertellen hun stenen kelen ons elke nacht de geschiedenis, en een deel van die geschiedenis is die van de wezens die indertijd bestonden. Ik heb er nooit aan getwijfeld dat er in de Notre-Dame vampiers waren, en in de dom van Keulen en de kathedraal van Straatsburg en in de gotische wijk hier in Barcelona. Waarom zou er dan ook geen vampier naar de Sagrada Familia komen? Ik moet zeggen dat ik verheugd ben dat je hier bent, want door jou heeft mijn tempel een odium van oudheid en waardigheid gekregen, terwijl hij nog helemaal niet oud is; wat waardigheid betreft, die heeft hij al door degenen die hem bouwen. Maar door jou heeft hij de betovering van oude kathedralen gekregen, waarin twee elementen aanwezig zijn: mysterie en droom.'

Hij pakte me bij de arm en leidde me de crypte binnen. 'Je kunt hier tot in eeuwigheid verborgen blijven, hoewel ik soms denk dat de eeuwigheid niet lang genoeg is om deze kathedraal af te bouwen. Natuurlijk zal ik dat niet meer meemaken. En mijn opvolgers zullen mijn werk natuurlijk veranderen...'

We traden samen de duisternis binnen. 'Ik geloof in de eeuwigheid,' vervolgde hij, 'want anders zou deze tempel nooit worden afgebouwd. En wie in de eeuwigheid gelooft, gelooft ook in de duivel.'

Marta geloofde in eenzaamheid en net als iedereen die in eenzaamheid gelooft, liet ze zich erdoor verteren.

Er waren in haar leven geen mannen, misschien omdat tot nu toe geen van de mannen in haar omgeving haar had weten te inspireren. Marcos Solana misschien, maar Marcos Solana was onbereikbaar en ging steeds meer gebukt onder zijn dagelijkse strijd... Zijn vrouw zorgde ervoor dat hij geleidelijk aan die strijd ten onder ging, totdat zijn dromen alleen nog bestonden als bloemen in een vaas met water. Duizenden mannen en vrouwen hebben dergelijke vazen en kijken er alleen op zondagmiddag naar, op een tijd die hen melancholiek stemt.

Als Marta aan andere vrouwen dacht, zei ze soms bij zichzelf dat het voor de meesten voldoende was als hun hart gevuld werd, maar dat ze zelf meer nodig had, iets wat haar inspireerde. Daarom voelde ze zich veroordeeld tot eenzaamheid en bewaarde ze voorwerpen zonder waarde (waar zij echter waarde aan had verleend, want in de loop der jaren kunnen we onze ziel in voorwerpen leggen) en zette ze bloemen voor het raam, die zich voedden met de adem van de stad en haar soms vertelden waar die adem heen voerde. Marta wist dat er tal van fluisteringen in de lucht hingen.

Ze besloot Masdéu te gaan bezoeken, aangezien hij haar gebeld had.

Ze was niet bang.

Gaudí was niet alleen een verlichte geest: soms kreeg hij door de hallucinogene middelen onwezenlijke ideeën en zag hij de dingen niet zoals ze waren, maar zoals ze mogelijkerwijs geweest waren in een eerdere wereld. En merkwaardig genoeg vroeg hij mij daarnaar, alsof ik ze in die eerdere wereld gezien had of het geheim kende van herinnering en tijd.

Op dezelfde wijze waarop Cerdà een bruikbare stad had willen creëren, had Gaudí een magische stad willen creëren. Hij droomde van een onwezenlijk Barcelona en pretendeerde dat zelfs de arbeiders, degenen die het meest aan de alledaagse realiteit gebonden zijn, alle verdorvenheid daarin zouden afzweren. Want dromen, verkondigde hij, kunnen de wereld veranderen. 's Ochtends vroeg zag hij de arbeiders uit Clot of Campo del Arpa komen en hoorde hij met hen de fabriekssirenes. Gaudí begon die oproep zo te haten, dat hij me 's nachts eens zei dat hij die nooit meer wilde horen.

'Er komen vierentachtig klokken in mijn tempel van de Sagrada Familia,' zei hij, 'en als die luiden, zullen ze alles in de stad overstemmen. Zij kunnen oproepen tot het werk, zij zullen dat vreselijke lawaai smoren dat niets anders is dan de hongerschreeuw van de fabrieken. Want de mensen mogen niet op tijd eten, maar de fabrieken wel.'

'Maar als je de voltooiing van de tempel nooit zult meemaken,' wierp ik tegen, 'zul je ook die vierentachtig klokken niet meemaken.'

'Dat doet er niet toe: anderen zullen het beleven. Denk je dat degenen die in de middeleeuwen een kathedraal begonnen te bouwen, ervan droomden de voltooiing mee te maken? Daar ging het hen niet om: niet de tijd, maar het geloof was van belang. Alle bewonderenswaardige scheppingen van deze wereld, met de meeste eeuwigheidswaarde, zijn gemaakt omdat het scheppingsproces mooi was. Om het eindresultaat bekommeren zich alleen kooplieden. Scheppingen met eeuwigheidswaarde kennen geen eindresultaat, want dergelijke creaties worden voortdurend vernieuwd door de dromen van mensen die ernaar kijken; die brengen wijzigingen aan en zorgen ervoor dat ze steeds weer nieuw zijn. Bovendien kenden de bouwers indertijd een magie, beladen met geheimen, die ze nooit geopenbaard hebben.'

Ik besefte dat hij sommige van die geheimen kende, hoewel we daar nooit over spraken. En ik vroeg me vol verwondering af of hij niet, evenals ik, al eeuwenlang geleefd had, of hij misschien een reïncarnatie was van die werkers van God. Zijn leven en zijn architectuur – het bleek onmogelijk die te scheiden – waren vol vreemde symbolen die nooit aan het toeval gehoorzaamden, maar aan een diepe motivatie die Gaudí nooit aan iemand prijsgaf. Hij beloofde me steeds te vertellen over de geheimen van zijn tempel, maar hij heeft het nooit gedaan. Hij liet het aan mijzelf over te ontdekken wat er te ontdekken viel.

Bijvoorbeeld de door slangen gevormde ring, die de letter G symboliseerde. Hij heette Gaudí, maar zijn beschermheer was graaf Güell geweest en bovendien heette de bisschop van Astorga, die hem de opdracht had verleend voor de bouw van het fraaie bisschoppelijk paleis, Grau. De slang die zichzelf in de staart bijt, stond in zijn architectuur symbool voor de oneindigheid. En Gaudí leefde in een soort oneindigheid, waarover hij tegen mij alleen in zijn deliriumnachten praatte, als hij zachtjes de namen van de geheimste orden opnoemde: de orde van Cluny, de tempeliers, de cisterciënzers en de zonen van Salomo. De mensen waren hun mysteries vergeten – alleen een beperkt aantal wijze mannen bestudeerde ze nog – maar hij leek ze te bewaren en ze te vereeuwigen in zijn dromen van steen.

Terwijl ik met hem samenleefde, merkte ik dat hij een gierig maar arm man was. Elke uitgave leek hem overbodig, zozeer zelfs dat hij at en zich kleedde als een bedelaar. Hij ging overal te voet heen – en Barcelona kreeg zo langzamerhand een gigantische omvang – en niets raakte hem, behalve zijn eigen werk. Zijn uiterlijk was zo erbarmelijk dat hij op een nacht door de politie werd gearresteerd.

'Ik kon me niet identificeren,' legde hij me uit, 'en bovendien was ik slecht gekleed. Nou ja, een beetje slecht gekleed. Er ontbraken een paar knopen aan m'n kleren, goed, maar dat had ik met veiligheidsspelden verholpen. De politie vroeg me wat voor werk ik deed en natuurlijk zei ik dat ik architect was.'

'En wat deden zij?'

'Eerst begonnen ze te lachen en daarna arresteerden ze me en brachten me naar het politiebureau.'

Ik ontdekte bij Gaudí gedragingen die botsten met elke fatsoensnorm van de burgers van Barcelona, terwijl hij voor de hele burgerij van de stad zelf tot monument geworden was. Hij liep bijvoorbeeld dagelijks tien kilometer om de krant te gaan kopen waar hij die zijn hele leven al kocht en eens noemde hij de schrijver Unamuno een onbenul, omdat die Engels en zelfs Deens sprak, maar geen Catalaans.

Hij werd zelf ook beledigd. Sommigen van zijn oude bekenden zeiden, als ze zagen hoe erbarmelijk hij eraan toe was: 'Ga op een straathoek staan, leg je hoed op de grond en je verdient meer geld dan nu als architect.'

Gaudí voelde zich er niet door gekwetst. Als hij gedeprimeerd was, zei hij altijd tegen me dat er in de wereld een geheime harmonie bestaat, die in de loop der eeuwen slechts aan zeer weinig mensen geopenbaard is. Hij kende haar niet, maar streefde ernaar zo'n harmonie te scheppen. En hoewel hij me nooit openbaarde wat hij 'de mysteries' noemde, viel me geleidelijk een aantal toevallige omstandigheden op.

Hij was zeer katholiek en toegewijd aan de maagd van Montserrat en dat was misschien niet toevallig. Zijn familie was afkomstig uit de Auvergne, waar door de aanwezigheid van vulkanisch gesteente veel zwarte madonna's voorkomen. Het kwam me ook vreemd voor dat toen zijn familie haar toevlucht zocht in Catalonië om te ontsnappen aan de vervolgingen waaronder de tempeliers te lijden hadden, ze zich vestigden in het zuiden van Catalonië, waar bouwwerken van de tempeliers en de cisterciënzers in overvloed aanwezig waren. Bijvoorbeeld in Miravent, Mora, Ribaroja, Scala Dei, Poblet, Vallbona de les Monges, Santes Creus, Granyera en Barberà. Alles in het leven van die man leek, voor zover ik leerde in de nachten in de crypte, het resultaat van voorbestemming. Hij was zelfs – naar het scheen – om de kleur van zijn ogen gekozen als architect van de Sagrada Familia; dat leek me elk verstand te boven gaan.

Degene bij wie het plan voor de tempel was ontstaan, de vrome José María Bocabella, wist op basis van giften honderdvijftigduizend peseta's bijeen te brengen om de grond te kopen. Hij droomde ervan dat de tempel gebouwd zou worden door een zeer verdienstelijk architect met blauwe ogen. Gaudí was niet de eerste keus, maar had wel blauwe ogen.

Op een nacht gaf hij een omschrijving van mij. We zaten samen in een gedeelte van de tempel dat nog maar half overdekt was en hoorden de regen zachtjes op de stenen druppelen. Verrukt zag ik de druppels vallen bij het vage licht van de lantaarns, want het was me in de loop der tijd al opgevallen dat het in Barcelona steeds minder regende. Misschien joegen we de wolken angst aan met alle fabrieksrook... Toen hief Gaudí mijn requiem aan, in weinig woorden verklaarde hij hoe uitermate smartelijk mijn leven was; en ik, die nooit gehuild had, voelde tranen in mijn ogen opwellen, die echter geen waarde hadden, want ze kwamen slechts uit zelfmedelijden voort.

'Ik heb geen geliefden meer,' zei hij, 'mijn vrienden ben ik kwijtgeraakt en ik heb geen kinderen en zal die ook nooit hebben. Ik zal verdwijnen, maar dat zal allemaal niets te betekenen hebben. Ik stel me daarentegen voor wat de eeuwigheid moet zijn, als je alles ziet sterven waarvan je gehouden hebt: je vrouwen, je kinderen, de kunstenaars die je bewonderd hebt en die je leven zin gegeven hebben, de huizen waarin je herinneringen bewaard zijn gebleven... dat alles tot stof te zien worden. Dat is jouw droevige lot, beste vriend, en dat zal het altijd zijn. Anderen zullen de kinderen die ooit onder hun ogen geboren zijn, later niet als kwakkelende bejaarden zien, maar wie beschikt over het eeuwige leven ziet dat wel. Geloof me, de dood is barmhartig, want die behoedt ons voor het zicht op de verschrikkingen van het leven en die van ons eigen werk. Onsterfelijkheid is de ergste gesel die ons kan teisteren en ik heb medelijden met God omdat hij die eveneens ondergaat.'

De regen werd nu heviger. Dikke druppels kletterden op de stenen en vermengden zich met licht terwijl ze in de lucht dwarrelden. Ik vermeed ernaar te kijken, want met het licht kwam ook alle treurnis van de stad terug.

'Ik weet niet of God tevreden zal zijn over zijn werk,' zei Gaudí. 'Denk jij dat hij zijn werk ooit als voltooid zal beschouwen?'

Marta ging altijd te voet overal heen, keek onderweg naar gebouwen, ramen waarachter ze een gezicht zag, en stelde zich de geschiedenis van de huizen voor. Soms kende ze die geschiedenis in detail, alsof haar herinnering ook opgebouwd was in eeuwen, want de stad leek haar een eeuwig voortgaand werk. Steden hebben een ziel en die ziel wordt door geestverschijningen op straat aan elkaar doorgegeven. Marta kon de stemmen van al die verschijningen horen.

Terwijl ze de plaats van haar afspraak naderde, vroeg ze zich, hoewel ze niet bang was, wel af of ze die weg niet voor de laatste keer aflegde. Ook vroeg ze zich af waarom ze nooit een geliefde gehad had, geen kinderen, geen lichamelijk genot, niets van wat andere vrouwen zich wensten, en toen zei ze, zoals bijna altijd, in zichzelf dat haar hele leven verschrikkelijk nutteloos geweest was. Je verspilt je dagen voor altijd als je ze besteedt aan het bestuderen van de dagen van anderen. Ze sloot haar ogen en dacht dat ze door de tijd vernietigd zou worden, ook al bestond ze uit tijd.

Masdéu had haar gevraagd naar zijn atelier te komen, maar Marta Vives had er de voorkeur aan gegeven in een café af te spreken, waar in ieder geval andere mensen zouden zijn. Was dat uit angst? Ze schudde haar hoofd en probeerde zichzelf ervan te overtuigen dat het niet zo was, dat ze een sterke vrouw was en dat er zoiets was als de eeuwige waarheid. Ze daalde de Ramblas af, sloeg af naar de Calle Nueva, zag daar de oude arcaden, dacht aan wat daar allemaal gebeurd was en voelde toen opnieuw die steek; er was geen twijfel meer mogelijk, het was angst.

In Barcelona zijn geleidelijk veel cafés verdwenen, misschien, dacht Marta, omdat de mensen minder tijd hebben. Het zijn nu bijna allemaal fastfoodtenten, waar mensen niet lang vertoeven en gedachten evenmin. En zij had erin toegestemd Masdéu te ontmoeten in een volkscafé, omdat ze wist dat er een opkamer was waar ze vrijwel ongestoord zouden kunnen praten, maar toch met mensen in de buurt. Omdat ze niet naar zijn atelier wilde, had ze de keuze voor de plaats voor de afspraak maar aan Masdéu overgelaten.

De Calle Nueva was ooit een buurt vol cabarets, dansscholen, clandestiene speelholen en bordelen waar mannen vergetelheid zochten en vrouwen beetje bij beetje stierven. Het was ook de buurt geweest van barricaden, arbeidersbloed en rode vlaggen, maar nu was het een

338

straat van immigranten die op een beter leven hoopten en dus op een dag ook met een rode vlag zouden zwaaien. Marta ging het café binnen.

Masdéu begroette haar vanaf de opkamer. Het was een plek voor heimelijke afspraakjes en van knopen die zomaar vanzelf losgingen, maar de enige ober voelde aan dat Marta daar niet voor was gekomen. En als ze daar wel voor gekomen was, had die man daarboven weinig geluk. De twee gingen in het schemerdonker zitten en keken elkaar in de ogen alsof ze elkaars gedachten wilden raden.

Ze realiseerde zich dat Masdéu jonger was dan hij de eerste keer geleken had. En beslist sterker. Of misschien bedrogen haar ogen haar en was die man ook leeftijdloos. Marta dacht aan de doden – vooral aan de vrouwelijke doden – uit haar familie, en aan de stilte van het lichaam dat nog rustte in het huis in de Calle Baja de San Pedro.

Er was haar gezegd daar niet meer heen te gaan. Dat had pater Olavide gezegd, die alles wist. De leeftijdloze man had haar ook gewaarschuwd dat haar leven in gevaar was. En nu vroeg ze zich, knipperend met haar ogen, af of haar eigen dood soms nabij was.

'Dank je wel dat je gekomen bent,' zei Masdéu. 'En dank je dat je mij de plaats hebt laten kiezen.'

'Dat was wel het minste. Ik wilde niet in uw atelier afspreken, zoals de eerste keer.'

'Bang?'

Ze schudde haar hoofd: 'Waarvoor zou ik bang zijn?'

'Misschien omdat anderen, vóór jou, dat waren.'

'Het is mogelijk dat ik daaraan gedacht heb, maar nu kan het me niet meer schelen. Ik wil eenvoudig de hele waarheid weten, als u me die kunt vertellen.'

'Ik vermoed dat je de geschiedenis kent, Marta.'

Zij stamelde: 'Ja.'

Maar op dat moment merkten ze beiden iets op wat totaal niet logisch leek.

Priesters dragen in Barcelona op straat geen soutanes meer. Ze gaan geen volkscafé binnen met een natuurlijke houding alsof ze er de mis komen opdragen. Toch gebeurde dat zojuist.

Beneden in het café was pater Olavide.

39

Het café van de eeuwigheid

In de straten van Barcelona zijn geen zwarte soutanes meer te bekennen; misschien ook niet meer in het bisschoppelijk paleis. Ze keek naar pater Olavide alsof ze haar ogen niet kon geloven, want het was onvoorstelbaar dat de misschien wel meest wijze en aristocratische priester van Spanje voet zette in een café waar de voornaamste gesprekken over de sociale voorzieningen gingen. Maar pater Olavide kwam niet binnen: hij zag de blikken vol stomme verbazing, draaide zich om en verdween.

'Als hij me maar niet gevolgd is...' zuchtte Marta.

'Besteed er maar geen aandacht aan,' zei Masdéu. 'Pater Olavide neemt soms iemand die gaat sterven de biecht af. Het is niet zo vreemd dat hij in deze wijk klanten heeft.'

Maar hij was al in geen velden of wegen meer te bekennen. Het drong tot hen beiden door dat de ober naar boven gekomen was. Die keek met enige jaloezie naar Masdéu. Die vrouw is te mooi voor hem, dacht hij. Hij keek verrukt naar de benen van Marta Vives: te mooi voor zo'n klotetent.

Op het balkonnetje tegenover het café was een vrouw verschenen om haar planten water te geven. De laatste zonnestralen waren verdwenen en de kat sprong weg om niet nat te worden.

'Voor mij graag een gin-tonic,' zei Marta.

'Voor mij hetzelfde.'

Masdéu keerde zich naar haar toe, maar hij keek niet naar haar welvingen, alleen naar haar ogen. Vrouwen merken het als ze een man onverschillig laten. Marta merkte dat bij Masdéu. Iets in hem deed denken aan pater Olavide: in zijn ogen bestond er geen seks.

'Ik weet dat je naspeuringen hebt gedaan naar mijn familie,' zei Masdéu.

'Hoe weet u dat?'

'Doordat we ons allebei bewegen in heel kleine wereldjes: jij in dat van archieven en van huizen die op het punt staan in stof uiteen te vallen. Ik in een heel andere wereld, die van sieraden die nooit stof zullen worden. Kortgeleden was ik op een expositie van creaties van Masriera en bracht ik het ontwerp van het kettinkje ter sprake dat ik je heb laten zien. Een juwelier vertelde me dat hij jou in een archief was tegengekomen. In deze ontwikkelde, beschaafde wereld waarin wij ons beiden bewegen, weet men alles.'

'Nogal logisch dat ik onderzoek doe en dan in archieven gezien word,' bracht Marta te berde, 'ik ben historica.'

'Je hoeft je nergens voor te verontschuldigen.'

'Nu dan, waarover wilt u me spreken? Het lijkt of u me om uitleg wilt vragen... of me misschien voor iets wilt waarschuwen.'

'O nee... integendeel. Het is mijn bedoeling je mijn bewondering kenbaar te maken. Er zijn namelijk maar weinig mensen in deze stad die in staat zijn hem te zien door de ogen van het verleden, die beseffen dat alles een voorgeschiedenis heeft. Jij bent een mirakel, jij maakt een röntgenfoto van de stad en kunt het verborgen leven zien op sommige plaatsen en de verborgen dood op andere. Iemand vertelde me ook dat je in het huis in de Calle Baja de San Pedro geweest bent, dat van een voorouder van mij geweest is.'

Marta schrok, maar wist het te maskeren door weer naar de deur te kijken; het leek wel of die man alles wist.

'Het is nu gemeente-eigendom,' verdedigde ze zich, 'en ik neem aan dat ik daar onderzoek in mag doen, al duurt dat niet zo lang meer. Binnenkort wordt het gesloopt.'

'Ook hierover vraag ik je geen opheldering. Ik prijs alleen je kundigheid bij het doen van onderzoek; daar kunnen mijn familieleden en ik niet aan tippen. Je weet dat ik uit een zeer oude familie stam, waarin veel priesters, onderzoekers en geleerden voorkwamen.'

Marta beet op haar lippen.

'Dat is in mijn familie wel even anders,' zei ze.

'Inderdaad, en ik waardeer het dat je zo eerlijk bent dat te erkennen.'

'Er is geen eerlijkheid voor nodig om iets te erkennen wat geen zonde is.'

'Naar mijn mening zijn er geslachten die zich altijd aan het geloof hebben gewijd, zoals het mijne, en geslachten die zich op de zonde toelegden, zoals het jouwe,' zei Masdéu, en hij schudde zijn hoofd. 'Je hoeft je niet gekwetst te voelen. Er zijn in de wereld altijd personen geweest die geloofd en gehoorzaamd hebben en anderen die, in plaats van te geloven en te gehoorzamen, zich van alles hebben afgevraagd.'

'Vragen stellen is eigen aan de menselijke natuur.'

'Misschien is dat niet helemaal juist. Misschien niet als de antwoorden ons al gegeven zijn. Maar laat dit maar rusten. Je weet heel goed tot welk geslacht je behoort.'

Bij die laatste woorden, waarin ze een zekere minachting bespeurde, voelde Marta zich toch gekwetst. Zij was trots op haar geslacht, misschien juist omdat het zich niet alleen maar had beziggehouden met het najagen van geluk. Hoewel ze aannam dat dat van Masdéu ook niet alleen maar geluk had nagestreefd, en het verwarde gevoel ebde weg. Uiteindelijk hadden ze het over dezelfde zaken, hoewel die uit de diepte van de tijd voortkwamen en over onbeheersbare genen waarin het geheugen lag opgeslagen.

Masdéu staarde voor zich uit: 'Uit jouw geslacht, Marta, uit de familie die je niet gekend hebt maar van waaruit je opdrachten krijgt, zijn ook veel onderzoekers en geleerden voortgekomen die vol twijfel zaten over al opgeloste kwesties. Bijvoorbeeld over het bestaan van God en over het evangelie; over de onfeilbaarheid van de katholieke Kerk, verlossing en verdoemenis, gehoorzaamheid. Wanneer iemand zich daarover vragen gaat stellen, valt hij in het luchtledige, en dat is gebeurd met jouw voorouders. Alles wat je weet, alles wat je familie geweten heeft, berust op niets. En toch moet ik je iets bekennen.'

Marta keek hem aan.

'Zegt u het maar.'

'Ik moet zeggen dat ik je bewonder, want jij en degenen van wie jij het bloed in je aderen hebt, hebben gepoogd dingen te doorgronden, en dat getuigt van een klasse die vergelijkbaar is met die van de uitverkorenen. Maar uitverkoren door wie? Je voorouders en jij hebben geheime wortels diep in deze stad en hebben bijgedragen aan de geschiedenis en zelfs aan de grandeur ervan. Als in de stad stemmen weerklinken, kan niet iedereen die horen.'

Hij legde zijn handen op tafel. Ook die waren heel smal en wit: ze deden haar denken aan die van de man met de blik uit de eeuwigheid.

'Dit vertel ik je,' vervolgde Masdéu, 'omdat in Barcelona vele stemmen weerklinken, de straten zijn vol geesten die spreken, maar slechts weinig mensen kunnen ze verstaan. Jij bent een van hen, Marta, en denk niet dat ik je complimentjes maak; ik probeer je juist te zeggen dat je je vergist.'

Ze zweeg en voelde dat ze een droge keel kreeg. Ze nam een slok. Aan de overkant van de straat zat een kat de stad te aanschouwen. Een buurvrouw verplaatste een potplant om wat meer ruimte op haar balkon te maken.

'Waarin heb ik me vergist?'

'Bijvoorbeeld door zoveel vragen te stellen. Het is beter om te geloven.'

'Uw familie heeft altijd het geloof behouden, meneer Masdéu. Generaties lang is het geloof een van haar pijlers geweest en heeft uw familie zich tot het uiterste laten leiden door het katholicisme, terwijl mijn familie door twijfels werd geleid. Maar u en ik zijn een uitzondering, geloof me: wij denken tenminste na over onderwerpen waarover de meeste mensen niet nadenken.'

'Bedoel je te zeggen dat het katholicisme of godsdienst in het algemeen niemand meer interesseert? Integendeel, er zijn religies, zoals de islam, die sterk in opkomst zijn, misschien omdat veel arabische volkeren geen ander symbool voor identiteit kennen en ook nergens anders op kunnen vertrouwen. Door islamitisch geweld – en dat is nieuw – sluiten de christelijke rijen zich, wat naar mijn mening het geloof een politieke lading kan geven zoals in de tijd van de kruistochten. We zouden zomaar kunnen terugkeren naar de middeleeuwen, naar de eeuwen van het geloof; zeg niet dat niemand daar meer over nadenkt. Wat wel het geval is, is dat men soms bang is er een naam aan te geven.'

'Ik niet; ik blijf mezelf vragen stellen over het geloof, misschien omdat dat verweven is met mijn cultuur.'

Masdéu sloot zijn ogen. 'En wat vraag je je dan af?'

'De wereld bevalt me niet, bijvoorbeeld.'

'Waarom niet?'

Marta stond op het punt kwaad te worden. Het was niet fair haar zo'n elementaire vraag te stellen en al helemaal niet als dat een vraag van een ontwikkeld mens als Masdéu was. Ze perste haar lippen op elkaar.

'Ik heb het gevoel dat God zich niet bekommert om ons en ons lijden. Dat vele miljoenen wezens slechts geboren worden om te lijden en een gering aantal om alleen maar te genieten, en die wereld is volgens de katholieke Kerk logisch. Dus lijkt ook het pausdom u logisch. En daarom ook God. Ik kijk om me heen en zie als enige lichtpuntjes voortbrengselen van de menselijke waardigheid.'

'De rijken zullen ervoor boeten.'

'Er waarom zouden ze ervoor moeten boeten? Voor velen van hen geldt: wat voor schuld hebben ze, als ze niets slechts gedaan hebben? Is het slecht om te beschikken over meer intelligentie? Over meer slimheid? Over meer intuïtie? Heeft niet ieder menselijk wezen het recht

het geluk na te streven, waarvan geld deel uitmaakt? Is er geen accep-
tabeler weg naar een waardiger leven? Moet iemand die op geld uit is,
daar beslist in een volgend leven voor boeten? Waarom?'

'Dat heeft Jezus gezegd.'

'En ook al had hij dat gezegd, is dat dan rechtvaardig? Moet de verschrikkelijke ongelijkheid in de wereld altijd maar blijven voortbestaan, de voortdurende aantasting van de menselijke waardigheid, alleen omdat er later een handjevol mensen voor zal boeten?'

'Je werpt dezelfde vragen op als jouw familie zich eeuwenlang gesteld heeft, Marta.'

'Omdat ik nooit gestopt ben met denken.'

'Jouw familie zou veel gelukkiger geweest zijn als ze zich beperkt
hadden tot het geloof, beste vriendin.'

'In elk geval waren ze dan niet vervolgd.'

'Het spijt me. Ik heb een aantal van mijn voorouders nooit geheel
en al gelijk willen geven, de inquisiteurs en de wachters van het geloof, maar het is noodzakelijk sterk te zijn tegenover degenen die anderen het eenvoudigste geluk willen onthouden.'

'Ik neem aan dat het eenvoudigste geluk bestaat uit geloven en zich
laten leiden, geen vragen stellen wanneer de antwoorden al vastliggen
in het katholicisme. Ik vind dat ook dat indruist tegen de menselijke
waardigheid.'

'Integendeel, Marta, in gehoorzaamheid ligt grote waardigheid besloten. Je moet beseffen dat jij een manier van denken voorstaat waarvoor ooit een paus een heel kleine opening heeft geboden. En dan heb
ik het over Johannes XXIII. Maar intussen heeft de Kerk de rijen gesloten. Concessies zijn uitgesloten. Vrij denken, analyse van het geloof,
het evangelie voor de armen, van de priesterarbeiders, de gevoelighe-
den van vrouwen en hun mogelijke missie... Over dat alles heeft de
Kerk zich uitgesproken, waarbij alle scheuringen gedicht werden. In
deze betekenis was paus Pius XII met recht een man van staal. Sommigen hadden kritiek op hem, maar de laatste pausen zijn op zijn weg

voortgegaan. Voor personen zoals jij, Marta, zijn de deuren gesloten.'

'Dat waren ze altijd al.'

'Dat lijkt me ook niet correct. En juist daarom ben ik dit gesprek met je aangegaan. Maar het verontrust me wat je zojuist zei over het ongecompliceerde geloof, dat je zo luchtigweg opperde, dat het indruist tegen de menselijke waardigheid.'

Marta perste haar lippen weer op elkaar.

'Omdat onze waardigheid opgebouwd is uit morele waarden: persoonlijke moed, begrip, verdraagzaamheid, broederschap, liefde en uiteraard ook het vermogen tot denken. Wie niet denkt, is geen volledig mens.'

Marta Vives wendde haar blik af. Ze wist dat ze Masdéu nooit zou kunnen overtuigen, evenmin als de leden van haar familie ooit degenen hadden weten te overtuigen die hen uiteindelijk gedood hadden. Bovendien zou niemand hen hier in dit café horen. Pater Olavide misschien? Maar die was alweer weg.

Buiten heerste duisternis. Marta hoorde achter zich, aan de andere kant van de muur, vaag het geluid van een motor. Er was vast een doodlopende steeg achter het café, maar tot dat moment had ze daar niet bij stilgestaan. Beneden ging de deur telkens open en weer dicht, er kwamen alleen schaduwen door. Alsof ze zich door haar eigen stem liet kalmeren, zei ze, precies zoals ze het bij zichzelf gezegd had: 'Ik geloof in iets wat boven ons uitstijgt. Onze cultuur en geschiedenis kunnen niet afhankelijk zijn van het toeval, net zomin als onze gedachten en ons gevoel. Er moet een beginsel zijn, en als u dat beginsel God noemt, kan ik het ook God noemen. Maar het werk van God is dubieus en navrant. Een Schepper – en dan hoeft hij niet eens van goede zin te zijn, maar alleen zijn vak te verstaan – zou geen genoegen nemen met zulk hardvochtig werk.'

'Marta, dit is een tranendal.'

'Het lijkt mij niet nodig grootsheid te tonen door een tranendal te scheppen.'

347

'Denk aan het kwaad,' fluisterde hij.

'Wat u aanduidt met het kwaad, bestaat.'

'Maar natuurlijk bestaat dat.'

'En dat God niet vrij is,' onderbrak Marta. 'En ik wil proberen nog iets naar voren te brengen: er is een eeuwige strijd gaande, waarvan wij mensen het slachtoffer zijn, en de schepping is nog niet voltooid.'

Op dat moment zag Marta opnieuw die zwarte figuur door de deur binnenkomen. Pater Olavide was beslist nog niet vertrokken.

Ik heb enige tijd gewerkt als leraar in dienst van de orde der piaristen. Het leek bizar dat een zoon van de duivel lesgaf in gewijde klaslokalen, maar ik was nu eenmaal de enige met aantoonbaar meer kennis van geschiedenis dan alle leraren bij elkaar, en bovendien was ik de enige die bereid was voor zo'n hongerloontje te werken. Velen van de leraren daar waren niet eens bevoegd en bezaten nauwelijks enige kennis, dus werden hun tekorten aangevuld door leraren aan te trekken die van honger omkwamen en die met eigendunk de versleten mouwen van hun colberts compenseerden.

Die school stond in het meest vooraanstaande gedeelte van Barcelona, in Sarría, boven de Paseo de la Bonanova. Vanuit de ramen kon ik de prachtige woontoren van Guillermito Clavé onderscheiden, die ik mettertijd zou moeten doden, hoewel ik hem toen nog niet kende. Ik kon de tuinen met Venetiaanse labyrinten, Griekse standbeelden en Cubaanse palmbomen zien. Soms zag ik een in het zwart gekleed dienstmeisje tussen de palmbomen schuifelen. De leerlingen waren rijk en behoorden tot de oude families uit Catalonië. De leraren behoorden niet tot enige familie en waren arm.

Het werd in Barcelona al weer te gevaarlijk voor mij, want omdat het moeilijk was van uiterlijk te veranderen, moest ik elke paar jaar van naam, adres en beroep wisselen. Het zou eenvoudiger geweest zijn naar een andere grote stad te verhuizen, maar ik hield van mijn stad en ik wilde daar niet weg, ook niet van de geesten die ik achter me gelaten had.

Door les te geven aan die kinderen uit vooraanstaande families raakte ik ervan overtuigd dat er zich definitief twee Spanjes vormden, die al onverenigbaar waren, maar dat er ook drie of vier Barcelona's gevormd waren. Mijn Barcelona was een ontzaglijk ingewikkelde stad: tegelijk nationalistisch en centralistisch, internationaal gericht en tegelijkertijd op zichzelf betrokken, vol kerken en bordelen, rijk en toch vol ellende. Wanneer de onvermijdelijke oorlog zou uitbreken, zou niemand de stad meer in de hand kunnen houden. Soms voelde ik de behoefte mijn leerlingen te vertellen over alle mannen en vrouwen die ik had zien sterven, meestal om niets − of alleen om hun menselijke waardigheid te redden − maar ze zouden er geen woord van begrepen hebben.

Hoewel Barcelona groter werd dan ik me ooit had kunnen voorstellen, was de oude stad nauwelijks veranderd, en ik zag alle straten en huizen terug, slechts geleid door de draad van het geheugen. Ik kende de indeling van de appartementen waar ik binnen geweest was zonder dat de huurders het wisten, ik telde de arcaden, de bedrijven die ik van vader op zoon had zien overgaan, de bordelen die ik van moeder op dochter had zien overgaan. Ik kon de kantoren van alle politieke partijen beschrijven, en niet alleen dat, maar ook de namen van hun martelaren noemen. Ik zag hoe de blik van vrouwen, zo vol verwachting in hun jonge jaren, uitgeblust raakte.

Er arriveerden treinen vol immigranten die op jacht waren naar een beter leven, want in Barcelona was werk en dat was er niet in het achterland, in de dorre provincies van Spanje. Alle armelui uit Aragón, Murcia en Almería liepen zich het vuur uit de sloffen bij de bouwwerkzaamheden voor de Wereldtentoonstelling van 1929 en ik las dat een jonge journalist, Carlos Sentís, de treinen die afgeladen waren met arbeiders uit Murcia met deernis de Transmiseriëlijn noemde, naar analogie van de Trans-Siberiëlijn. Met dat al groeide de sociale onrust, mannen en vrouwen grepen hun laatste strohalm en de heuvels rond Barcelona raakten overdekt met barakken.

Niemand had me geloofd als ik had uitgelegd dat het vele eeuwen geleden de Fransen waren die naar Barcelona kwamen op zoek naar werk, op de vlucht voor armoede. Onder mijn ogen veranderde de wereld voortdurend, maar herhaalde die zich ook telkens, een duidelijke aanwijzing dat er nog veel gedaan moest worden.

Waren het verworvenheden die al bij de schepping bepaald waren of maakten we ze zelf?

Hoewel ik besefte dat het land op zijn vernietiging afstevende, waren het rustige jaren voor mijzelf, de schim die uit de diepte der tijden was opgedoken. Niemand kende of vervolgde me, elke ochtend liep ik naar de nobele hoogten van de stad, zag ik de edele gebouwen van Sarría, stak ik tuinen en braakliggende terreinen over en hield ik gesprekken met de vogels. Ik leidde een eerbaar leven.

Ik doodde maar één man.

En van De Ander heb ik geen spoor gevonden.

'Waarom denk je dat de schepping nog niet voltooid is?' zei Masdéu.

'Omdat er nog een strijd gaande is tussen twee machten en die Schepper over wie we het steeds maar hebben, heeft zijn werk niet kunnen voltooien. In wezen is hij bezig te leren om het te kunnen afmaken.'

'En van wie leert hij?'

'Van ons.'

Masdéu sidderde, alsof hij zojuist een godslastering had gehoord.

'Wat zeg je daar?'

'U, een man van onberispelijk geloof, gelooft u in demonen?' vroeg Marta zonder een spier te vertrekken.

'Wat?'

'Gelooft u in engelen?'

'Natuurlijk.'

'Dan moet u ook in demonen geloven. Eens kijken of ik het na zoveel gedachten die ik achter me gelaten heb, kan uitleggen. De Schepper – geef hem de naam die u wilt – werd overwonnen. Zijn overwinnaar – geef hem de naam die u wilt – greep in in zijn werk, in de schepping, die geen van hen beiden kon afmaken zoals hij wilde. Sinds die tijd komen er boodschappers van beide zijden om het werk te voltooien.'

'Wat voor boodschappers?'

'Engelen en demonen. Ze komen naar onze wereld en we hebben er allemaal wel een of meer leren kennen. Ze wijzen ons de weg en in zekere zin leiden ze ons. Maar wij zijn degenen die de schepping zullen voltooien.'

Marta had vastberaden gesproken, maar Masdéu luisterde met zijn ogen dicht naar haar en schudde af en toe zijn hoofd, alsof hij het niet begreep. 'Zijn wij dan zo belangrijk?' vroeg hij spottend.

'Het belangrijkste van de hele schepping,' zei Marta. 'Ik ken niets wat daaraan superieur is.'

'En wat dan nog?'

'Al met al zijn we in de loop der eeuwen de wetten van de kosmos gaan beheersen en in de loop der eeuwen die voor ons liggen, zullen we daarin nog veel verder komen. We zullen zelfs wijzigingen aanbrengen in die wetten. Er zal een dag komen waarop de schepping ook ons werk zal zijn.'

'In materiële zin.'

'In materiële zin. Het gebeurt al. Het is een proces waar wij niet mee begonnen zijn, maar dat we wel zullen voltooien. En ik weet niet hoe ver men kan komen.'

'Denk je dat de schepping op een dag door de wetenschap kan worden voltooid?'

'Ja. Maar de wetenschap kan haar ook te gronde richten.'

'Hoe zit het dan volgens jou met de morele wetten? Wij menselijke wezens zijn niet uitsluitend door wetenschap gevormd. Beter gezegd, het merendeel van de mensen weet het nog niet, maar we hebben allemaal een morele dimensie.'

'Die ook evolueert, ook dat is een schepping.'

'Je vergist je, de morele dimensie is ons gegeven.'

'En die wordt geloof genoemd,' fluisterde Marta.

'Ja.'

'Er is ons een morele dimensie gegeven' vervolgde ze, 'die per cultuur en religie verschilt, maar er is een universele moraal die wij menselijke wezens geschapen hebben en die grotendeels afhankelijk is van het beschavingspeil dat we bereiken. Buiten elke religieuze norm om hebben we een menselijke ethiek geschapen: goedheid, integriteit, persoonlijke waardigheid, verlangen naar vrijheid, rechtvaardigheidsgevoel, menselijke liefde... die zich soms slechts voeden met een zuchtje wind en geen van alle vastliggen in een goddelijke wet. Verdraagzaamheid, respect, samenleven, zelfs huilen, komen voort uit de mens. We krijgen prikkels van het zogenoemde goed en het zogenoemde kwaad, maar moraal en ethiek scheppen we zelf. Wij menselijke wezens vervallen voortdurend in dezelfde fouten, maar we weten tenminste dat het fouten zijn. In de loop der eeuwen hebben we geleerd die te vermijden, of ze althans te vervloeken. Met de weinige bouwstenen die ons gegeven zijn – zoals het geloof – hebben we een morele dimensie geschapen die aanvankelijk niet bestond. We hebben ervoor gestreden en zijn ervoor gestorven, en dat strekt tot eer. Nog niet de helft van de moraal is ons gegeven door het geloof en dat betekent dat meer dan de helft ervan door onszelf geschapen is. Ik durf te zeggen dat wij zullen creëren wat goden noch duivels in staat waren te voltooien. Alle strijders en martelaren die in een betere wereld geloofden, dragen bij aan de schepping van een moraal in een wereld die onvoltooid aan hen werd overgedragen. Iedereen op aarde die nadenkt, draagt bij aan de schepping der wereld. En dat doen ze alleen vanuit hun waardigheid, niet omdat ze een vergoeding verwachten of straf willen ontlopen, zoals zij doen die simpel geloven.'

'En daar houdt God rekening mee?' vroeg Masdéu vol twijfel.

'Hij houdt er niet alleen rekening mee, hij leert ook. En er zal een dag komen waarop we niet alleen de materiële grenzen van de schepping bereikt zullen hebben, maar ook de morele grenzen zullen hebben bepaald. Misschien is op die dag de schepping voltooid en zal God gewoon onze kameraad zijn. Het geloof, waaraan u zo trouw bent, zegt het zelf: we zijn gemaakt volgens zijn beeld en gelijkenis. Maar aan ons werk lijkt geen einde te komen; niemand is in staat te berekenen hoeveel generaties er geweest zijn sinds het begin van onze soort of hoeveel generaties er nog nodig zullen zijn om de cirkel te sluiten. Maar eens zal de cirkel gesloten worden door mensen die in zichzelf geloven en nadenken.'

'Zoals alle overledenen uit uw familie deden...' zei Masdéu tandenknarsend.

'Inderdaad, zoals alle overledenen uit mijn familie deden. Vanaf de vrouw die geen graf meer had tot de vrouw op wier borst in haar graf een bronzen kruis lag.'

'Het was eenvoudiger geweest als ze het geloof behouden hadden.'

'Je kunt blijven geloven en tegelijk nadenken.'

'Dan verval je in ketterij,' zei Masdéu.

'Ja.'

'Dat is heel eenvoudig te vermijden, beste vriendin. De grenzen worden door Rome bepaald.'

'De mens hoeft geen grenzen in acht te nemen,' zei Marta zacht, 'je kunt best wel denken zonder Rome te kwetsen.'

'Beslist niet.'

'Waarom niet?'

'Vanaf het begin der tijden bepaalt Rome zelf wanneer het zich gekwetst moet voelen.'

'Dat begrijp ik: iedere keer als je over Rome nadenkt, kun je het kwetsen. Iedere keer als je aankomt met de zogenoemde bevrijdingstheologie, kun je het kwetsen. Iedere keer als een priester in een mijn gaat werken, kan hij Rome kwetsen. Iedere keer als je eenvoudigweg nadenkt, kun je het kwetsen. Hoewel je dat niet wilt. Rome bepaalt of ze gekwetst is.'

'Nogal logisch. Dat is hun missie, die ze gecultiveerd hebben vanaf het begin der tijden; je kunt geen komma wijzigen in wat ons geopenbaard is en er zijn tal van martelaren die voor dat geloof gestorven zijn. In mijn familie zijn die er altijd geweest. Niemand had daar berouw over.'

Marta stond op het punt om te zeggen dat minstens één lid van zijn familie berouw gehad had – en misschien nog steeds berouw had vanuit de ingewanden van de stad – maar ze deed er liever het zwijgen toe. Ze wendde haar hoofd af.

Weer de straat, waarin zelfs geen schaduw meer bewoog. En plotseling het gevoel van eenzaamheid, van buiten de tijd zijn, in dat kleine universum waarin alleen de ogen van de kat oplichtten. Marta voelde de angst, al wist ze niet waarom.

Toen doorbrak de stem van Masdéu de stilte die om hen beiden heen hing.

'Er is een fundamenteel woord,' zei hij, '"gehoorzaamheid."'

'Gehoorzaamheid is eigen aan schapen. Misschien worden daarom christenen met het ware geloof altijd vergeleken met een kudde.'

'Ik wilde me niet door je laten kwetsen, Marta, maar dat doe je wel. Nu besef ik dat er geen redding mogelijk is; je bent een waardige afstammeling van je geslacht. Eeuwenlang hebben mensen als jij de vrije gedachte beoefend, waaruit ketterij, revoluties en wereldlijke regeringen zijn voortgekomen, of nog erger, antireligieuze regeringen, die vonden dat de mens genoeg heeft aan zichzelf. Eeuwenlang hebben jullie geloofd, niet in een verdrag met God, maar in een pact met de duivel. En daarom zijn jullie stelselmatig gemarteld.'

'Stelselmatig,' herhaalde Marta.

Er spookte zoveel door haar hoofd. Ze slaagde er echter in te glimlachen: 'God staat geen verdrag toe.'

'Daarom had ik het over gehoorzaamheid. Maar vertel me dan eens of de duivel dat wel toestaat.'

354

'Misschien wel. Eigenlijk is de schepping van de menselijke moraal een doorlopend verdrag tussen het goede en het kwade en ik denk dat het dat zal blijven. Daarom ontvangen we voortdurend boodschappen: er zijn wezens die ons altijd begeleiden en die de tijd bewonen.'

'Door de duivel gestuurd, neem ik aan.'

'Ik ben bang van wel,' zei Marta, 'maar er zijn er ook van de kant van de gehoorzaamheid, van de woorden die onaantastbaar zijn.'

Abrupt viel er een stilte, waarin Marta doelbewust haar ogen sloot. Ze wist het.

Masdéu, de familie Masdéu, had boodschappen ontvangen van de leer die onaantastbaar is. Inquisiteurs, theologen, bisschoppen en kruisvaarders hadden uitsluitend de stem van dat geloof te horen gekregen. En als het nodig was, stierven ze daarvoor.

Marta had haar ogen nog steeds dicht. Waren er andere stemmen? Waren er andere woorden?

Zij wist zeker van wel en haar eigen familie had het ook eeuwenlang geloofd. Daarom werden ze allemaal gedood en zou ook zij misschien gedood worden. Alsof ze zich diep in een droom bevond, herinnerde ze zich de man met de zo bleke huid die ze in het huis van de overleden bisschop had leren kennen. Die man, als het tenminste een man was, was dat ook een stem die uit de diepte der tijden kwam? Was het een van die stemmen waarin haar voorouders hadden geloofd, hoewel ze de stem nooit rechtstreeks hadden gehoord?

De stem van Masdéu onderbrak haar gedachten.

'Dit is een strijd die voortkomt uit het begin van de tijd en die misschien nooit zal eindigen. Daarom is er geen haast bij. Tussen de heksenverbrandingen van de Inquisitie en de veroordelingen door militaire gerechtshoven tijdens de Burgeroorlog is geen tijd verstreken. Het is dezelfde strijd. En nu... Waarom lach je?'

'Als de weinige mensen die nu in dit café zitten ons zouden horen, zouden ze ons voor gek verslijten,' zei Marta. 'Niemand spreekt meer over dergelijke onderwerpen.'

'Ook bij degenen die in de Twin Towers werkten, was het niet op-gekomen daarover te spreken, noch bij degenen die op 11 maart met een bepaalde trein door Madrid reisden. Stellig dacht niet een van hen aan religie of aan sterven ter wille van je godsdienst. Maar de dood ter wille van de religie bestaat, heeft al eeuwenlang bestaan en zal nooit stoppen.'

'Het is de meest absurde dood,' zei Marta, 'met het minste be-staansrecht, hoewel hij zich van tijd tot tijd voordoet. Ik hoop dat het menselijke denken er ooit mee zal afrekenen.'

'Je vertrouwt te veel op het menselijke denken, Marta.'

Ze stond op en glimlachte.

'Het menselijke denken heeft nog niet afgerekend met het kwaad, maar het heeft tenminste geleerd het te identificeren en het te minachten. En het kwaad komt van hen die in niets dan gehoorzaamheid geloven.'

Masdéu stond ook op, maar zijn gelaatsuitdrukking was gespannen.

'Je hebt tenminste naar me geluisterd,' zei hij.

'Daar hoeft u me niet dankbaar voor te zijn. Ik probeer me door het verstand te laten leiden en het minste wat ik dan kan doen, is naar mensen luisteren.'

Ze daalde de trap van de opkamer af met Masdéu in haar kielzog. De mensen die beneden zaten, keken naar de benen van het meisje en haar beweeglijke figuur en lazen iets van haar lippen, iets wat hun zei dat ze niet in staat was tot kussen.

De straat was naargeestiger dan ooit, eenzamer misschien ook, hoewel aan het eind een paar werklieden een geul groeven. Bij haar aankomst had Marta al een afrastering gezien die duidde op een opgebroken straat. Zo te zien waren de funderingen van enkele huizen niet veilig.

Masdéu wees ernaar. 'We kunnen beter achterom gaan. Dan steken we een stukje af en kunnen we dit allemaal omzeilen.'

Aangezien zij de omgeving niet kende, stemde Marta toe. Ze zag een deur die half verborgen was achter een gordijn. En een steegje dat nergens heen leek te voeren. En in de verte een licht.

Ze zag echter de put niet die onder haar voeten ontstond nadat Masdéu met zijn voet het metalen rooster opzij had geschoven dat eroverheen lag, waarna hij een stap opzij deed. Ze werd verblind door het licht aan het eind van de steeg, zag vrijwel niets terwijl ze voortliep.

Ook niet de hand van Masdéu die naar haar nek werd uitgestoken.

40

Het huis op de heuvel

Ik heb al gezegd dat ik een man gedood heb.

Over hem zou ik het willen hebben. Over zijn leeftijd: ongeveer vijftig jaar. Over zijn smetteloze kleding, die des te meer opviel in de verwoeste stad: een kostuum van Engelse wol, die hij zelf via zijn fabriek importeerde, schoenen van krokodillenleer, zijden bretels, de meest verfijnde die ik in mijn lange leven ooit gezien heb. Over zijn onderscheidingen: op zijn revers prijkten twee lintjes. Over zijn vrouwelijke partners: jong en onderworpen wachtten ze op hem met hun rok opgeschort, naast een kaptafel uit de tijd van koningin Isabella, een spiegel of een oosters tapijt zo donzig als een kinderhuid.

Hij was per definitie de overwinnaar, hij legde het overwonnen Barcelona de nieuwe orde op. Andere overwinnaars lieten hun geweer achter en keerden dan vaak terug naar een uitzichtloze baan, maar hij keerde terug naar zijn fabrieken, zijn kapitaal en zijn waarheden. Een medaille als ex-krijgsgevangene, een medaille voor de beproevingen voor het vaderland. Geen druppel van zijn eigen bloed op zijn smetteloze kleding, wel soms in een onbewaakt ogenblik een enkel druppeltje van zijn vrouwtjes. Hij was de waarheid van een land dat heropgebouwd moest worden en de hoop van een rijk dat niet meer bestond, maar waarvan hij en zijn kompanen de tekeningen al klaar hadden.

Ik heb al gezegd dat ik hem gedood heb.

Maar eerst moet ik over het huis vertellen.

Ik woonde daar gedurende vrijwel de gehele Burgeroorlog, ik begroef me in de eenzaamheid ervan en bewoonde het als was ik een geest. Het stond in een straat in Pedralbes die half aangelegd was, want alle straten in die wijk waren toen half aangelegd. Omringd door bomen en aan het eind van een helling, was het nauwelijks zichtbaar, en ik vermoed dat dat de reden was dat niemand het in beslag genomen had. Er was een tuin bij met margrieten die al ter ziele waren, stokrozen tegen de muur die nog bloeiden en twee cipressen die de lucht streelden.

Er was ook een graftombe.

En om de graftombe bleef ik daar.

De lessen bij de piaristen waren al voor de Burgeroorlog beëindigd, aangezien de wetten van de Republiek seculier onderwijs verplicht stelden in tegenstelling tot religieuze scholen. Ze zetten me op straat en zeiden dat het niet hun schuld was, en toen wijdde ik me, verstandig als ik was, aan privélessen. Zo ontdekte ik het huis.

De tuin stond toen vol margrieten en overal groeiden stokrozen, maar cipressen waren er nog niet. Het huis had grote vensters van waaruit je in de verte de stad kon zien liggen, net zoals ik die eeuwen geleden vanaf de heuvel van de Onze-Lieve-Vrouwe van El Coll aanschouwd had. Er was een meisje dat er van het licht en de warmte van de zon wilde genieten en een hond, Ringo genaamd, die er genoeg van had naar de maan te blaffen.

Op een dag, vlak voor de Burgeroorlog, verscheen ik daar, in reactie op een advertentie, en leerde ik de plaats kennen waar later de graftombe zou komen.

Maar toen was de tombe er nog niet.

Op dat moment leerde ik alleen het meisje kennen. Met schuinstaande ogen, onzeker op haar benen, een heel tere huid en armen die door de lucht wapperden. Het was een meisje met downsyndroom en in die jaren zag men geen mogelijkheden tot verbetering voor downkinderen; ze kregen eenvoudigweg te eten en verder liet men ze aan hun lot over. Maar in dit geval geloofden de ouders in haar.

Haar vader was beursagent en werd in die jaren van gemakkelijke standsindeling als een man met rechten beschouwd

Haar moeder was lerares Frans en geloofde in de toekomst van het menselijk ras en dus ook in de toekomst van het meisje.

Ook leerde ik Rita, een volksvrouw, kennen.

Zoals ik heb moeten spreken over het huis waar het licht heerste, moet ik nu over Rita spreken, de vrouw uit de steegjes waar de duisternis heerste.

Rita was in de achterbuurten van Barcelona geboren, in de Calle de las Tapias, destijds het centrum van de armetierigste prostitutie. Vanaf haar drieëntwintigste had ze zich uit pure honger laten prostitueren, nadat ze als dienstmeid gewerkt had in een huis en daar zwanger gemaakt was door de heer des huizes. Rita had een dochter gekregen. De dochter was overleden.

En uitgerekend in het huis met het licht maakte ik kennis met haar rustige ogen, haar roodgezwollen handen van al het werken, haar dunne lippen en haar tong, die, net zoals die van de hond, voortdurend de huid likte van het meisje met de schuinstaande ogen terwijl ze samen bij het venster genoten van die zon van de rijken die door de ouders betaald was.

De vader was een rechtschapen man, zo rechtschapen dat hij nooit iets vreemds aan mij merkte. Terwijl hij met me sprak, welden er tranen in zijn ogen op.

'Een paar collega's in het buitenland hebben me verteld dat er hoop voor mijn dochtertje kan zijn als ze speciaal aangepast onderwijs krijgt. Dat speciale onderwijs had al eerder moeten beginnen, en dat betekent dat ik van mijn kant niet alles gedaan heb wat ik had moeten doen. Maar als u de hele dag met haar optrekt en probeert haar te onderwijzen en als Rita de hele dag bij haar is en haar genegenheid probeert bij te brengen, is er nog hoop.'

Hij bedoelde dat er nog een wonder mogelijk was.

Zo werd ik, de man van alle tijden, die de kerkers van de Inquisitie had gekend en secretaris van de graaf van Spanje was geweest, benoemd tot opvoeder van een meisje dat me nooit zou kunnen begrijpen, in een huis op de heuvel waar stokrozen in overvloed bloeiden en twee cipressen begonnen te groeien. Ik bezwoer hem dat ik het zou proberen, omdat ik een voordeel boven anderen had: ik kon naar haar kijken met de ogen van het eeuwige leven.

Ik rekende bovendien op twee wezens die het wonder konden bewerkstelligen. En van die twee was de hond, die naast het meisje ging staan en vastbesloten was haar tegen alles en iedereen te verdedigen: het meisje merkte die genegenheid, die aanwezigheid. Het andere wezen was Rita, vrouw uit het lage volk, die nauwelijks kon lezen en die haar dode dochtertje met zich meedroeg. Nu kon ze een levend dochtertje met zich meedragen.

Het meisje was haar ziel, zoals het voor de hond een pasgeboren puppy was.

Op dat moment brak de Burgeroorlog uit, voor mij niet zo verbazingwekkend. Ik had de Successieoorlog meegemaakt, de verdediging van Barcelona in 1714, de Onafhankelijkheidsoorlog, de Carlistenoorlogen en het ontstaan van de twee Spanjes, en dat alles niet tevergeefs. Ik had talloze dingen kunnen uitleggen op de spreekgestoelten in de stad, maar niemand zou naar me geluisterd hebben. Het enige wat ik kon doen, was de stad aan mijn voeten zien liggen, met brandende kerken, zoals ik gezien had tijdens de Tragische Week. En me er rekenschap van geven dat ik, de onsterfelijke, er enorm naar verlangde te sterven.

Ik kon niet weten dat op dat moment, zonder ander gezelschap dan een analfabete, een meisje en een hond, de enige waardige periode in mijn leven begon. Ik kon niet weten dat de hond en de analfabete het lot bepaalden. Niet ik.

Toen de kerken in de omgeving in brand gestoken werden en de herenhuizen van de rijken geplunderd werden, al in de eerste dagen van de revolutie, besloot de moeder van het meisje, als Frans staatsburger, haar paspoort te gebruiken om naar haar land terug te keren, in gezelschap van haar echtgenoot en haar dochtertje. Haar echtgenoot dreigde geëxecuteerd te worden door de anarchisten, net als verschillende buren al overkomen was. Het gevaar in aanmerking nemend stuurde het Franse consulaat haar dus een auto en zei haar de aftocht in minder dan een uur voor te bereiden.

Ze kon bijna niets meenemen. Alleen wat sieraden en spullen van waarde.

En het meisje.

Maar het meisje was verdwenen. Dat begreep ik toen niet, hoewel het allemaal vrijwel onder mijn ogen gebeurd moest zijn. De moeder werd wanhopig, kreeg een zenuwaanval, sloeg mij in het gezicht omdat ze dacht dat ik iets wist, viel op haar knieën en vroeg de hond om haar spoor na te gaan. Rita was met het meisje verdwenen. Ze waren niet in de verborgen hoeken van het huis, noch onder de meubelen, noch in de schuilhoekjes in de tuin, er kwam niets tevoorschijn. De hond weigerde doodleuk om te gaan spoorzoeken. De chauffeur van het Franse consulaat drong schreeuwend aan dat een minuut later te laat zou zijn.

Ik denk nu dat het logisch was, wat er gebeurde. Terwijl de vader wanhopig in alle hoeken en gaten zocht, viel de moeder als door de bliksem getroffen neer met haar handen aan haar hart. De chauffeur droeg haar naar de auto en reed haar op volle snelheid naar het ziekenhuis, dat al vol doden lag. Daar verleenden ze haar eerste hulp, gaven ze haar echtgenoot een kalmeringsmiddel en vroegen ze de chauffeur hen zo snel mogelijk naar een ziekenhuis over de grens te vervoeren, waar ze zonder gevaar verzorgd konden worden; en ik bleef alleen achter in het huis.

Ik herinner me de julizon. De stad die in brand leek te staan. Het gigantische Barcelona dat ik had zien groeien. De schoten die zelfs opklonken in die rijkeluiswijk, een van de rustigste ter wereld. Ik herinner me de lucht die brandde en een tuin zo felgroen dat het pijn deed aan de ogen.

Toen verscheen Rita met het meisje. En de hond erachter, kwispelend met zijn staart. Die schurk, nu had hij het spoor wel kunnen vinden.

'Er werd aan alle kanten geschoten,' zei Rita met haar ogen vol tranen. 'Ik was bang dat ze gedood zou worden.'

Ze had gedaan wat dieren doen als ze gevaar bespeuren: hun jongen verbergen. Voorzien van een slimheid die uit de aarde zelf voortkwam, snapte die vrouw die niets wist alles. Het was haar gelukt de enige grot in de omgeving te bereiken, zich daar met het meisje te verbergen en haar met haar eigen lichaam te beschermen, haar onder het struikgewas te verstoppen en zich erop voor te bereiden te sterven als iemand de kleine een haar wilde krenken. Pas toen het in de omgeving stil werd, had ze de grot verlaten.

Te laat. De ouders waren al weg. De nacht was gevallen. Het meisje was bang en hongerig.

Te laat.

Of misschien niet.

Die vrouw was bereid haar leven te geven. Dat was ik ook. Net zoals de hond, die de kleine likte. En we beschikten over het huis.

En zo werd ik, de zoon van de duivel, mentor van een meisje dat niet eens kon praten. Zo begreep ik dat ook ik deel uitmaakte van de fundamentele waarden in de wereld. Zo kwam het dat ik haar een kusje gaf en zwoer haar te verdedigen. Terwijl ik haar een kus gaf, kreeg ik het gevoel dat ik haar gezichtje bezoedelde.

Door de Burgeroorlog heb ik veel geleerd, als ik het al niet wist. Ik leerde dat in die tijd een proces van eeuwen zijn toppunt bereikte en dat in feite de twintigste eeuw deel uitmaakte van de vijftiende eeuw, omdat de problemen van indertijd nog steeds niet opgelost waren. Ik leerde dat het geloof, dat persoonlijke toewijding of eventueel persoonlijke worsteling zou moeten inhouden, kan veranderen in een bron van haat, en dat het daarom nodig is dat het weer persoonlijke toewijding wordt. Of een persoonlijke worsteling. Ik leerde dat het volk altijd ontvlambaar is: als het de warmte van een fakkel voelt, ontbrandt het. Ik leerde dat er uit naam van God gemoord wordt, zoals ik ook De Ander had zien doen.

In Burgos werd uit naam van God gemoord; in Barcelona was men eropuit God te vermoorden, maar het resultaat was hetzelfde. Religie was geen individuele emotie meer die oplossingen vindt in het leven, maar was een collectieve emotie geworden die pas in de dood een oplossing ziet. Hoog vanuit dat alleenstaande huis moest ik, kind van de duivel, deelnemen aan het bloedbad tussen hen die nooit enige twijfel kenden. Toen drong het tot me door, als dat niet al eerder het geval was, hoe afschuwelijk absolute zekerheid en absolute gehoorzaamheid zijn.

Natuurlijk heb ik De Ander in die tijd niet gezien. De anarchistische patrouilles hadden met hem afgerekend. De Ander, die net als ik in de diepte der eeuwen verzonken was, was waarschijnlijk te vinden aan de andere kant van de grens, waar ongenuanceerd geloof aan zijn zijde was. Voor hem noch voor mij bestond de tijd en we hadden geen van beiden haast. We zouden elkaar weer ontmoeten.

Heb ik beweerd dat de tijd voor mij niet bestond? Welnu, zo was het niet helemaal. Voor anderen bestond de tijd en daar diende ik me naar te schikken. Zoals zo dikwijls in het verleden, moest ik van naam en identiteit veranderen, daar ik nu eenmaal niet van uiterlijk kon veranderen. Een ex-docent bij de piaristen kon niet de revolutionaire stad doorkruisen; dus maakte ik me meester van het legitimatiebewijs van een dode (op alle straathoeken waren doden te vinden, keus genoeg), vervalste ik een paar gegevens en werd ik een professor uit Oostende, een taalgeleerde. Onmiddellijk kreeg ik werk als vertaler op een bureau voor contraspionage en onvervangbaar als ik was, werd ik niet de oorlog in gestuurd, hoewel ik er nog steeds uitzag als een dertigjarige.

Maar dit was de tijd van het meisje.

Nu de maan zovele malen opgekomen en ondergegaan is, weet ik dat ik voor niets anders geleefd heb. De duisterste waarheden zijn altijd de eenvoudigste. En toen kwam ik erachter dat zelfs een kind van de duivel kan houden van een alleenstaand huis, een hond en een meisje.

Als ik ging werken, bleef het meisje onder de hoede van de hond en van Rita. We hoefden geen honger te lijden, want als regeringsfunctionaris kreeg ik een klein extra rantsoen (waarvan ik vrijwel niets gebruikte), en bovendien had Rita, trouw aan haar eenvoudige komaf, van de tuin bij het huis een moestuin gemaakt. Het kleine meisje leerde, als deel van haar nieuwe leven, groenten kweken en oogsten, de paden schoonmaken, zich te laten leiden door de hond en steeds dezelfde naam te geven aan vogels die elke dag anders waren. Ik leerde haar letters onderscheiden en verband te leggen tussen voorwerpen en woorden, zodat bij het meisje in die geïsoleerde omgeving zonder enige verstoring intelligentie gewekt werd. Bovendien was ze gelukkig.

Natuurlijk probeerde haar moeder haar vanuit Frankrijk op te sporen. Het Rode Kruis zette stappen en had haar misschien kunnen vinden, maar terwijl ik aan het werk was, verborg Rita haar. Ze zei dat ze niet tevoorschijn gekomen was om te verhinderen dat het meisje werd meegenomen. Diep in haar hart koesterde Rita in haar eenzaamheid het meisje als de eigen dochter die ze ooit in haar buik gedragen had.

Op een dag viel er een bom in de omgeving – vreemd, want het was een afgelegen en vredige buurt – en werd het meisje bedolven door aarde. Rita groef haar met haar nagels uit, waarbij ze luide kreten slaakte en in de aarde hapte, totdat ze doorkreeg dat het kind nog leefde. Toen likte ze haar schoon, zoals dieren dat doen, maar dieren huilen niet uit dankbaarheid. Al spoedig leerde Rita, die uit de duisternis kwam, mij de meest elementaire waarheden, net als mijn moeder me die eeuwen geleden geleerd had.

Ik liep door heel het hongerige Barcelona, van de ene gevangenis naar de andere, van de ene controlepost naar de andere, en vertaalde wat de opgepakte vermoedelijke spionnen zeiden. Ik liep door de Calle de San Pablo, waar ik mijn jeugd had gesleten, ik zag de kerk waarin ik eeuwen geleden had geslapen en zwierf door Rondas, waar ik zo lang de laatste stadsmuren gekend had die in de tijd van Cerdà gesloopt waren. Terwijl de gotische stadsmuur van Jaime I de muur uit mijn jeugd was geweest en Raval buitensloot, omvatte die van Pedro el Ceremonioso, amper honderd jaar later opgericht, ook Raval en dus ook mij. Ik was de man van de stadsmuren, altijd met hetzelfde gezicht, dat overal herkend kon worden, maar iedereen die me had kunnen herkennen, was al dood.

Ik liep door heel het hongerige Barcelona. Ik zag de huizen die door bommen verwoest waren en raakte ervan overtuigd dat de stad eronderdoor ging, volledig opgeslokt zou worden door het vuur. Dag en nacht werd de stad bestookt door vliegtuigen van de nazi's. Ik zag gebouwen ineenstorten waar ik eens van gehouden had, ik zag vrouwen jammeren en ik zag de doodsbange ogen van kinderen. Ik drukte me tegen de muur van een gesloten kerk, dacht aan alle wezens die ik daaruit had zien komen, nu overleden en in nevelen opgegaan, en ik moest mijn ogen sluiten.

Maar in wezen was dat niet mijn werkelijkheid. Die bevond zich in het huis op de heuvel. Daar had ik het meisje leren lezen en leerde ik het schrijven. 's Avonds had ik haar de namen van de sterrenbeelden geleerd. Ik had bereikt dat ze bijna al haar woorden – eenvoudige, directe woorden – in drie talen kon zeggen, maar kinderen leren spelenderwijs. Ik hield haar in mijn armen die voor het kwaad bestemd waren en dacht dat het kwaad ook tederheid kan bevatten. Misschien was het waar dat God van ons leerde en schrok van zijn werk.

Natuurlijk was het, ondanks dat het zo afgelegen lag, niet een en al rust in het huis op de heuvel. De naar Frankrijk uitgeweken moeder deed een nieuwe poging haar dochter te vinden, maar via een andere weg. Deze keer kwam niet het Rode Kruis, maar de Internationale Rode Hulp, en Rita verstopte het meisje weer. Ik hield haar niet tegen, want vanaf het eerste moment wist ik dat als ze het meisje bij haar weghaalden (de bloemen die het kind verzorgde, de hond waar ze omstrengeld mee sliep, de sterren waarvan ze 's avonds de namen noemde), Rita zelfmoord zou plegen.

Het was niet het enige bezoek aan het stille huis. Een soort regeringscomité, bestaande uit drie mannen, kwam langs en wilde er beslag op leggen. Alle verlaten gebouwen in de omgeving waren al in beslag genomen, zodat het me helemaal niet verbaasde. Een van de drie mannen viel me in het bijzonder op, omdat hij zich ontwikkeld en autoritair opstelde en het huis scheen te kennen, ik wist niet hoe. Hij inspecteerde het helemaal, keurde de toestand van de muren, keek onverschillig naar het meisje, gaf de hond een trap en verklaarde het huis geconfisqueerd. Hij deed het voorkomen dat de Republiek het huis nodig had om de oorlog te winnen. Maar ik protesteerde en zei dat het gebouw toegewezen was aan de contraspionagedienst, en dat als hij er ook maar een hand naar uitstak, er een onderzoek naar hem zou worden ingesteld. Dat zou geen grap zijn, een onderzoek door de contraspionagedienst, de SIM, die zoveel graven gevuld had.

Ik weet niet of die man, Reyes genaamd, schrok.

De beide anderen wel.

Ze stelden dat het huis te klein was en te verafgelegen en dus dropen ze af, maar wel luid vloekend. Ik heb me nooit zo opgelucht gevoeld als toen. Het huis was, juist doordat het zo afgelegen lag, de beste garantie op leven, niet alleen voor mij – die dat niet zo nodig had – maar vooral voor Rita en het meisje. En ik kon weer met het meisje langs de paadjes lopen, namen geven aan de vogels die de lucht in ruitjes verdeelden en de sterren opsommen.

Zo eenvoudig was het.

Toen wist ik nog niet dat ik weer iemand zou doden.

Het meisje verliet het huis nooit en niemand kende haar, want het huis en de tuin waren haar universum. Maar aan het eind van 1938, toen het leven in Barcelona al ondraaglijk was, werd het meisje ernstig ziek. Wat nooit gebeurd was, hoewel het te verwachten viel, gebeurde uiteindelijk toch.

Rita droeg de kleine in haar armen naar het Academisch Ziekenhuis.

Weer het Academisch Ziekenhuis, weer de doden.

Daar hing een foto van mij. 'Afdeling Eerste Hulp van het Academisch Ziekenhuis, 1916'. Daarom kon ik daar niet heen.

Het meisje werd behandeld en zelfs bemachtigden ze wat medicijnen voor haar. Rita droeg haar weer terug in haar armen, ervan overtuigd dat ze zou genezen, terwijl om hun beider lippen dezelfde glimlach zweefde. Alleen de vrolijkheid van de hond misten ze. Ze trokken door dramatisch grauwe straten, zonder trams, zonder licht, met kapotgeschoten gebouwen en rijen hongerige vrouwen. Rita liep en liep maar, zong melodietjes en streelde het meisje. Het was het laatste vrolijke lied in de straten van het dode Barcelona, van een vrouw die oprecht in het leven geloofde.

Toen kwamen de vliegtuigen.

En de kreten van afgrijzen.

En de bom.

Een stuk metaal trof het meisje midden in het gezicht, zonder dat Rita ook maar een schram opliep. Die liet zich op het meisje vallen in een poging het te beschermen, voelde de dreun van haar botten en proefde op haar tong, haar moederhondtong, de smaak van bloed.

Ik heb het meisje zelf begraven naast het huis. Met mijn handen in de zachte aarde, zonder gereedschap, begroef ik haar, ik, de man van de dood.

Rita had haar in haar armen naar het huis gedragen. Badend in het bloed, met kapotte benen maar met verschrikkelijk droge ogen, overhandigde ze haar aan mij. Het was als een gift, een offerande. Ik herinner me de tuin die nog steeds pijnlijk groen was, het ruisen van de wind die vanuit de stad kwam, de vlucht van een vogel die langs scheerde, het bovennatuurlijke gejank van de hond.

Dat herinner ik me allemaal.

En mijn handen die in de aarde klauwden.

Nu, op dit ogenblik, zou ik het kunnen uittekenen.

Ik herinner me de ogen van Rita, nog steed verschrikkelijk droog.

En de grote kartonnen doos. De doos van de enige pop die het meisje in haar leven gehad had.

Dat was de doodskist.

De doodskist, uiteindelijk, voor een pop.

Ik herinner me de blote handen van Rita, die haar met aarde bedekten.

En de grote boom ernaast, waarvan de takken de hemel in staken. Ik zag twee vogels op een van de takken neerstrijken.

Ik begreep meteen dat ze een nest gingen bouwen.

Ik wist onmiddellijk dat Rita het niet zou overleven, maar ik had nooit gedacht dat het zo snel afgelopen zou zijn met haar. Die nacht liet ik de vrouw achter op het bed van het meisje, met de kleren van het kind in haar armen. De volgende ochtend trof ik haar dood aan.

Ik herhaal dat ik het wist. Ik, de man van de duisternis, had die blik eerder in de ogen van mijn moeder gezien. Mijn onsterfelijke ogen beschouwden haar vanuit de diepte der eeuwen, mijn onsterfelijke armen pakten de dode vrouw op.

En met mijn blote handen groef ik het graf andermaal open.

Ik herinner me de stilte in de tuin, zelfs de lucht en de hond zwegen. Ineens doorbrak een geklapwiek de stilte. Er viel een takje aan mijn voeten. Er was geen twijfel meer aan: de vogels waren een nest aan het bouwen.

Het was een illegale begrafenis.

En wat dan nog?

Het was de enig waardige begrafenis.

Rita en het meisje zouden voor altijd verenigd zijn, samen met de doos van de pop.

Maar er ontbrak iets. Ik, de man uit de diepte van de tijd, die zoveel vergeten begraafplaatsen had betreden, vond dat enige waardigheid gepast was in het aangezicht van de dood. Dus daalde ik af in de stad om een grafsteen te zoeken.

Een grafsteen?

Dat leek zo gemakkelijk, maar in deze laatste dagen van de Burgeroorlog was het moeilijk. In de steengroeven werd niet gewerkt, de ambachtslieden waren gemobiliseerd of ondergedoken en bovenal dacht niemand eraan graven op te tuigen. Een marmerbewerker raadde me aan een grafsteen te stelen en in de achterkant de namen van Rita en het meisje te griffen, maar ik, die zoveel grafstenen had gezien, wilde geen tweedehandssteen. Een ander bood me aan een steen samen te stellen uit stukken marmer van een gebombardeerd huis en zoals men het noemde een composietsteen te maken. Een derde duwde me ruw opzij en zei dat ik me met belangrijker zaken moest bezighouden.

Ten slotte trof ik die jongeman in het huis aan de Paseo de la Bonanova; het was geconfisqueerd, maar hem lieten ze daar wonen. Hij leek niet veel meer dan een kind, mollig en vrolijk, met een paar ogen die gemaakt leken om te genieten van wat er aan moois in het leven bestaat.

'Ik heet Guillermo Clavé, maar iedereen kent me als Guillermito,' zei hij direct.

Ik keek naar het huis: helemaal boven op het gebouw stond de laatste republikeinse vlag. Aan de palmenboulevard stonden een paar slecht geklede verpleegsters. Achter de ramen een aantal kromgebogen mannen, allen in witte jas, waar je vroeger de zwarte uniformen van de dienstmeiden met hun dikke achterwerken zag.

'Als je hier komt en iets nodig hebt, moet je altijd naar Guillermito Clavé vragen.'

Ik keek weer naar het huis; nu besefte ik dat ik het kende. In een ander tijdperk, toen ik me voordeed als arts – en dat kon ik echt zijn – had ik daar iemand behandeld; ik kon me niet herinneren wie, maar iemand... 'Vroeger hebben hier wat marmerbewerkers gewerkt, want er wordt hier altijd verbouwd,' zei de jongen. 'Er is wel een stuk over, dat uitstekend dienst zou kunnen doen als grafsteen.'

En hij voegde er lachend aan toe: 'Ik zal het je geven.'

Ik had hem wel willen omhelzen. Het was voor het eerst sinds het begin van de Burgeroorlog dat iemand me iets gul en opgewekt gaf. Ik greep zijn handen, die vol leven zaten, en fluisterde: 'Ik weet niet hoe, maar ik zweer dat ik het je eens zal komen vergoeden.'

'Dat zult u niet kunnen. U bent al zo oud,' zei hij.

En óf ik het kon.

Maar dat wist ik toen niet.

Toen Guillermito Clavé jaren later (nadat er een paar palmbomen aan de boulevard dood waren gegaan en er weer dienstmeiden met dikke achterwerken te zien waren achter de ramen) ophield met lachen omdat zijn botten werden aangevreten door kanker, verlichtte ik zijn lijden. Dat kon ik nog niet weten. Het was dat spierwitte lichaam dat pater Olavide later liet begraven, samen met de steen die eeuwen tevoren met mijn bloed bevlekt was. De man die ik bloedeloos had achtergelaten, begraven samen met mijn onsterfelijke bloed.

Enfin, zo kwam ik aan mijn grafsteen.

Golgotha.

Zoals Jezus Christus een kruis op zijn schouders had gedragen toen hij daarmee zijn offerdood tegemoet ging, zo droeg ik, kind van de duivel, de grafsteen. Ik droeg hem omhoog door gekwelde straten en tuinen vol groen, klom ermee over grafkuilen, besteeg er heuvels mee, terwijl mijn botten voortdurend kraakten onder het gewicht. Toen ik de steen ten slotte liet vallen naast de boom waarin nu definitief de vogels hun nest bouwden, was ik helemaal kapot.

Ik beitelde hem met de hand uit. Ik, kind van de begraafplaatsen, maakte de eenvoudigste grafsteen ter wereld voor een vrouw en een meisje.

In de verte hoorde ik de hond janken.

De wind beukte in de hoeken van het huis op de heuvel.

En daar stonden slechts drie woorden ingebeiteld.

Drie.

'Rita en dochter.'

Bij de blijde komst van de vrede werd overal in de stad met overwinningsvlaggen gezwaaid. Overal werden triomfliederen aangeheven. Overal werden mensen tegen de muur gezet, overal keken mannen er reikhalzend naar uit de kasboeken weer te openen.

Maar mij kon het allemaal niets schelen.

Daar stond de grafsteen, gekoesterd door de vleugels van de vogels. De oude begraafplaatsen in Sant Pau del Camp, in Pueblo Nuevo en op de Montjuïc, die ik zo goed kende, waren te klein geworden; nu omvatte mijn kerkhof slechts één steen. Elke middag legde ik er wat bloemen uit de tuin, elke nacht legde de hond er zich ter ruste.

Natuurlijk werd ik, een man die voor de republikeinse inlichtingendiensten had gewerkt, automatisch ter dood veroordeeld, maar het deed me niets. Ik had me al een nieuwe, valse identiteit aangemeten: die van oud-leraar bij de piaristenschool. Natuurlijk moest ik eigenlijk voor mijn veiligheid minimaal het huis verlaten, maar ik deed het niet: het graf en de steen zou ik nooit achterlaten.

Totdat die man terugkwam, maar nu gewapend en samen met vier anderen. Ik wist zijn naam nog heel goed: hij heette Reyes. Hij had tijdens de Burgeroorlog het huis willen confisqueren. Die razende revolutionair, die zoon uit het volk die het beste wilde voor de Republiek, was in werkelijkheid een gecamoufleerde miljonair die nu trots het blauwe hemd van de fascistische beweging droeg. Er waren er in Barcelona velen zoals hij. Waar ik onthutst over was, was te horen dat hij de eigenaar van het huis was.

'De oude bewoners, die de wijk namen naar Frankrijk, waren maar huurders,' beet hij me toe, 'maar dat kon jij natuurlijk niet weten.'

'Wat is er van hen geworden? Waarom komen ze niet terug?'

'Ze hebben zich lelijk vergist; ze gingen naar een gebied dat onder Duitse controle was, waar ze veel vrienden hadden. Maar het waren Joden, dus vergeet ze maar. Die komen niet meer terug. Het huis is vrij.'

En hij wees met zijn vinger naar me.

'Ik weet heel goed dat jij voor de rode spionagedienst gewerkt hebt, dus je kunt maar beter haast maken en onmiddellijk vertrekken. Als je je verzet, loopt het slechter met je af.'

'Maar daar ben ik niet voor gekomen.'

Hij had het huis verkocht en ging op die plaats een veel groter huis bouwen. Daarom waren die andere mannen er. Hij zag de grafsteen met de hond erbovenop en toen het dier zijn tanden liet zien, legde hij het met één schot het zwijgen op.

'Haal alles weg,' beval hij daarna.

'De grafsteen ook?'

'De grafsteen het allereerst, want precies daar komt de voordeur van het huis. Het is natuurlijk een illegale begrafenis geweest, zoals zovele in de oorlog, maar we gaan geen tijd verliezen met papieren rompslomp. Weg met al die rotzooi. We moeten het huis gaan bouwen.'

Ik herinner me weer hoe stralend groen de tuin was. De statige boom die al de boom van de eeuwigheid was, waarin één enkel vogelnest zat. Ik ging op de grafsteen zitten, naast het kadaver van de hond.

'Klootzak, raak hier niets aan.'

'O nee? Hoezo? Gaat een terdoodveroordeelde hier bevelen uitdelen?'

En hij droeg zijn mannen op me op te pakken en in het ravijn te gooien. Als een baal rolde ik de heuvel af, ik dreunde tegen het struikgewas en brak een been, maar Reyes kon me niet doden, want ik was de man met het eeuwige leven.

Ik hoorde in de verte andere arbeiders in een vrachtwagen aankomen en twee van hen begonnen de grafsteen kapot te meppen. Twee extra doden tevoorschijn gekomen aan het eind van de oorlog... en wat dan nog?

Er zou niemand naar hen vragen.

Ik herinner me mijn brul in de stilte van de velden: 'Neeeeee...!'

Ik slaagde er zelfs niet in me voort te slepen. Boven me hoorde ik de slagen op de grafsteen. Ik klauwde met mijn nagels tot bloedens toe in de aarde.

Reyes leefde nog twee maanden.

Ik vond hem, slapend in bed in een luxehotel, samen met een jong meisje dat ook sliep.

Haar overkwam niets.

Hem wel.

En dit is het eenvoudige verhaal dat ik nu opgehaald heb, het eenvoudige verhaal van waarom ik een man doodde.

41

Doorrennen, Marta

Voor haar voeten opende zich de put.

Masdéu moest geweten hebben dat daar een put was, want behendig wist hij het rooster dat erop lag uit de houder weg te schuiven. Zo was een klein duwtje voldoende, haast niet meer dan een ademtocht, om ervoor te zorgen dat Marta in de duistere diepte viel.

Soms gaan in Barcelona op die manier putten open, vooral in stegen waar niemand komt, in die nauwe doorgangen die soms tussen twee percelen door lopen. Het kan voor een riool zijn dat vernieuwd moet worden, voor het repareren van fundamenten of een archeologische proefboring, maar in elk geval was de put behoorlijk diep. Als de bodem van steen was, kon een val haar dood betekenen.

Ze gilde niet.

Misschien had ze dit eigenlijk al verwacht. Misschien had ze al vanaf het moment dat ze Masdéu ontmoette, intuïtief geweten dat dit zou gebeuren.

En de rechterarm van Masdéu kwam naderbij. Een lichte beweging...

Marta poogde hem te ontwijken door opzij te buigen.

Het ging mis. Haar voeten wankelden aan de rand van een afgrond die ze niet kon zien.

En toen opeens die hand die haar tegenhield...

Die eerste fractie van een seconde begreep Marta Vives het niet.

Maar het was notabene de hand van Masdéu. Hij redde haar, remde haar in haar val. Marta snakte naar adem, met verwilderde ogen, zonder er iets van te begrijpen, terwijl de steeg om haar heen draaide.

'Voorzichtig, Marta.'

Nu lag zijn hele arm om haar middel. Ze hoorde de raspende ademhaling van de man, bijna als een kreet van smart. De vingers deden haar pijn. Masdéu liet haar beetje bij beetje naar achteren leunen.

'Leun maar tegen de muur.'

Opeens kreeg Marta een inval. Het was als een licht dat uit verafgelegen straten komt, als een ingeving. Een andere Masdéu, ook zo'n godsdienstfanaticus, had lang geleden spijt gekregen toen hij een moord gepleegd had in naam van God. Zijn gemummificeerde stoffelijk overschot lag nu in een vertrek waar waarschijnlijk nooit meer iemand zou komen.

Nu werd ze door twee armen ondersteund, zodat ze niet kon vallen. Masdéu ademde gejaagd, terwijl alle schaduwen op straat weer een slag in de rondte draaiden. Toen liet hij haar los. Marta voelde haar hart nog bonzen van angst. Spijt duurt soms maar heel even. Ze stond nog steeds op de rand van de put.

Opeens maakte ze zich los: 'Laat me gaan,' zei ze schor.

Ze zette een stap, nog steeds met doodsangst gierend door haar lichaam. Er glinsterde iets op de klinkers van de steeg. Het laatste licht, op zo'n tien meter afstand, draaide weer rond en Marta hoorde haar eigen voetstappen terwijl ze vluchtte. De stappen leken van een ander, haar eigen handen leken van iemand anders. Ze bereikte het eind van de steeg, zonder dat Masdéu aanstalten maakte haar te achtervolgen.

Verward zag ze het licht van een etalage, de knipoog van een uithangbord, het silhouet van iemand die door een andere, bredere straat voorbijliep.

Ze was veilig.

Maar toen was er opeens die zwarte gedaante, die gestalte die haar de pas afsneed en het licht wegnam. Marta slaakte een gesmoorde kreet.

Pater Olavide sloeg zijn armen om haar heen.

Het was als in veiligheid terugkeren, in de schoot van een bekende wereld waar je niets kan gebeuren. Het was als in haar jeugd, als ze vreselijk geschrokken een donker portiek uit kwam rennen en op straat een vriendinnetje trof. De steeg werd breder, de lichten draaiden niet meer rond. Marta kreunde nog een keer; eigenlijk was het een zucht van opluchting. Er was niemand achter haar aan gekomen. De ondoorgrondelijke wereld die ze ontvlucht was, had ze voorgoed achter zich gelaten.

'Soms neem ik de biecht af in deze buurt. Nadat ik zoveel jaren in het buitenland heb gestudeerd, zijn zieken haast nog de enige vrienden die ik heb,' zei pater Olavide.

En hij voerde haar de steeg uit. De iets bredere volksstraat leek Marta te baden in het licht. De vuile etalages leken vol schittering. Twee mannen draaiden zich om om te kijken naar een priester in innige omarming met een jonge vrouw. De mannen die in een geul aan het werk waren, staken hun hoofd omhoog. 'Wilde iemand je kwaad doen?' vroeg pater Olavide.

Marta antwoordde niet. Ze had het nog benauwd. Toen liet de geestelijke haar los, zodat ze weer normaal kon lopen.

'Gaat het weer een beetje?'

'Ja.'

'Ik begrijp niet waarom men zo'n haast heeft om de zaken af te wikkelen,' zei pater Olavide zacht, zonder haar aan te kijken. 'Wat gebeuren moet, gebeurt toch altijd. De tijd is eeuwig.'

42

De duiven

Regen omhulde de oude binnenstad, maakte die intiemer, als overdekt door een handgemaakte lijkwade. De torens van de kathedraal, ten noorden van het kantoor van Marcos Solana, hadden een grijze glans door het eeuwenlang trotseren van weer en wind. De Tomasa sloeg het kwartier, onverschillig voor de tijd, hoewel bedoeld om de tijd weer te geven. In het zuiden markeerden de torens van de Santa María del Mar voor eeuwig het hart van wat eens de oude wijk Ribera was, waarvan ze tegelijk kerkhof en stoffelijk overschot vormde.

Er gleden een paar druppels langs het raam, maar daar bleef het bij. Het regent in Barcelona niet meer zoals vroeger en het kleurenpalet is er door de zon verbleekt. De torens van het olympisch dorp waren nauwelijks te onderscheiden en soms helemaal niet: door een grijze nevel die van de Montjuïc kwam, waren ze weer in het niets opgegaan. Het was alsof het kantoor eenzaam uitstak boven de lege dakterrassen, met de straten plotseling heel stil en de stad vrijwel onzichtbaar, alsof de tijd stilstond.

De tijd verstilde in de oude papieren van Marta Vives, die uitgespreid lagen op haar bureau, en de tijd stond ook te lezen in haar ogen, die hun glans als van fris gespoelde straten hadden verloren. In die papieren gebeurde alles voor het eerst, zelfs het verhaal van de doden, maar onvermoeibaar bleven zich rechten en erfenissen aandienen voor de levenden die nog moesten komen. Marta wist dat in oude dossiers, oude nalatenschappen, een voedingsbodem aanwezig was om door iemand te worden ontgonnen. Het gele licht viel op de documenten, op hun rusteloze taal.

En onder het bureau bevonden zich de stevige benen van Marta, die eerder de straten in de stad doorkruist hadden. Maar zoals bij zoveel mooie vrouwen, was in de straten van de stad geen herinnering aan haar vastgelegd.

Solana keek even weemoedig naar de benen van Marta. Met zijn ogen dicht stelde hij ze zich soms voor in een kleine kamer, met een achtergrond van boeken, regen en een gesprek dat niet op gang wil komen.

En wat dan nog? De straten van de stad bewaren in hun herinnering evenmin de verlangens van mannen.

De deur naar de grote zaal, waar de overige stagiairs zaten, ging open en Solana leek verbaasd te zien wie er binnenkwam, maar gaf geen krimp. 'Pater Olavide is er,' zei een van de medewerksters, die de deur had opengedaan. 'Hij bekijkt wat dossiers in het archief.'

En ze voegde eraan toe: 'En dit is de heer Bossman, de nieuwe assistent. U had me gezegd dat ik hem bij u moest binnenlaten zodra hij er was.'

'O ja, natuurlijk,' glimlachte Solana.

De pas aangekomene kwam binnen. Het was een man van gemiddelde lengte, met een zekere eenvoud gekleed, met een vriendelijke blik, tussen de dertig en veertig jaar oud.

Het was onmogelijk te zeggen.

De tijd was in hem blijven stilstaan.

Uit zijn volwassen gezicht was het kind nog niet verdwenen.

Hij had een zeer blanke huid.

In zijn grote, intelligente ogen, die glansden als regendruppels, was de tijd echt blijven stilstaan.

'Ik wil jullie graag de heer Axel Bossman voorstellen,' zei Marcos Solana vriendelijk. 'De heer Bossman is, naar ik heb gezien in zijn stukken en referenties, afkomstig uit Parijs, van Engelse afkomst, maar hij heeft lang in Barcelona gewoond en hij spreekt dus uitstekend Castiliaans en Catalaans.'

Hij sloeg zijn arm om de schouder van de pas aangekomene en voegde eraan toe: 'Axel is documentalist geweest in de Franse Assemblée Nationale en heeft een ongeëvenaarde ervaring in het leidinggeven aan een kantoor, naast een grondige kennis van geschiedenis en rechten. Natuurlijk is hij advocaat en zal hij waarschijnlijk geen probleem hebben om in Spanje als zodanig te functioneren, maar dat wordt niet zijn functie hier. Hij gaat samenwerken met mejuffrouw Marta Vives, die al het werk in haar eentje niet meer aankan. Marta, mag ik je voorstellen aan de heer Bossman? Of heb je hem soms al eens ontmoet?'

Een moment stond de advocaat stil bij de opvallende gelijkenis van Axel Bossman met dat gezicht dat hem spottend had aangekeken vanuit een gevelornament en vanaf een oude foto uit 1916, maar direct daarna bedacht hij dat hij besloten had speculaties over het bovennatuurlijke – kortgeleden nog zo'n obsessie – van zich af te zetten en zich volledig te richten op het heden, dat al ingewikkeld genoeg was en waaraan hij zijn handen vol had. En hij besloot: ik moet me vergissen. Er zijn nu eenmaal op aarde veel mensen die op elkaar lijken.

Marta Vives keek op van het landschap van gele papieren, met stilte en regen als achtergrond. De pas aangekomene glimlachte naar haar.

Die heldere ogen.

Die bleke huid.

En die kalme, vreedzame glimlach, de glimlach zonder tijd waarin het eeuwige leven in al zijn nuances besloten lag. En die spierwitte handen, waarvan de vingers niets leken te beroeren. De handen die haar door het huis van de overleden bisschop hadden geleid.

Marta was als gehypnotiseerd. Haar ogen waren zo onverstoorbaar als de ramen waarlangs de regen druppelde.

De tijd hield de adem in.

Buiten het raam aan de noordkant, tussen de torens van de kathedraal, zocht een zwerm duiven een toevlucht. 'Het lijkt wel of jullie elkaar kennen,' zei Solana verbaasd.

'Nee,' zei de nieuw aangekomene, 'we hebben elkaar nog nooit ontmoet.'

Maar op zijn lippen verscheen weer de glimlach van het eeuwige leven.

De duiven. Ook door het raam op het zuiden zijn duiven te zien die vluchten voor de regen. De Santa María del Mar die wegzakt in de graftomben van dode vissers. Daar vliegen de duiven niet heen. Misschien gaan ze naar de Mercedkerk, op de koepel waarvan een madonnabeeld de zonden van vogels staat te vergeven.

Het hele gebouw lijkt rond te draaien boven de stad en de mist. Marta komt overeind en voelt dat ze op haar benen staat te tollen, maar tegelijk merkt ze dat ze steviger dan ooit in een van de hoeken van de tijd verankerd is. 'Ik denk dat ik maar naast je kom zitten, Marta,' had de nieuw aangekomene gepreveld.

Marta snelde het kantoor uit, naar de grote zaal waar de overige stagiairs zaten en waar zich de archieven en de boekhoudafdeling bevonden, door de deur van het privékantoor van Solana en naar de grote bibliotheek, waar vrouwen als Marta hun ogen verknoeiden.

Ze steunde met beide handen op de rand van een van de bureaus.

Ze zag dat pater Olavide net klaar was met een van de dossiers. Met zijn soutane uit een ander tijdperk, zijn altijd smetteloze, nauwsluitende boordje, zijn volmaakt-roomse glimlach, kwam hij naar het meisje toe. 'Hebt u mijn nieuwe collega gezien, pater?' vroeg ze met een dun stemmetje.

'Ja, die heb ik gezien.'

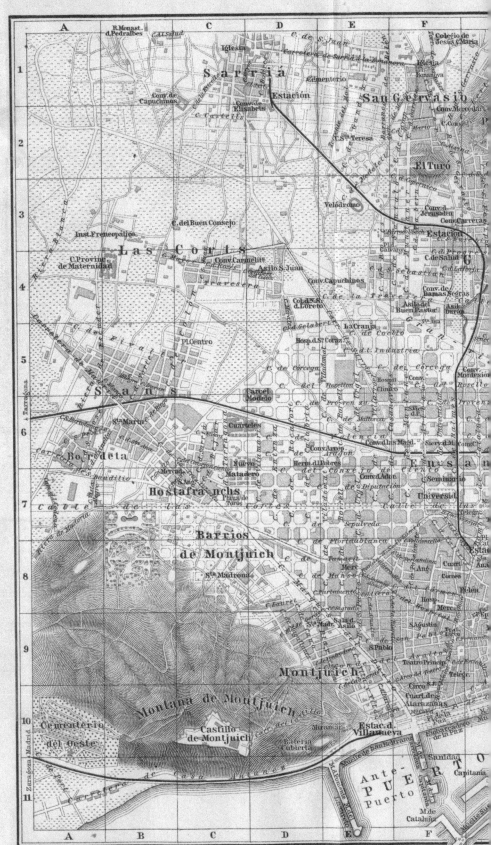

Geogr. Anstalt von.

Het gelaat van de priester bleef in de plooi. Maar Marta's handen trilden zo, dat een van de dossiers die op het bureau lagen, op de grond gleed. Hoffelijk boog pater Olavide voorover om het op te rapen.

Slechts even.

Een vonk.

Door de beweging gleed het priesterboordje langs zijn hals naar achteren, en op dat moment zag Marta het altijd verborgen kettinkje, hét kettinkje.

De fijne strook goud, zo fijn alsof het door de tand des tijds geleidelijk was verzwolgen.

De tekening. De nauwelijks verbonden schakels in de vorm van een zes.

En de tijd, de tijd die zich daar bevond, de tijd van alle dode steden.

Pater Olavide besefte niet dat zij het kettinkje gezien had. Of misschien ook wel. Op zijn gezicht was geen enkele uitdrukking te lezen. Hoffelijk legde hij het dossier weer op het bureau.

'Ik merk dat je wat zenuwachtig bent, Marta, en ik neem aan dat dat komt doordat je onder spanning staat. Maar geloof me, dat hoeft niet, want alles gebeurt als het moment daar is. Er is zoveel tijd en de schepping is nog niet voltooid: wij bouwen er zelf van dag tot dag aan, met de bouwstenen van de schepping zelf. Alles zal op zijn tijd geschieden.'

En hij glimlachte.

'Ik hoop dat je goed zult kunnen opschieten met je nieuwe collega.'

Marta stond als aan de grond genageld en draaide zich langzaam om. In de grote ramen glansden de torens van de kathedraal, gedempt door de mist, verhuld voor die duiven die hun weg nog niet gevonden hadden. Boven de daken van het oude Barcelona, waar in de loop der tijd zoveel kinderen bloemen hadden geplant. In de stad die zich steeds heimelijk voedt met de tijd, de tijd opslorpt zonder hem te verstoren. De tijd die over ons waakt vanuit zijn diepten, de weerspiegeling van de tijd.